DYSTOPIAN WORLDS IN SCIENCE FICTION
IN SEARCH OF A UTOPIA IN ANTHROPOCENE
ディストピアSF論
人新世のユートピアを求めて
海老原 豊
Yutaka Ebihara
JN113021
小鳥遊書房

目次　　Contents

第2章◉監視ディストピア
——スマート化された身体のアイデンティティ 065

第3章◉人口調整ディストピアと例外社会　125

第4章◉災害ディストピアとニーズの分配　180

第5章◉労働解放ディストピアの製造コスト　254

はじめに◉欲望されるディストピア

科学とテクノロジーで未曾有の豊かさを実現した私たちの社会が、その繁栄の裏でディストピアを欲望している――そう聞いたら驚くだろうか。

欲望は願望とは異なる。「こうあってほしい」と願うのは願望であり、私たちのうちでディストピアの到来を願望するものは多くない。他方、欲望は「こうなってほしくない」とディストピアの実現を拒絶しつつディストピアになぜか惹かれてしまうことや、意識にのぼってこない言語化以前の衝動と関係する。私たちはディストピアを願望していなくても、ディストピアを欲望できる。別の表現を使うなら、ディストピアはこの社会に構造化されている。本書は構造化されたディストピアを前景化する試みである。

右を見ても左を見ても、小説、映画、マンガ、ドラマ、ゲームなど現在または未来を描いた物語に、当たり前にディストピアが登場する。現在がかつてないほどディストピア的であると感じられるからではないか。思い出してみれば、ドナルド・トランプが大統領になった二〇一六年、選挙結果が確定した直後、ジョージ・オーウェルの『一九八四年』が爆発的に売れた。二〇一七年には、オーウェルの『一九八四年』の影響を受けたマーガレット・アトウッド『侍女の物語』（原作は一九八五年）がHuluでドラマ化された。ディストピアは政治に限らない。夏の異常気象と、原因である気候変動。専門家は私たちが地質学上の区分で、新しい時代——「人新世」——に入ったのではと議論し始めている。二〇一九年に発見され、二〇二〇年から世界中で猛威を振るった新型コロナウイルス感染症。二〇二二年に始まったロシアによるウクライナ侵攻。ロシアはウクライナの反転攻勢が成功すれば「核兵器を使用せざるを得ない」と発言している。[1]ディストピアはこれからの一〇年、二〇年、さらに欲望されていくだろう。本書が扱う二一世紀ディストピアはいくつかの類型はあるが、いずれも現代的問題と深く関わり、その程度は増すことはあっても減じることはないからだ。「二〇一〇年代は、「人間にはとてつもなくすごいことができる」という大きな物語に世界中が熱狂した多幸症の時代だった」[2]ゆえに／にもかかわらず、今までに以上にディストピアが欲望される背景を本書は探っていく。

レイ・カーツワイルの『ポスト・ヒューマン誕生』以来、シンギュラリティという概念は人口に膾炙した。自律的な人工知能（ＡＩ）が、あるとき意識を持ち、人間に反旗を翻すシナリオは、カーツワイル以前からＳＦでは脈々と描かれてきたが、人類が人類以上の存在＝ポストヒューマン（この場合はＡＩ）に取って代わられるのではないかという人類種の生存本能に直接にうったえる恐怖は、ますます深刻なものとして受け止められる。もちろん、私たちはかつてないほど豊かな——少なくとも物質的に豊かな——社会に住んでいる。これは各種データが指し示すとおり揺るぎのない事実だ。[3]他方、私たちは気づいている。この豊かさが数々の問題の原因であることを。

シンギュラリティは、社会の成熟とテクノロジーの発展で人間の自由が増えた反面、自分では行動を管理できないのではないかという不安の表れだ。二一世紀のテクノロジー資本主義（テクノキャピタリズム）は地球を覆いつつある。経済活動が単に地球の隅々にまで及ぶだけではなく、地球の自然環境を破壊している。私たちは豊かになっているが、豊かになり続けることはできない。昔に戻れるかといえば、それも無理だ。発展は直線的かつ不可逆的で、その先にどんな運命が待ち受けていようとも享受／甘受するほかない。人間という種としての私たちが豊かになっていることと、私たちがこの世界にディストピアを重ねて見ることは矛盾しない。絶対的な豊かさは、私たちの根源的不安を払拭できない。

そもそもディストピアとは何なのだろうか。語源を遡ればユートピアの対義語として生まれた。では、さらに問おう。ユートピアとは何か。

「ユートピア」は、ギリシャ語の「ない」＋「場所」に由来する「どこにもない場所」を意味し、トマス・モアが作ったのは有名な話だ。なお、同音の「よい場所」の意味もある。ユートピアと対置されるディストピアはどうか。接頭辞 dys は「悪い」「異常な」を示し、理想郷としてのユートピア utopia につけると「反ユートピア。進歩の必然性や人間の潜在的な完全無欠性への信頼を基礎として夢想されるユートピアに疑問を呈し、その反転として描かれる暗黒郷[4]」を意味する。二〇世紀に入って使われるようになったディストピアという語は大衆化され、現代社会の閉塞感を表現するのにもってこいの語彙となった。

ディストピアとは何かを考えることは、ユートピアとは何かを考えることと表裏一体である。ユートピア／ディストピアについての豊富な研究がその証拠だ。誰かにとってのユートピアは誰かにとってのディストピアでありえるし、その逆もある。人間が何をもって幸福を感じるかは、人間も社会的とはいえ生き物（生物）であるため、いくつかの要素に還元できる。あくまで「いくつか」であり組み合わせは多岐にわたる。そのため「わたしの幸福」が「あなたの不幸」の前提だったり結果だったりすることは十分に起こり得る。「万人のユートピア」を検証してみれば、「万人」には自由人しか含まれず、たとえば女性、奴隷、外国人（蛮族）などが含まれない事態はザラにある。

ユートピア／ディストピアの起源たるトマス・モア『ユートピア』で語られるユートピア島の諸相は次のとおりだ。

◎ 労働は一日六時間。実用的価値があるものに生産を集中し、私有財産を認めなければ、皆に行き渡るだけのものを十分に生産できる。基本的に皆が農業に従事するが、都市と農村で交互に生活する。農業に加えて職人的・専門的な技能も身につける。

◎ 金や銀など実用的ではなく象徴的な価値があるものを、文化的に徹底して貶める。ユートピアでは金は子どもや奴隷が身につけ、大人になれば卒業する。「金の便器」すらある。

◎ 実用から離れた虚栄の快楽や貨幣に振り回され・支配されないようにする。金を貯めるのはあくまで自国の防衛や必要な戦争のためだ。

◎ 戦争では、溜め込んだ財産を惜しげもなく使い傭兵を使う。敵国が戦争を継続できないように政治工作もする。ユートピアは周囲を海に囲まれているが、攻められることも、攻めることも想定している。帝国主義・植民地主義の発想。

◎ 義務としての労働や、少ないが存在する法律に従わない者は、奴隷として懲役に従事させる。奴隷は屠殺の仕事もする。

◎ あらゆるものが白日の下にさらされ、衆人環視にあるので、日常の仕事に精を出し健康的で明るい娯楽のみ楽しむ（ほかない）。不要な移動は認められない。
◎快楽には二種類ある。感覚的な刺激を得るだけではなく、病気ではない＝健康である状態も快楽である。生きることが苦痛である病気の場合、司祭や市会の許可があれば、安楽死が認められる。

どうだろう。モアのユートピアは、二一世紀を生きる私たちにもユートピアたり得るだろうか。モアも何度か言及しているとおり、モアのユートピア像はプラトンの国家論が下敷きになっている。知的・道徳的にすぐれている哲学者が人々を導くべきだという哲人政治の理想化は、ユートピア国でも十分に観察される。人は理性を働かせ、必要なものを必要な労働で生産し、十分にものが足りれば所有への欲望をもたないし、実用的価値を超えた象徴的＝虚栄の価値を求めることもしないはずだ……。ただ健康であるだけで、病気というマイナスの状態でなければ、プラスであるから満足せよ……。

『ユートピア』が書かれたのは一五一六年なので、いまから五百年も前だ。高度な資本主義社会も、社会の隅々にまでいきわたるテクノロジーもない「シンプルな世界」であった一五〇〇年代の理想郷が、そのままで二一世紀の理想郷になると考えるのはナイーブすぎる。とはいえ、この五百年間で社会が変わった程の変化を、生物としての私たちは経験していないのも事実だ。モアのユートピアが現在のディストピアに見えるとしたら、それは私たちや私たちの社会が掲げる理想が変化したからだ。

私たちは奴隷の存在を前提とする社会をユートピアとは呼ばない。概念としての人権は、すべての人に等しく適応される。例外はない。現代的ディストピアは、だからモアのユートピアにおける奴隷を「別の何か」に変換する。「白日の下」は監視カメラに、哲人の理性は人工知能のアルゴリズムに変換される。

ユートピアはディストピアの対義語ではなく「二律背反」と、巽孝之は指摘する。[5] ユートピアとディストピアが反発しながら重なり合う背景に、二つの要素がある。一つは幸福が万人に当てはまらない可能性。プラトンやモアは哲学者の理性をユートピアに必須とする。「虚妄の快楽」に振り回されず、金銀といった実用価値のないものを追い求めず、機能的な服や家に満足する態度がユートピア市民には求められる。確かに私たちの人生哲学として、ストア派哲学的な意味でストイックに生きようとする人はいる。しかし、すべての人が満足できるわけではないだろう。それにストイックな哲学的人生は、「虚妄の快楽」や象徴的価値の追求が駆動原理となる資本主義と相性が悪い。「虚妄の快楽」にうつつを抜かし、ユートピア国の法律・規範に反する人は奴隷とされるのだが、このような暴力的脅迫で人に理性の道を歩ませることは可能か。奴隷になりたくないから理性的に振る舞おうとするのは、果たして「理性的」なのか。

ユートピアとディストピアが二律背反となるもう一つの背景に集団概念がある。モアのユートピアには市民と奴隷の二種類の人たちがいる。市民や外国人が奴隷になるため、この区分は絶対的ではないが、ひとたび区別されるとまったく異なる生活を送らなければならない決定的なものだ。市民─奴隷の区分は、抽象化すれば《私たち─あいつら》で、誰を味方とし誰を敵とするのか友敵の判定のことだ。《あいつら》と認定されたら、暴力の対象や、自分たちの代わりに暴力を行使する者となる。傭兵は外部化された暴力であり、奴隷に屠殺させるのも労働の一部が外部化された結果だ。《私たち》市民が理性的であり続けるには、暴力的なものを一手に引き受ける外部化された《あいつら》が要請される。なお、モアのユートピア島がする戦争が傭兵ではケリがつかない場合、ユートピア市民が直々に関わるが、一族郎党で参加するため勇敢に闘い、ときに「殺戮と流血の修羅場」となる。

《私たち―あいつら》の区分は、カール・シュミットが『政治的なものの概念』で「政治的なもの」と名づけたものを踏まえている。「政治的対立は最も強烈で極端な対立であり、あらゆる具体的な対立状態は、味方と敵のグループ分けという極端な地点に近づけば近づくほど、それだけ政治的になる」（二六）というシュミットは味方と敵のグループ分けを「政治的なもの」とし、国家間、あるいは国家内部で発見される味方―敵の対立、道徳・美醜・経済といったその他の対立とは自立して／無関係に成立する味方―敵の対立こそ根源的とする。本書では《私たち―あいつら》の境界線を画定する権力／暴力をたびたび議論の俎上に上げるが、シュミットの理論は前提にしつつ、作品ごとに《私たち―あいつら》の緊張関係を読み解いていく。

《私たち》市民は理性的なのか。理性的だとしても、その理性は共同体によって規定される。では、共同体とは何か。共同体の境界をどう定め、どのようなルールと規範を、誰が作るのか。ユートピアを設計すると自動的にこれらの問いに直面する。理想とする社会を目指していたはずが、気がつくとディストピアにたどり着いていた。こんな事例は歴史を見れば枚挙に暇がない。

ユートピアのこちら側に留まりながら、ユートピアがディストピアに変容するトポス（場所）を想像＝創造すること。ほとんど不可能に思えるこのプロジェクトは、ディストピア文学と呼べるほどディストピア世界を生み出してきたSFのみができることではないか。そう信じながら本書を書いている。

各章を概括しよう。

第1章「古典的ディストピア――三部作から二一世紀ディストピアへ」では、ディストピアSFとして真っ先に連想される三作品、ジョージ・オーウェル『一九八四年』、オルダス・ハクスリー『すばらしい新世界』、レイ・ブラッドベリ『華氏451度』を論じる。これら三作品は現代的な視点で読み直しても得るものは多いが、古典から漏れる現代的なディストピアの諸相もある。ディストピアを構成する五つの要素を抽出し、続く章では、二一世紀ディストピア諸作品においてこれらの要素がどう変化しているのか示す。《ディストピアの五要素》は本書がディストピア分析で用いる枠組みである。本書はどの章からでも読める構成になっているが、第1章を飛ばす場合でも、ひとまず《ディストピアの五要素》には目を通しておくと、理解が早い。

第2章「監視ディストピア——スマート化された身体のアイデンティティ」では、監視カメラによる身体情報の断片化と人工知能アルゴリズムによる最適化を「スマート化」と呼ぶ。監視カメラは、街頭に設置されたカメラのみならずスマートフォンを含む社会に遍在しているあらゆるスマートデバイスを含意する。映画『AI崩壊』、林譲治『不可視の網』、デイヴ・エガーズ『ザ・サークル』、平野啓一郎『ドーン』をテクストに、監視で断片化された身体をアルゴリズムで再統合し、アイデンティティを保てるのか問う。

第3章「人口調整ディストピアと例外社会」は、少子高齢化時代の「炎上」案件たる社会福祉削減案が、国家による人口調整として社会に実装されたSFを扱う。《私たち―あいつら》の線を共同体内部に引かなければならない。人口調整には執行者・当事者・傍観者の三者が関係するが、それぞれの立場は流動的だ。星新一「生活維持省」と藤子・F・不二雄「定年退食」で三者の立場を見つつ、当事者の声が社会にどう反響しているのかを見る。国民は自らの首を絞められるのか。そうまでして存続させる国とは何かを、垣谷美雨『七十歳死亡法案、可決』と山田宗樹『百年法』を比較して考える。国家が一方では退潮し、もう一方では全面化していることに気がつく。人口調整イデオロギーに反抗することは果たして可能かを、映画『イキガミ』と映画『PLAN75』に探る。

第4章「災害ディストピアとニーズの分配」では災害のあとに成立する新秩序について検討する。レベッカ・ソルニットの「災害ユートピア」での災害は地震やハリケーンなど一時的なものだったが、SFの災害は恒久的な変化を地球や人類社会にもたらす。旧秩序が機能停止すると、新秩序を作るべくさまざまな勢力が権力闘争を開始する。テクノロジーが基盤から失われる場合、文明の維持が困難で、生存に必要な物資（ニーズ）の分配ができなくなる。災害後の世界はユートピアなのかディストピアなのか、あるいはその両方か。ジョン・ウィンダム『トリフィド時代』、映画『猿の惑星』新三部作、パオロ・バチガルピ『ねじまき少女』、そして小松左京原作、二〇二一年テレビドラマとなった『日本沈没─希望のひと─』を論じる。

第5章「労働解放ディストピアの製造コスト」は、人類が労働から解放された世界はユートピアなのか考える。人類は、労働から人類を解放する機械＝ロボットを作ってきた。そもそもロボットという名詞はカレル・チャペックの戯曲『ロボット　RUR』から来ている。H・G・ウェルズ『タイムマシン』の八〇万年後の未来社会では、労働とは無縁のイーロイ人と、地下深く生産活動を担う化け物のようなモーロック人に人類は分化した。これを進化と呼ぶのか退化と呼ぶのか。アニメ映画『ウォーリー』は、ロボットとコンピュータによりオートメーション化が加速し、人間たちを快適さに閉じ込める。確かに快適だが人間的なのか。小川哲『ユートロニカのこちら側』では、労働しなくてよい世界で人間が何を供出するのかを、アーシュラ・K・ル・グィン『所有せざる人々』では、労働負担を平等に分配する社会の可能性を探求する。

第1章から第5章までの各章で、一つのディストピア類型を追う。改めて抜き出すと「古典的ディストピア」「監視ディストピア」「人口調整ディストピア」「災害ディストピア」「労働解放ディストピア」の五つ。厳密に分けられるものではなく、章をまたいで共鳴する要素も見られる。章分けと類型はあくまで議論の土台と理解してもらいたい。

ディストピアを論じるのは手段である。目的はユートピアを想像／創造すること、ありうべきユートピアの姿をSFに見つけること。この時代に、ディストピアにならないギリギリの倫理的境界線の上を歩きながら、ユートピアを夢想することは意義があるはずだ。少なくとも私にとって、個人の色眼鏡もあるとしても、人類の未来は明るいようには見えない。数百年後には世界規模で人口爆縮が始まるだろう。それに伴い、戦争や内戦、国家崩壊もあるだろう。それよりもっと早く、気候変動の影響がここそこで顕著に見られるだろう。私たちにテクノロジーはあるが、人類的・地球的な難題を解決するには不十分であるし、テクノロジーの進歩それ自体が人類と地球の未来を狭めているとさえいえる。百歩譲って、難題を解決しうる技術を人類が持てたとして、それを適切に使えるのだろうか。「夢のテクノロジー」はたいてい私たちに「悪夢」を見せた。

H・G・ウェルズが八〇万年後の地球とそこに生きる人類を想像したように、私は人類の未来を想像する。SFにはそれができる。しかし、想像したところで「明るい未来」が待っているとは保証できない。恐竜のようなかつて地球で栄華を極めたもののやがて絶滅した生き物たちのリストに、人類も遠からず加わるだろう。SFを通じて人類の未来を考えてみたものの、どうにも気が滅入ってしまう。

しかし。文学が普遍と個人を物語によって接続し、これから先の未来が書かれようと（SF）、いままでに書かれたものであろうと（古典）、読むのは今であり、読者にとってその物語は現在的な意味がある。たとえこれから人類が滅びようとも、今生きている私たちにとっての生きる意味は滅じない。滅びる（かもしれない）未来と、現在を生きる私たちを、文学とSFが接続する。

ジェンダーなき世界や、階級なき社会を想像することが困難なように、ユートピアを想像することも不可能な試みであるように思える。グローバル資本主義が地球の隅々まで人と自然を搾取し、資本主義のエンジンであり資本主義の生産物でもあるテクノロジーによって、人間や社会のみならず地球環境にも不可逆的な影響をあたえている現在、ユートピアはグローバル資本主義のなかにはない。テクノロジーの問題を「より良いテクノロジー」で解決する、テクノロジー万能主義のなかにも。むろん、楽園追放前の原始的――前近代の社会にもない。

SFという文学ジャンルは、あるときはタイムマシンを使い時間を超え、あるときは宇宙船を使い地球を飛び出し、またあるときは宇宙を分裂させ並行世界を生み出し、ここではないどこか＝ユートピアを表象し続けてきた。SFとは文学ジャンルであるだけでなく思考の技法であり、思考の技法であるSFこそユートピア文学を生み出せる。ディストピアを論じることで、「人類にとってのユートピア」転じて「私たち一人一人にとっての意味ある現在」を表象し、経験できる。本書はディストピアという暗いテーマを論じているが、読者にとっての希望の書となることを願っている。

長らく、ユートピアの対義語はディストピアではなかった。二〇世紀以前、反ユートピア（anti-utopia）、偽ユートピア（quasi-utopia）、否定的ユートピア（negative-utopia）と呼ばれることもあった。ディストピアと反ユートピアは同じものだろうか。同じと考える論者もいるが、似ているが別物とする論者もいる。反ユートピアはユートピア思想それ自体を退けるが、ディストピアにはユートピアの残滓がある。[6] ディストピアを反ユートピアにせずユートピアと連続させると、ディストピアからユートピアへの希望を取り出す機会が――ほんの一瞬かもしれないが――生じる。この可能性を信じて、ユートピアとディストピアとの境界線をたどりながら、人新世のユートピアを探っていこう。

第1章 古典的ディストピア
——三部作から二一世紀ディストピアへ——

1 『一九八四年』に描かれていないもの

ディストピア小説の代名詞、ジョージ・オーウェル『一九八四年』。一九四九年に発表された本書は、さまざまな読まれ方をしてきた。文学テクストが、時代時代によって多様な読みを許容するのは傑作たる所以である。

しかし、この事態は少し奇妙でもある。というのも「ディストピア小説の代名詞」でありながらも、多様な読まれ方をしているからだ。物語の主筋はファシズムやスターリニズムといった全体主義国家批判として読めるが、いわゆる民主国家の国民たちが『一九八四年』をいまもなお読み続けているのは、自分たちの社会にオーウェル的ディストピアが発見できるからだ。二〇一六年にトランプがアメリカ大統領に選ばれたとき、『一九八四年』がブームになったと聞くが、アメリカの（二〇一六年当時の）未来に多くの人がディストピア性を感じたからだろう。

もちろん、『一九八四年』は現実世界の国家体制を描いていない。イギリスとアメリカを中心に成立した架空の巨大国家オセアニア（のイギリス）が舞台だ。現実の国家を描かないことで、かえって現実にあるいくつもの国家を重ねて読める。数々の研究が指摘しているが、冷戦下のアメリカや日本での『一九八四年』受容は、もっぱらソビエト社会主義体制への「批判の書」としてであった[1]。政治的圧力、少なくとも政治的文脈でテクストが一義的な解釈しか認められないのは、まるで『一九八四年』の世界そのものである。テクストの意味を限定することの危険性を警告する本が、一義的な意味のみ与えられプロパガンダとして流通するのは、皮肉な事態としかいいようがない。文学作品は広義のメディアであり、権威によるプロパガンダと個人による解釈が衝突する現場となる。

オーウェルの描くディストピアはディストピアの典型である。これは間違いない。個人の監視。内面の検閲。物資の統制。プロパガンダ。歴史の改竄。日常化した戦争。思想警察。密告。拷問。しかし、読者が『一九八四年』のどの要素にディストピアの典型を見出すかは、時と場所によって異なる。これが『一九八四年』がディストピアの典型でありながら、多様な読解が可能であるということだ。

『一九八四年』
初版本カバー

二一世紀の今、オーウェル『一九八四年』を読み直すことは意義がある。それは、オーウェルが想像＝創造した世界がいま・

ここに出現したから、という単純な意味ではない。『一九八四年』を一冊の「予言の書」とみなすなら、むしろ彼の予想が「外れた」ものは多い。だから、私の読みは必然的に、オーウェルが描いたものと同程度かそれ以上に、オーウェルが描いていないもの、描けていないものに注目することになる。

物語は三部構成である。主人公のウィンストン・スミスの公私を追跡することで、オセアニアがどういう国家で、ビッグ・ブラザーが何者かが徐々にわかってくる第一部。SF的な設定を視点人物の目を通じて紹介していく。第二部は打って変わってウィンストンとジュリアのロマンスが始まる。第一部では、自分の周りをうろつく不審者として恐怖の対象であった彼女が、メモ書きを渡して愛の告白をする。二人は、監視装置テレスクリーンのない場所で密会を重ねる。さらに、ビッグ・ブラザーに対抗する秘密地下組織、ブラザー同盟に接触。ウィンストンは、党の幹部、オブライエンこそが反体制派だと直感的に理解し、彼からの誘いを受け自宅を訪問する。その後、ブラザー同盟のリーダー、ゴールドスタインの著作を受け取り、体制打倒の意志を強くする。しかし、すべては仕組まれていた。ウィンストンとジュリアは、労働者階級・プロールの街にある古道具屋の二階の部屋を密会に使っていたが、革命前の文化に理解を示す古道具屋の主人こそが、思考警察であった。

こうして捕まったウィンストンは真理省に拘束。ひたすら拷問を受ける。ウィンストンが無根拠の信頼を寄せていたオブライエンが黒幕で、彼はウィンストンを徹底的に痛めつける。肉体的に、そしてなにより精神的に。二重思考をウィンストンが会得するまでオブライエンは拷問の手を緩めない。とにかく描写が陰惨である。やがて、ウィンストンは二重思考を身につけ、釈放される。廃人のように街を歩き、やがてくる死刑を待つ。ビッグ・ブラザーへの愛を胸に。これが三部だ。

◉1－1　惹かれる理由

第二部が幕を開けると、突如として、ウィンストンに接近してくるジュリア。第一部でその姿が視界に入ると、スパイではないかと直感的恐怖を抱いていたスミスは、一転して彼女のイメージを塗り替える。二人はテレスクリーンの監視の目を逃れて「愛」をはぐくむわけだが、読者は急な展開に戸惑いを覚えるだろう。ジュリアにとってスミスのどこが魅力的に思えたのか、スミスのどこに惹かれたのか、よくわからない。この謎は当のスミス自体も感じていて、ジュリアに聞いている。

「ぼくみたいな男のどこに魅力がある？」

「あなたの表情に浮かんだ何かに。一か八か賭けてみようと思ったわけ。わたし、まわりに馴染んでいない人を見つけるのがうまいの。あなたを見てすぐに分かった、かれらに敵対してるって」（一八八強調原文）(2)

ジュリアは直感的にウィンストンの内面的な過剰さ（「まわりに馴染んでいない」）を感じ取る。ジュリアをスパイだと思い恐怖するウィンストンと対照的だ。その一方、黒幕で第三部では徹底的にウィンストンを拷問するオブライエンに、ウィンストンは当初、次のような印象を抱く。

彼に強く惹かれるのを感じたが、それはオブライエンの優雅な物腰と賞金稼ぎの闇ボクサーを思わせる肉体との対照に興味をそそられたためばかりではない。むしろ、オブライエンは政治的に完全に正統ではないという密かに抱いた確信――いや、確信などではなく、単なる希望かもしれないが――によるところが大きかった。彼の顔にはどこかそれが抑えきれずに現われているようだった。それとも、彼の顔に書き込まれているのは非正統性ですらなく、単なる知性なのだろうか。（一二）

第一部のウィンストンは、隣人パーソンズやニュースピーク辞書を編集しているサイムと話すとき、相手がどの程度、正統（党の教えに忠実か）／非正統（党の教えに懐疑的か）を推し量る。自分は非正統だという自覚があるゆえに、同様に非正統の仲間を無意識のうちに探してしまう。自己の願望を他者に勝手に投影しているわけだが、その結果、非正統的な雰囲気を醸し出すオブライエンの罠にウィンストンはまんまとはまる。

オーウェルが前提とするのは知性的＝内省的＝非正統的という図式だ。ジュリアをスパイと、オブライエンを仲間とウィンストンが勘違いした背後にこの図式がある。事実、ウィンストンはオブライエンの顔の印象で、非正統性を「単なる知性」と連続させる。

他方、ジュリアは性的に過剰な存在としてのみ表象される。党の教えを人々に信じさせるには、抑圧が必要だと考え、党は性本能を封じ込め管理している。個人的・家族的な愛（恋人、家族、親子）は禁止され、愛はビッグ・ブラザーへ一点集中しなければならない。[3] スミスはジュリアのことを「腰から下だけが反逆者」と言うほど、彼女は性的な存在だ。そんなジュリアは、スミスが入手したゴールドスタインの反ビッグ・ブラザー論には興味を示さず、隣でウィンストンが朗読しようものなら、いつの間にか寝入ってしまう。

党の支配の外にはプロールと呼ばれるプロレタリアートがいて、人口の八五％を占める。ウィンストンはプロールに生命力・性的なエネルギーの充満を感じ、未来の可能性を見る。プロールも、生命力と知性はトレードオフ、一方をもっていると他方をもっていない状態におかれている。ウィンストンが歴史を知ろうと、過去を知っていそうなプロールの老人にパブで酒をおごって話しを引き出そうとするが、聞ける話は、キーワードに反応した無限ループのような意味のないおしゃべりだけだ。プロールに可能性があるとしながら、プロールは知的な存在としては表象されない。ビッグ・ブラザー打倒の可能性は、ここで行き詰る。八五％の存在が一斉蜂起すれば体制はゆらぐ。しかし、蜂起するにも大義・理由は必要だ。その大義を言語化し、共有できないのではないか。だから党にとっての脅威にはなりえない。あるいは、プロールは党に不満を抱いても、文句を言って発散すればよい程度の不満なのかもしれない。体制のイデオロギーがプロールも効果的に支配している(4)。

オーウェルはジュリアがウィンストンに惹かれた理由、正統に紛れた非正統を見つけられた理由をなぜ「十分には」書いていないのか。書けないからだ。内面すら抑圧する国家で非正統を見つけるには、どの程度、自覚的に正統的に振る舞っているか、再帰的正統性を外部から判断するしかない。ジュリアには、ウィンストンに惹かれる理由として「表情に浮かんだ何か」以外に与えられなかった。さらに、正統／非正統の判断は直感的・身体的にしなければならず、性的過剰な身体が割り当てられたジュリアはウィンストンという非正統を見つけられたが、非正統的で知的な反体制派を夢想するウィンストンはオブライエンという正統を非正統と取り違えてしまう。知的なら正統／非正統を判別できず、性的なら直感的に非正統を見つけられる。非正統の連帯は非知性的・身体的にしなければならず、体制転覆まで理論的に成熟できない。

◉1―2 客体としての過去

過去が客体として存在しているなら参照点になり、党の主張の正しさ／誤りを証明できる。真理省記録局でウィンストンが日々、従事するのは記録の改竄だ。一見すると、客体としての過去にアクセスし、その都度、修正しているように思える。が、ウィンストンが修正するべき過去は、党から与えられたものでしかない。労力をかけて修正するウィンストンの行為が、過去は客体として存在しているという希望をウィンストンに抱かせる。誤配された写真を党が過去をゆがめている決定的な証拠だとウィンストンは確信し、拷問するオブライエンがその写真をちらつかせることで確信を深めるが、写真が物質的に存在したからといって、それが何を意味しているのか。その写真も真理省記録局で働くウィンストン以外の何者かによって、改竄されていないとなぜ確信できるのか。写真から人を消すのは共産主義国家では当たり前なのは、歴史に見るとおりだ。

オブライエンの手により、ウィンストンは目の前で客体としての過去たる写真が処分され衝撃を受ける。彼のショックは「この世界のどこかに参照するべき過去が客体としてある」という信念から生まれている。オブライエンはこう言い放つ。

「しかし、いいかねウィンストン、現実は外部に存在しているのではない。現実は人間の精神のなかにだけ存在していて、それ以外の場所にはないのだよ。ただし、個人の精神のなかにではない。個人の精神は間違いを犯すことがありうるし、時間が経てば結局は消えてしまうものだ。現実は党の精神のなかにのみ存在する。[…]党が真実であると考えることは何であれ、絶対に真実なのだ。党の目を通じて見ることによって、はじめて現実を見ることができる。」(三八五)[5]

オブライエンの思想は二一世紀的にはバーチュアル・リアリティ(VR、仮想現実)の思想に通ずる。党を「マトリックス」に置き換えると、映画『マトリックス』の世界そのものだ。『マトリックス』のネオはモーフィアスから受け取ったレッドピルを飲み現実界の砂漠へと目覚めたが、ウィンストンには党の化身オブライエンがいるだけで、どこにも目覚めようがない。『マトリックス』では、脳への攻撃がVR空間でのアクションとして表象されたが、『一九八四年』にはVR空間は存在しないので、脳への攻撃は脳への攻撃としてのみ存在する。執拗な拷問は、スミスの物理的現実、脳の構造に影響を与える。幼少期に虐待を受けた子どもは脳に器質的なダメージが残る、という話もある。オブライエンはウィンストンを精神的に屈服させたのか、それとも脳の配線を繋ぎかえたように器質的に変えたのか。ニューロサイエンス/VRテクノロジー以前の世界で、脳を器質的に変化させる手段として拷問がある。「危機的瞬間にあって人が闘うのは絶対に外部の敵ではない、常に自分の肉体と闘うことになるのだ」(一五六—一五七)というウィンストンの言葉は示唆的である。

「君にはとことん付き合うようにしよう、ウィンストン［…］そうするだけの価値がある人間だからね。自分の何が問題か、十分すぎるほど分かっているだろう。［…］病状は記憶の欠陥。現実に起きたことを思い出すことができず、起きてもいない別のことを覚えていると思い込んでいる。幸い、これは治療可能だ。」（三七九―三八〇）

と言うオブライエンは、まるで外科手術をする医者のようだ。オブライエンに捕まる前、ウィンストンとジュリアは二人の愛は党に邪魔されないと確かめあう。

「自白は裏切りじゃない。何を言おうと何をしようと、それは問題にならない。感情が問題なんだ。かれらの手によって君に対するぼくの愛が消えるようなことがあれば、それこそが裏切りというものだろう」［…］

「かれらにそんなことができるはずないわ。さすがにそれだけはかれらにもできっこない。どんなことでも――あることないこと何でも――言わせることはできるわ。でも信じさせることはできない。人の心のなかにまで入り込めはしないもの」（二五六―二五七、強調原文）

残念なことに、党は「人の心のなかにまで入り込め」る。ウィンストンもジュリアも、心を体の奥底にある外の影響を受けないものとして心身二元論的に考えている。しかし、党はもっと唯物論的に人間それ自体に介入する。信仰の自由という内面の問題ではない。最初から最後まで、脳の問題だ。彼ら彼女らの心は、心という体の奥底に潜んでいるのではなく、脳という器官に物理的に実現している。客体としての過去はどこにも描かれない。それは、党が隠蔽しているからではない。客体としての過去は党＝脳として、つねに／すでに現前している。

◉１－３　非人間的手段

ウィンストンから人間性を剝奪する方法は、あまりに人間的である。端的にいって手間暇・コストがかかる。ウィンストン一人から人間性を剝奪するのに七年間監視をし、党の重要人物であるオブライエンと思考警察が一芝居うち、捕まえたあとは長時間かけてオブライエンが直々に拷問する。オセアニアにはウィンストンのような人間が何人いるのか。一人一人にここまで丁寧な「改心」を用意するのか。オブライエン自身、自分たちの手際が悪いことは自覚している。

「わざわざ尋問する手間をかける必要など、そもそもないではないかということ。そうではないかね？」
「そうです」［…］
「君はきれいな模様のなかの疵なのだよ、ウィンストン。［…］不承々々の服従には満足しないし、ひたすら平身低頭してこちらの言いなりになる態度にも満足しない。最終的にわれわれに屈服するときには、本人の自由意志から出たものでなければならないのだ。［…］われわれは異端者を改心させる、その内なる心を占領する、人間性を作り直すのだ。」（三九四）

オブライエンが警戒するのは、異端審問や共産主義国家の拷問がそうであったような「強制的な自白」の有害さである。体制にとっての「罪人」が罪を認めようとも、自白が強いられたものであると自他に認められるなら、その自白は有効とならない。罪人を処刑しようとも罪人の精神までは処刑できない。オブライエンと党が目指すのは心からの自白である。そのために手間暇をかける。

そもそも、物語の発端はスミスが禁止されている日記を書くところだ。彼は突然、日記を書き始めるわけではない。二つのきっかけがある。一つは貧民街で日記を手に入れたこと。もう一つは、部屋の間取りだ。「いかなる理由からか、この居間のテレスクリーンはあまり例のない位置に設置されていた」(一三)ため、テレスクリーンの死角に入ってスミスは日記を書くことができる、と彼は思った。この日記も、この部屋の間取りも、スミスを罠にかけるためのものだ。テレスクリーンは、ベンサムのパノプティコンよろしく、実際に見ているかはわからないが見られているかもしれない「見られうる」という感覚(「かれらはいつでも好きなときに接続できるのだ」(一〇))を人々に植えつける。しかし、現実的に考えて監視者は監視していないだろう。一体何人の潜在的スミスがオセアニアにいるのか。監視者一人は同時に何個のテレスクリーンを見続けることができるのか。よくある映画のワンシーンを思い出そう。監禁されていた主人公たちが、監視カメラの向こう側にいる監視者の目をかいくぐるシーンを。監視者は壁面いっぱいのモニターを見ているが、実際には見ていない。同僚とおしゃべりをしていたり、うつらうつらしていたり、なんの理由かはわからないが、見ていない。人間的監視技術で手に負えないとき非人間的アルゴリズムが要請されるが、もはやそのときには監視対象は内面を持つ人間主体ではなくなる。

『一九八四年』で人間を壊すのは、ほかでもない人間である。オブライエンによれば「壊す」のは、単なる処刑とは異なる。デスキャンプに送るわけではない。効率の良さは求めていない。人間にしか人間は壊せない。囚人一人一人に最適な恐怖のアイテムを用意する職人的スキルすら求められる。『一九八四年』の世界には、非人間的な人間を壊す存在＝アルゴリズムは存在しない。コンピュータ以前の世界であるためアルゴリズムという発想はなかったのだろう。しかし、出てくる抑圧者がいちいち人間である。ビッグ・ブラザーがアルゴリズム的存在である可能性は十分にあるが。とはいえ、人間を破壊する実行部隊は、人間である。ビッグ・ブラザーを打倒する可能性は、ひょっとしたらここにあるかもしれない。人間性を破壊する人間の存在。もちろんこの「人間」にはビッグ・ブラザーは含まれない。人間でしか人間を壊せないのは、人間を尊重している証拠ともいえる。

◉1-4　オーウェルの（不）可能性

本節ではオーウェルが作中にはっきりとは描いていない三つのものに着目した。振り返ってみよう。

一つ目は惹かれる理由だ。ジュリアがウィンストンに惹かれる理由、ウィンストンがオブライエンに惹かれる理由は曖昧だ。性的存在たるジュリアは、身体的に非正統（ウィンストン）に惹かれたが、意識して正統たらんと振る舞いつつ知的な反体制派を探すウィンストンは正統（オブライエン）に惹かれる。身体的理解と知的理解がトレードオフとなり、ビッグ・ブラザー打倒の不可能性とつながる。

二つ目は客体としての過去だ。党が修正を加えていない過去がどこかにあるとウィンストンは信じるが、そんなものはないとオブライエンは言う。現実にあるものは脳であり、脳は党が支配できる。ゆえに現実にあるのは党だ。党がすべてだと、オブライエンは続ける。マルクス主義の唯物論は、物質としての生産関係が土台となり、その上に経済・政治・思想、人々の社会が構築されると説くが、ひとたび党が物質の支配を握れば、いかようにも上部構造を規定できる、とも言える。客体としての過去を描かないことで、『一九八四年』は徹底的に人間を物質に還元したのだ。

三つ目は人間性を破壊する非人間的手段＝アルゴリズムだ。党の支配は人間の労働力によって支えられている。人間的であるがゆえに、体制打倒のチャンスがあるかもしれない。二一世紀ディストピアは、アルゴリズムによる非人間的な支配が徹底される。ビッグ・ブラザーは人間とアルゴリズムの中間形態で、非人間性を徹底すればビッグ・ブラザーはやがてアルゴリズムに進化するだろう。そうなるともはやビッグ・ブラザーはあなたを見ていない。「あなたに似た人」を統計的に処理する。[6]『一九八四年』が影絵のように映し出す二一世紀ディストピアでは、身体と知性の統合が図られ、物理的実体としての過去を積極的に発掘するだろう。ただし、非人間的アルゴリズムが暗示するように、統一的な人間が生まれるどころか、ますます人間らしき存在が生産されていくのだろう。

2『すばらしい新世界』のすばらしいアポリア

次に論じるのは、ジョージ・オーウェル『一九八四年』と比べられることも多いオルダス・ハクスリー『すばらしい新世界』だ。早川書房の海外ＳＦ全集には本作品と『一九八四年』がセットで収録されていて、なんてお得なセットだと感心したものだった。

オーウェル『一九八四年』は一九四九年の発表だが、ハクスリー『すばらしい新世界』は一九三二年発表で、オーウェルより早い。フォードの大量生産技術と、パブロフの条件づけ理論、さらに家族の解体、自然分娩と実親による養育の禁止は、マルクス主義という科学を国家の根本にすえる共産主義国家、具体的には一九二二年のソビエト連邦の成立を意識している。本作品はディストピアなのだが、科学的に国家を設計・運営しようとする科学万能主義と混然一体となったロマン主義は、本作が発表された二〇世紀初頭の芸術に見え隠れする。

『すばらしい新世界』
初版本カバー

まず三つの「すばらしい」点を指摘しよう。

◉2-1 「すばらしい」人口・階級管理

物語は冒頭、中央ロンドン負荷条件づけセンターから始まる。社会科見学のように、この世界で人間がどのように誕生＝生産されるか、ガイド役が説明する。選別した卵子と精子にボカノフスキー処置をすると、受精卵は人工的に多胎児になる。また別の処置を加えると卵巣から二年間に一五〇〇個の卵子が取り出せる。というように、社会は均質な人間を遺伝子レベルで生み出す。

そして受精卵から胎児に成長する間や、さらに誕生した後も、繰り返し外部からの刺激で条件づけし続ける。結果、アルファ、ベータ、ガンマ、イプシロンという階級が成立する。精神に影響を与えるパブロフ的な条件づけだけではなく、受精卵の生育環境に物理的にも介入する。たとえば酸素の投与量を増減するといったように。こうして、心身ともに生まれたときから、いや生まれる前から入念にプログラムされ階級に合わせて調整された人間が「生産」される。

◉2-2 「すばらしい」感情の排除

そもそもこの新世界がなぜこのような徹底した人口管理を行なっているのか。それは「九年戦争[7]」まさかのぼる。この戦争により人類は絶滅のふちまで追いやられたのだ。「九年戦争、経済破綻。世界統制か、それとも破壊か、二者択一を迫られた。安定か、それとも……」(七〇)。

とにかく社会は安定を志向する。支配者たる世界統制官はこう言う。「安定。安定。安定こそ、第一にして究極の必要だ。安定。そこからすべてが生まれる」(六一)。

いったい何が安定しているのだろうか。感情である。感情を喚起する文学・芸術である。何かを抑圧し我慢を強いると感情の爆発につながるので、慎重に回避される。まるで「水道管の中で加圧されている水」(五八)だ。抑圧すればするほど、爆発する! では、どうすればいいのか。抑圧をなくせばよい! 性的な関係はオープンなものであり特定の異性を「独占」するのは不道徳だ。「みんなのものはみんなのもの」というスローガンが繰り返し人々の口から出る。「真面目な話、ほんとに気をつけないと。ずっとひとりの男とだけなんて不健全もいいところ」(五八)。オーウェル『一九八四年』とは対照的なセクシュアリティの描き方だ。

両親と子どもからなる家庭も、一つの抑圧=独占の形態である。「親」「母」「父」「生まれる」という語は、いまや口にするのも憚られる「猥褻語」になっている。子どもは親から生まれない。家庭は愛情という独占＝抑圧の空間に、いとも容易く堕してしまう。かくして冒頭の条件づけセンターが誕生したのだ。

◉2-3 「すばらしい」ソーマ

誰もが知っている格言に「ソーマ十グラムは十人の鬱を断つ」（七九）がある。究極の安定社会を志向する新世界でも、人は憂鬱になる。そんなときでもこの社会には不安がない。なぜか。ソーマというドラッグが処方され、たちまち「鬱を断つ」からだ。社会全体がドラッグ依存状態だ。老いは駆逐するも、死は迎えざるを得ない。死ぬ直前まで、身体的には遺伝子調整により、そして精神はソーマによって、元気にふるまうことができる。

「AF一七八年、二千人の薬学者と生化学者に助成金が支給された［…］六年後には、商業ベースで製造されるようになった。完璧なドラッグが［…］多幸感を与え、催眠作用と心地よい幻覚作用を及ぼす［…］キリスト教とアルコールの利点だけをとりだして、欠点を排除したのがこれだ［…］いつでも好きなときに現実から休暇をとって、頭痛や神話にわずらわされずに戻ってこられる」（七八―七九）

ソーマはとにかく万能だ。オーウェル『一九八四年』は監視社会を前面に出して、見る・見られるという非対称的な関係性が人間の内面をどう変えるのか、監視で変わらないものはどうやれば変えられるのか追求する。他方、『すばらしい新世界』には内的葛藤を根底から消し去るソーマが用意される。オーウェルの内面管理技術は確かに職人的な拷問ではあったが、脳に直接、働きかけているのは確認したとおりだ。ソーマの方がオブライエン的拷問よりもテクノロジー的に洗練されているが、いずれも「身体管理を通じた内面支配」だ。

以上の三点がこの新世界の「すばらしさ」である。物語は、何人かの視点人物をいったりきたりしながら進む。ここからは三人の中心人物を紹介しながら、すばらしい新世界が完全なユートピアになり得ないアポリア（難問）を彼らが抱えていることを指摘したい。

◉2-4　標準からの偏差　バーナード・マルクス

一人目はバーナード・マルクスだ。彼は一番上位の階級であるアルファに属するが、身体的に他のアルファより小さく、この身体的な差異が劣等感を生み彼を「変わり者」にしている。「噂だと、瓶の中にいたころに手違いがあったんだって――ガンマとまちがえられて、人工血液にアルコールを投与されたとか。それで発育が阻害されたの」（六六）なんて話も聞こえてくる。

アルファでありながら、下位階級のデルタマイナスの係員には「傲慢にも聞こえるようなきつい口調で命令した。相手がむっとしそうなこの口調は、相手を見下すだけの自信が持てないことの裏返し」だ（九三）。バーナードは「鋭敏すぎる自意識」に悩む。

下の階級の人間と接するたびに、自分の肉体的欠陥を意識して苦しむ。僕は僕だ、僕じゃなきゃよかったのに――鋭敏すぎる自意識が神経をさいなむ。デルタの顔を見下ろすのではなく同じ高さで見ていると意識するたびにプライドが傷つく。このデルタは、アルファに接するのにふさわしい敬意をもって僕に接しているだろうか？（九三）

遺伝的にコントロールされ計画的に産み出される人々は、身体的特徴が所属階級を示す。階級にふさわしい知能が与えられ、階級の上下関係は不可逆的であり、礼儀作法すら決まっている。しかし何事にも例外はある。バーナードの身体的コンプレックスは「背が低いからカッコ悪い」といった美醜だけの問題ではなく、階級パッシングを誘発する。

ここで確認したいのは、どんなにシステマティックに人間を生産し階級を管理しようとも、システムのエラー＝バグが発生しうることだ。バーナードが本当にバグの結果かわからないが、「変わり者」は一定の割合で発生し続ける。これまでも、これからも。

物語が焦点を合わせるのは、バーナード、その友人で孤高の感情工学の学者ヘルムホルツ・ワトスン、後述するジョン、ムスタファ・モンドといった人物たちで、彼らはいずれも「標準」からズレている。標準からのズレが彼らに内面や葛藤を生む。「イプシロンは、自分がイプシロンでも気にならないのよね」（一〇五）と階級に属する人間は階級意識を遺伝的にビルトインされていて、本来であれば自分の階級への違和を感じることはない。階級＝標準に一致する人たちは悩まない。この物語は標準からのズレ（偏差）を悩みとして経験する近代的個人によって語られる。成熟した近代が到達した九年戦争、その後に成立した超近代社会を近代的個人のレンズを通じて見るので、近代的個人である読者には、どうにもディストピアに見える。

近代とは標準化の時代である。標準化は、必然的に標準からの偏差を生じ、偏差が個人の特性、すなわち個性とみなされる。日本では「偏差値教育」を非人間的な制度と批判する向きもあるが、近代の本質を鑑みると偏差（値）こそが（近代的）人間のアイデンティティ形成に重要な役割を果たしていることは理解できる。

標準からのズレに葛藤する近代的個人たるバーナードの存在が、新世界をディストピアにする。ディストピアがユートピアになるには、まったくのズレを生じさせない再／生産システムが必須である。しかし、果たしてそのようなシステムは可能なのか。

◉2-5 内部化される外部　高貴な野人・ジョン

二人目は野人保護区でバーナードたちが出会い、文明社会に連れてきた青年・ジョンだ。ジョンの母親リンダは元文明人だが、野人保護区で暮らすようになり、そこにやってきた文明人との間に子どもをもうける。妊娠・出産・子育てという極めて非文明的・不道徳的な行為は、野人保護区という文明外の社会でしか許されない。逆に言えば、文明内部に「文明」を保つために、文明＝システムの外部をつねに必要とする。ここでも「水道管の中で加圧されている水」のメタファーが有効だ。

ジョンは母親が唯一持っていた作業マニュアルと、野人保護区に一冊だけあったシェイクスピアの戯曲から言葉を学ぶ。彼の言葉遣いには、新世界から途絶えて久しい文学的修辞が溢れている。適切な学習環境がない「高貴な」野蛮人が、偶然に手に入れた古典文学から詩的言語を学ぶ――メアリー・シェリー『フランケンシュタイン』の怪物「それ」を連想させる。この言語習得理論的に荒唐無稽な過程は、芸術へのロマンティシズムの発露だ。文明内部で受精から出生直後の条件づけまで人間を物質的に管理するテクノロジーは、「空白の石板」で生まれてきた人間に適切なインプットを与えれば理性的な存在へと成長できるという経験主義・啓蒙主義的発想と繋がる。野人保護区は文明の外部だが、文明それ自体を転覆させるようなラディカルな革命的な外部ではなく、内部の温存のために外部化された内部とでもいうべき場所だ。

ジョンがシェイクスピアを実際にマスターできるかどうかはともかく、先ほどのバーナードがシステム内部のバグだとしたら、ジョンはシステムの外部からやってきた。内部のバグにしろ、「外部」の存在にしろ、いずれも管理・支配の届かないように見えるところがある。光が当たらないところが暗くなるように。世界中を隈なく光で照らすことができない以上、暗がりはつねにどこかに存在しているように。啓蒙主義の延長に科学・テクノロジー的支配の完遂があるように。

文明社会にやってきたものの当然のことながら適応できないジョンは、「人間的」反乱を起こす。ソーマを捨てるのだ。

「自由になりたくないのか？　人間らしくなりたくないのか？　人間であること、自由であること、きみたちはそれさえも理解できないのか？［…］よし、じゃあいいだろう［…］僕が教えてやる。望もうと望むまいと、僕がきみたちを自由にする」そう言って、病院の中庭に面した窓を押しあけ、ソー

マの錠剤が入った小さなピルボックスを、ひとつかみずつ外に投げ捨てはじめた。（二九五）

統制官により社会不適合と判断されたジョンは、バーナードとその友ワトスンと一緒に島送りにされるか、一人で生きるか選ばされる。「僕は不幸になる権利を要求する」（三三三）と言って、ジョンは荒野に一人で生きる選択をする。しかし、この荒野も文明によってすぐさま見せ物（スペクタクル）になる。裸でジョンを求めてきたレーニナを受け止められず、しかしレーニナへの衝動も抑えきれず、板挟みのジョンは自らを鞭打ち始める。「淫売め！　淫売め！」（三四九）とレーニナを鞭打つかのように自分を痛めつける。

ジョンが荒野で一人、煩悶しているだけならまだよかったかもしれない。そこから三百メートル離れた茂みに、感覚映画（フィーリー）の撮影クルーが潜んでいた。一部始終をみていたカメラマンは「俺が撮った作品の中でも、ゴリラの結婚式を記録したあの有名な超弩級の立体感覚映画以来の傑作になるだろう」（三五〇）と興奮しながらカメラを回す。その後、感覚映画『サリー州の野人』が公開。たちまち観客がヘリコプターで乗り付けジョンの住む地を「聖地巡礼」する。

シェイクスピアが禁止された文明の外から、シェイクスピアを独学で身につけたジョンがやってきた。しかし彼はすぐさま内部化された外部にされ、最後にはシェイクスピアのセリフを言いながら鞭で自分と見物客の集団から歩み出てきた若い女を打つ。この狂い方も、「群衆の願い」（三五六）と形容される。内部化されない外部はどこかにあるのか。そんなものは存在し得ないようにも思える。しかし、事態は反対なのだ。外部がつねに内部化されていくその過程があることで初めて「ほんとうの外部」の可能性が遠くに照らし出される。

◉2－6　システムのアップデート　世界統制官ムスタファ・モンド

物語の最後、ジョンとバーナードたちは世界統制官ムスタファと対面する。上位階級のアルファよりもさらに上位に位置し、世界に十人しかいない究極の管理者。ムスタファは、逆説的に思えるかもしれないが、非常に教養深い人間だ。シェイクスピアについても当然知っていて、それに気づいたジョンは興奮を隠せない。

新世界では、芸術、科学、宗教が、社会の安定のためには不必要だと判断され、徹底的に追放された。芸術はプロパガンダと条件づけに変わり、真理を追求する真の科学は封印され、God は Ford に十字架はT字に置き換えられた。「神は、機械や医学や万人の幸福とは両立しない。どちらかを選ぶ必要がある。われわれの文明は、機械と医学と幸福を選んだのだ。だからわたしはこういう本を金庫にしまっている。猥褻だからね」（三二五）とムスタファは金庫を見せる。

管理国家であれば、当然といえば当然の振る舞いだ。ただし、芸術・科学・宗教を禁止するなら、それを決める人間は、芸術・科学・宗教が何であり、どう危険なのかを十分に理解していなければならない。ムスタファはジョンとシェイクスピア談義ができるほどシェイクスピアを知っている。社会的に禁止されていることを支配者が知っている、というのはディストピアに限らず抑圧的な社会においてはよくあるが、単なる財産の占有とは異なり、知の占有は支配者が思っている以上に難しい。人間は知性をもち、物事をメタに認識する力をもつ。個別具体的な現象から抽象的な法則を推測する認知能力は、現代の教育と社会環境のために増大していると指摘される。[8] このメタ認知能力のおかげで、ご法度とされる知識にアクセスできる者が現状をメタに認識し、批判的な視座をもつことは想定される。

科学的に真実を追求する若い頃の自分を料理人にたとえ、ムスタファはこう述べる。「いまのわたしは料理長だが、当時は探求心旺盛な皿洗いだった。だから、暇を見つけて自己流の料理をはじめた。オーソドックスではない料理、禁制の料理を。つまり、本物の科学だ」（三一三）。どうなったのかとワトスンに聞かれムスタファは「もうちょっとで、ある島に飛ばされるところだった」（三一三）と答える。ムスタファの言うとおり、バーナードとワトスンは島送りになるが、二人とムスタファを隔てるのは「他人のしあわせ」に仕える道を選んだこと、すなわち新世界のシステムの一部、それも指導的役割をもつ一部になったことだ。

先にバーナードもワトスンも標準からズレていると指摘したが、ムスタファもまたズレている。ズレは個人のアイデンティティになり得るが、超管理国家下では確固たる自我をもつ個体は「本物の科学」の「探求心」をもち、システムへの脅威だ。バグ（アノマリー＝異常）は、外部である島へ放逐するか、バグ修正するプログラムとしてシステムに取り込みアップデートするか、どちらかだ。[9]

◉2-7　四層ヒエラルキー

ここまで「すばらしさ」三点と、主要人物三人を通じて、新世界のディストピア性について検討してきた。バーナード、ジョン、ムスタファの三人の立ち位置を考えるのにスラヴォイ・ジジェクが『真昼の盗人のように』で論じた、風刺雑誌『マッド』で紹介されたファッションに関する四層ヒエラルキーを導入してみよう。

最下層にはファッショントレンドの部外者がいる。その上にはトレンドを追いかけるものの遅れている者、その上にはトレンドを自分のものにできる者、最上位層は最下層同様にファッショントレンドの部外者がいる。最上位層の部外者は、しかし、トレンドに興味がない存在ではなく、トレンドそのものを生み出す者だ。今でいうインフルエンサーにあたる。

この四層ヒエラルキーに『すばらしい新世界』の登場人物たちを配置してみよう。ムスタファを最上位に置くことに異論はないだろう。ムスタファは規範を生み出す側の人間だ。ジョンは最下層になる。文明社会の「文明的人間像」とは無縁の生活をしてきた。バーナードやワトスンは、上から二層目に置くのか、それとも下から二層目に置くのか。「トレンドから遅れている」自意識は、下から二層目に該当する。しかし、ムスタファに近いという意味では、上から二層目にいるともいえる。新世界に十人しかいない統制官は、ヒエラルキーのピラミッドを下から上に登ってたどり着けるように見えるが、じつはそうではない。支配のピラミッドは下からは見上げられるが、一層ずつ登っても最上位層に到達できない。非連続的で、断絶・飛躍を本質として構造化するヒエラルキーだ。

二一世紀的ディストピアは新世界の理念をさらに亢進させる。生まれる前から始まる遺伝的刷り込みは、もっと徹底化されるだろう。ジョンがソーマを投げ捨てたのは、ソーマを飲まない・捨てる自由があったからだが、伊藤計劃『ハーモニー』には体内に恒常的に心身の様子を監視し薬物投与もするナノマシンWatchMeが登場する。『ハーモニー』の世界には、ソーマを飲まない自由すらない。

3　『華氏451度』のメディア（媒体）

華氏四五一度とは紙が燃え始める温度。

ガイ・モンターグは昇火士（fireman）だ。通報を受け、人々が違法に隠し持っている本を燃やす。ある晩、いつものように仲間たちと出動したら、本といっしょに持ち主も燃やされることを選ぶ壮絶な場面を目の当たりにする。

「女は燃える家に残ったんだぜ。あれだけのことをするからには、本にはなにかがある、ぼくらが想像もつかないようなものがあるにちがいないんだ。なにもなくて、あんなことができるものか［…］はじめて本のうしろには、かならず人間がいるって気がついたんだ。本を書くためには、ものを考えなくちゃならない。考えたことを紙に書き写すには長い時間がかかる」(10)

『華氏451度』
初版本カバー

以来、仕事の正当性を疑い、本の魅力にとりつかれる。上司ベイティーは「昇火士はみんな遅かれ早かれこの壁にぶちあたる。連中に必要なのは理解さ。車輪がどんな風に回っているか知ることが肝心なんだ」と言うが、モンターグは自宅に本を隠し持つようになる。「体調不良」から職場に復帰したモンターグが、通報を受けて向かった先は自宅であった。本を検閲する側が本の魅力に取り憑かれてしまった、いわばミイラ取りがミイラになったわけだ。

『華氏451度』は本というメディア（媒体）をめぐる物語だ。この物語には三つのエージェント（主体／媒介）が関係する。本の流通を管理する者、媒体としての本自体、本を受け取る者だ。この三つを順に見ていこう。

◉3―1 本（知識）を管理する者

検閲制度は、何を読んでよいか・何を読んではダメかを決める。ブラッドベリの世界では、すべての本が禁止されているわけではない。コミックブックやセックス雑誌、告白ものに業界紙は健在。「これはお上のお仕着せじゃない。声明の発表もない、宣言もない、検閲もない、最初からなにもないんだ。引金を引いたのはテクノロジーと大衆搾取と少数派からのプレッシャー」が原因で、本への抑圧が起こったとベイティーは力説する。昇火士の仕事は単なる「余興」で、大衆の潜在的欲望を後押し「火をつけた」だけだ。

読んでよい・読んではダメという線は誰が引くのか。ベイティーの言うとおり、大衆の欲望を純粋に反映したものか。ベイティーは昇火士、それも管理職的な立場であり、彼の発言をそのまま受け取るのはさすがにナイーブだ。

昇火士を実行部隊としても、その上には検閲・焚書を決定する権力者がいる。この権力者は、本の内容を熟知している。熟知しないと「これはダメだ」と言えない。実行部隊のベイティーすら、かなりのインテリである。休職明けのモンターグに、ベイティーは次から次へ本（文学、哲学など）の警句をそらんじ、本の価値を本によって否定する。

「夢のなかでお前とおれがな、モンターグ、本のことですさまじい論戦をくりひろげているんだ。お前は激高して、本から引用した文句を投げつけてくる。おれはそれを冷静にかわすんだ。力、とおれがいうだろ、するとお前はジョンソン博士を引用して、《知識は力と同等以上のものだ！》と来る。そこでおれが、ジョンソン博士はこうもいってるぞ、と切り返す。《不確実なことのために確実なことを捨てる者は賢明とはいえない》モンターグ、昇火士の職をまっとうしろ。ほかのことはみんな混沌として気が滅入るだけだ！」

昇火士の職務に疑念を抱いたモンターグは、元大学教授のフェーバーと知り合う。フェーバーはワイヤレスイヤホンをモンターグに託し、「わたしは蜂の巣で安穏とすごす女王蜂だ。きみには働き蜂、移動する耳になってもらう」と言う。フェーバーはモンターグの耳に、ベイティーの言葉にカウンターとなる言葉を吹き込む。「モンターグ君、耐えるんだ！〔…〕そいつは水をかきまわして濁らせておるのだ」。

ベイティーは本を知っている。十分すぎるほど知っている。本の中にある相反する意味の言葉を引用し、本の内容それ自体では正しさにならないと行為遂行的に示す。ことわざや警句を引用しても、正反対の意味のものを見つけられる。ある本から「Aがよい」という文言を引っ張っても、別の本から「AではなくBがよい」という文言を引用し、結局Aとも言えるしBとも言える。本がよいとも悪いとも言えなくなる。

それでも「この本は読んではいけない」と言うのは、内容と切断された価値判断をするメタな決断だ。ベイティーが彼の憎むインテリ以上に本に詳しいのは、この事態を表している。

◉3−2 媒体としての本自体

街から脱出したモンタ－グは、本を記憶する人たちに出会う。戦争がはじまり、爆撃機が街に核爆弾を落とすのを見た彼らは、自分たちの頭の中に収められた本が、文明再興に必要だろうと考える。本のみならず街も破壊されたが、本の内容があればどうにかなる。

「思いだそうとしなくていいんだよ。必要になれば出てくる。われわれは誰でも、物事を写真に撮ったように正確に記憶しているものなんだ。[…] モンターグ君、きみ、そのうち、プラトンの『共和国』を読んでみたいと思わないかね?[…] わたしが『共和国』だ。」(強調原文)

本人間がプラトンの『共和国』を語るのは象徴的だ。カール・ポパーは『開かれた社会とその敵』で、プラトンの『国家』が『共和国』と訳されたことを、プラトンにリベラルでデモクラティックなイメージを付与した一因として批判する。プラトンは詩人を追放した詩人だ。物語の危険性を熟知し、故に国家体制の利益に反する語り手は不要と断じた。プラトンと『華氏451度』の検閲国家はどう違うのか。

メディア(媒体)としての本自体が物理的に消滅しかかっているとき、本人間が出現したのは、プラトンの芸術論とあわせると興味深い符合だ。本は、仮構された作者と読者をつなぐ物理的媒体だ。作者の意図はつねに誤読される。作者の意図の誤読を避けるには、意図と読者の間に邪魔があってはならない。媒体としての本は作者の意図を伝えるどころか歪曲する。完璧な模倣は同一化だ。プラトン『国家』が焚書された世界で、プラトンの著作をそらんじる本人間はもはやプラトンである。

ブラッドベリにとって重要なのは本（媒体）なのか、本が伝える内容なのか、どちらなのか。焚書ディストピアを描きながら、媒体としての本自体を不純物として除去したい願望がどこかに潜んでいるのではと疑念がつきまとう。昇火士と検閲制度が本へ向ける憎悪は、媒体はいくら積み重ねても真実（イデア）に到達できないブラッドベリのフラストレーション表現ともいえる。

現在、本を燃やす焚書は不可能だ。出版されている本の点数があまりに多い。出た本を燃やすには膨大なコストがかかる。であれば、検閲し出版する本の点数を減らしたほうがまだ思想統制に効果があるだろう。出版点数を減らしても、本を物理的に燃やすのは限界がある。通報があって昇火士が駆けつけホースから炎を出して一冊一冊燃やしていく。ベイティーのいう「余興」が、現実にもせいぜいだ。

さらに現代では、本は電子化されている。電子化されていなくても、すぐに電子化できる。電子化されたものを完全に抹消することは、出回っている本を燃やす以上に大変だ。複製コストに比べて、発見・消去コストがかかるからだ。本メディアは今も健在だが、本の内容は本から他のメディアに滲み出している。滲み出した結果、文明が「自然」環境を管理するように、メディア環境を管理することが二一世紀ディストピアの任務となった。『華氏451度』の焚書国家は形を変えてすでに出現している。もう本を燃やす必要はない。本はいまでも存在しているが、すでに（象徴的に）消滅している。環境がメディアとなり、本はもはや本という形をとる必要がないのだ。

◉3-3　本の読み手（インテリvs大衆？）

一方には受動的にエロ・グロ娯楽を享受する大衆。他方には秘密カルト的に本の内容を記憶し、戦争後の文明復興に役立てたいと願うインテリ。物語は一貫して、大衆的娯楽への批判、本がもつ文化的・教養的価値の称揚が見られる。本と対比される大衆的娯楽には、価値がないのだろうか。価値はなくはないだろうが、その価値は本の価値よりも「劣った」ものであるのか。核爆弾で街と大衆と一緒に、娯楽もふっとばされなければならないものなのか。

インテリの対義語である大衆には、耳につける「巻貝」や、室内の巨大スクリーン・ラウンジ壁を通じて、手頃な娯楽が供給される。たえざる刺激によって、奪われるのは「静かにものを考える時間」[11]で、本は沈思黙考を促す象徴的なアイテムだ。いまやなくなった家の正面ポーチも自由に考えしゃべる時間を象徴している。

「どうしてこうまで空っぽになったのか？　彼はふしぎに思った。誰がお前を空っぽにした？」とモンターグは巻貝&ラウンジ壁依存の妻ミルドレッドの姿に思う。

ベイティーは「昇火士の歴史」をモンターグに説く。

「人口は二倍、三倍、四倍に増えた。映画や、ラジオ、雑誌、本は、練り粉で作ったプディングみたいな大味なレベルにまで落ちた。わかるか？〔…〕古典は十五分のラジオプロに縮められ、つぎにはカットされて二分間の紹介コラムにおさまり、最後は十行かそこらの梗概となって辞書にのる。〔…〕『ハムレット』について世間で知られていることといえば、《古典を完全読破して時代に追いつこう》

と謳った本にある一ページのダイジェストがせいぜいだ。［…］われわれの文明社会は巨大なものであるからこそ、少数派に不安を抱かせたり、心をかき乱したりしてはならんということだ。」

大味の文化を大衆は自発的に欲望し、体制もそれに応える共犯関係だ。昇火士は検閲制度としてあるが、すべての本を昇火士は燃やせない。あくまでパフォーマンスとして、大衆の欲望に火をつける役割を果たしている。

フェーバーは大衆の受動性をこう指摘する。

「仕事をしていない、暇な時間ならたしかに。しかし考える時間はどうかな？　時速百マイル、危険以外のことは考えられない速度で車を走らせておるのでなければ、ゲームに興じているか、一方的に話すだけのテレビに四面を囲まれた部屋にすわりこんでおる。ちがうかね？」

作者ブラッドベリが、メディア環境の変化でそれまで文化の中心にあった本が軽んじられ、本を書く・作る・読むという文化的な営み自体も危機に瀕していると感じているのは明らかだ。巻貝はラジオ、ラウンジ壁はテレビに対応する。今日であればメディアの王座にはスマートフォンが鎮座し、SNS、YouTube、各種サブスクリプションサービスが私たちの注意と時間を消費する。私たちが受動的に「文化消費」している姿をもしブラッドベリが見ていたら、彼は卒倒するだろう。[12]

しかし、残念ながら、インテリvs大衆、本vs他メディアの娯楽という構図は、ミスリーディングだ。

時代的な制約もあるだろうし、ブラッドベリ本人の本への思いもあるだろう。しかしSF評論家として言いたいが、いまでこそ教養的に扱われるSFも、かつては大衆的で俗なものであった。いや、今でもそういう要素はある。私はいつまでたってもクリーチャーが登場するホラー系SF映画は好きだ。「巻貝」と「ラウンジ壁」で受動的に大衆へと供給される娯楽に可能性を感じられないものか。本がその内容により禁止され焼かれるのなら、他メディア上の大衆娯楽にも同じ内容があるはずだ。スマホ時代の私たちは、文化を喪失したのか。というか、そもそも何が文化なのか。そこから考える必要がある。(13)

ウェブ・SNS時代は、ユーザーに受動的でいることを許さない。自発的コミットメントが核にある。人々は自分から自分のことを楽しくウェブに発信する。誰かが強制しているのだろうか。国家か。それとも、ビックテックか。誰も強制なんてしていない。しかし、私たちは義務感を抱いていないか。ウェブ時代の能動性は、ブラッドベリが「古き良き」本文化に期待した能動性と同じではない。であれば、問われるべきは、ブラッドベリの理想とした能動性、本と本文化が可能にする「考える時間」とは何なのか。そもそも、私たちは本当に考えていたのか。

ブラッドベリの物語は疎外の物語だ。検閲制度・焚書行為のために人々は本という物理的メディアに限定的にしかアクセスできない。書物に結晶化した人類の叡智から、人間自身が疎外されている。しかし、核戦争により文明が滅びた後は、語り部たる本人間の登場で、本に蓄積された人間の文明は再び人間へ戻される。「本からの疎外」を「本となること」で克服したのだ。そのように『華氏451度』をファストに要約できるかもしれない。しかし、私たちが最初＝起源から疎外されている可能性がある。ダナ・ハラウェイに倣うなら、疎外されていない起源を求めること自体が神話＝文化的構築物である可能性。疎外がメディア＝媒介によって経験される可能性。あるいは、メディアがあって初めて疎外されていない自己を事後的に想定する可能性。

プラトン『国家』を担当する本人間が登場したのは意義深い。媒体としての本こそが人間を真実（イデア）から疎外し、焚書制度のおかげで作者と読者が無媒介に同一化されるかもしれないのだ。しかし、二〇世紀ならともかく情報化が高度に進展した二一世紀のディストピア社会では、ある特定の媒体を消滅させるのは不可能だ。媒体は環境と渾然一体となり、知の管理者たちは環境管理を通じアーキテクチャ的焚書を実践している。知の管理者とは誰か。アーキテクチャの設計者たちだ。知の管理者がどのような姿をしているかを、これから見ていくことになる。

4　二一世紀ディストピアへ

この章の最後に、古典三部作を通じて見えてきた《ディストピアの五要素》を指摘し、二一世紀ディストピア論への足場を用意したい。

ユートピア／ディストピアについては膨大な先行研究がある。たとえば、グレゴリー・クレイズは『ディストピアの自然史』でディストピアを五つに分類する。「軍事・戦争共同体」「奴隷制」「専制政治」「監獄」「共同体からの追放」だ。簡潔にまとめると「暴力の所在」「友敵の境界」がこれら五つのカテゴリーの本質にある。誰が、誰に対して、暴力をどのように振るうのか。他の共同体と利害調整のために軍事力を行使すれば戦争だし、共同体の規律を保つために構成員に暴力を行使する、あるいは暴力の行使を脅威としてちらつかせるなら、刑罰となる。理性と暴力は両立しにくいので、統治主体が理性を担うなら、どこかに暴力的な実力部隊が必要だ。

暴力が求められるのは、とりもなおさず、友と敵の境界線、すなわち《私たち—あいつら》を策定し管理・維持するため。象徴的な「国境警備」に実力が伴う。モアの『ユートピア』を読んで私たちが感じるモヤモヤは「暴力の所在」と「友敵の境界」に由来する。モアの理想郷も、クレイズが分析したディストピア・フィクション同様に、「暴力の所在」と「友敵の境界」の問題を解決できない。未解決の問題を五百年引きずり、いまもなお解決を模索する。それがユートピア／ディストピアの物語だろう。

さらにクレイズは第二次世界大戦後のディストピア類型として「核時代」「環境悪化」「機械化の進展」「リベラルな非全体主義社会」「「テロとの戦争」への恐怖」の五つをあげる。モアの時代になく現代にあるのは、十分に発展し、ときに魔術と区別がつかないテクノロジーだ。核や機械化だけでなく自然環境の悪化も人間の活動の結果だ。

翻訳家・評論家の鴻巣友季子は『文学は予言する』で、「ディストピアの三原則」として「国民の婚姻・生殖・子育てへの介入」「知と言語（リテラシー）の抑制」「文化・芸術・学術への弾圧」をあげる。クレイズが「暴力の所在」と「友敵の境界」と、外向きの問題系に注目するのに対し、鴻巣はディストピア内部、さらにディストピアに住まう人々の内部＝身体に焦点をあてる。国力が人口×労働生産性の単純な計算式で出せるなら、国力増大のために、人の「数」を増やし「質」を向上させた生産性の高い労働者を増やすのは合理的な国家設計思想だ。これを実現させるテクノロジーは豊富にあり、あとはどの程度まで本気で実行するか「みんなで決める」だけだ。

ユヴァル・ノア・ハラリは『ホモ・デウス』で歴史上、人類を悩ませてきた問題は「飢饉」「疫病」「戦争」だったが、文明の進歩により、飢饉・疫病・戦争は地球上から駆逐されつつあると、各種データを用いて示す。もっとも、本書が出たのは新型コロナ・パンデミック前、ロシアのウクライナ侵攻前である。これらの二一世紀の「戦争」と「疫病」についてハラリは日本語文庫版で補足的な説明をしている。とはいえ、彼の主張の大勢に影響はない。人類は文明とテクノロジーで飢饉・疫病・戦争を駆逐しつつある。少なくとも、手なずけつつある。では、人類は種としてのゴールにたどり着いたのだろうか。ハラリは、「人類が新たに取り組むべきこと」として不死・幸福・神性をあげる。人間の生物的な側面をテクノロジーでアップデートし、神性をもつ人間（ホモ・デウス）を目指すだろうと予言する。ホモ・デウスとは、ポストヒューマンだ。ハラリは実際にホモ・デウスになるかどうかはわからないとしながら、ホモ・デウスを目指すことは確実だろうと言う。確かに、実現するかどうかは関係ない。すでにホモ・デウスに向かって、人類の一部、少数のエリートと金持ちはさまざまなプロジェクトに取り組んでいるからだ。現状に満足しないこと、生物的な幸福たる快感が長続きしないことが進化論的にプログラムされている帰結である。

飢饉・疫病・戦争から不死・幸福・神性へ。ときに混じりあいながら前者から後者へと不可逆的・漸進的に変化する。これは、人類がディストピアからユートピアへ向かっていると言えないだろうか。そして、到達目標である不死・幸福・神性が、ほんとうにユートピアなのか、偽装したディストピアではないかと問うてみたい。ハラリは人類の苦しみは技術的に解決可能で、向精神薬と「幸福」を結ぶが、その先に『すばらしい新世界』のソーマが待っているわけだ。

ローレンス・レッシグは『CODE VERSION 2.0』で法、アーキテクチャ、モラル、市場を人々の行動に影響を与える四つの要素とした。ディストピアが市民を「支配」するには明示的な法とその執行だけによらない。『一九八四年』でウィンストンの自室に設置されたテレスクリーンの死角が、ウィンストンに日記を書くよう「促した」ように、アーキテクチャも人々の行動に影響を与える。

ハンス・ロスリングらによる『FACTFULNESS』では今後あり得る人類の危機として「感染症の世界的流行」「金融危機」「世界大戦」「地球温暖化」「極度の貧困」の五つをあげている。「極度の貧困」は改善しつつあるが現在進行形の事態だ。健康への脅威、必要な物資（ニーズ）の不足、生活インフラの脆弱さは、現在は地域的な問題であるが、今後、人類文明が黄昏にさしかかれば再問題化されるだろう。気候変動という地球規模の災害が、人類衰退のトリガーになるかもしれない。

以上を踏まえて、私が考える《ディストピアの五要素》は次のとおりだ。

◉4-1 《①場所―境界・統治・法・アーキテクチャ》

ディストピアは場所だ。

『一九八四年』ならビッグ・ブラザーの君臨するオセアニア、『すばらしい新世界』なら野人保護区と区別される文明社会がユートピア／ディストピアのトポスだ。ディストピアの外縁（境界線）は、世界ごとに異なる。小さな共同体から、国家、さらには地球規模でディストピアが成立する。境界線があれば内部／外部に分かれるし、『すばらしい新世界』のように高貴な野蛮人ジョンは、当初は外部的な存在であったがすぐに内部化されてしまう。ディストピアは動的か、それとも静的か。ディストピアの外部に行くことができるのか。ディストピアの外部にはユートピアがあるのか。

境界に囲まれたディストピアの内側に、統治と統治体制を具現化した制度がある。しかし、じつは統治者はいないかもしれない。『一九八四年』でビッグ・ブラザーにウィンストンが最後まで会えないのは、『すばらしい新世界』のムスタファ・モンドと対照的だ。二一世紀ディストピアでは、象徴化された人間すら必要とされないだろう。統治を《場所》に含めた理由はここにある。

制度には法とアーキテクチャがある。法とは明文化されたルールであり、ディストピアが民主国家を自称するならば法の制定プロセスは開放的になる。全体主義・独裁国家であれば法の制定過程は不明瞭だ。注目すべきは、『一九八四年』のウィンストンは役人（官僚）であり、『華氏451度』のモンターグは昇火士（公務員）であることだ。両者とも、具体的な文言は記述されないが、職務内容は法で規定されているはずだ。民主主義であれ全体主義であれ、国家の行政を担う役人は法によって振る舞いが規定される。

アーキテクチャは明文化されておらず、文言よりも物理的な建物・インフラの設計に関係する。アーキテクチャの特徴は、人がその支配に必ずしも自覚的ではないことだ。実際はアーキテクチャにより「選ばされている」のだが、本人は自発的に「選んだ」と思う。自家用車をもっていない人が使う市内バスが特定の地域を避けて運行されることで、所得の高低が、住む場所のみならず行動範囲も制限するように。

ディストピアの場所は境界で囲まれ、支配者が法とアーキテクチャにより人々を統治する。

◉4-2 《②市民─階級・道徳・身体》

次にディストピアに生きる市民に登場してもらう。市民は階級によって分けられる。市民─非市民、市民内部でも支配―非支配と複数の階級に分けられる。職業や知性といった比較的後天的な要素で分けられることもあれば、遺伝子レベルで生まれた後、生まれる前から分けられることもある。

市民にはモラルがある。ここでいうモラルは「道徳的な良さ」ではなく、人々が何を考えているか、内面や自意識のことだ。ジジェクの四層ヒエラルキーで見たとおり、ディストピア住民がどの階層に所属するかで、自意識は変わる。盲目的に権威に従属する者もいれば、従属できない自分を客観化して見る者もいる。またオブライエンやムスタファ、ベイティーら支配階級と、被支配階級には断絶がある。支配階級は自分たちのやっていることの局所的有害さは自覚している。しかし「他人のしあわせ」のため、ベンサム的最大多数の最大幸福のため、体制を安定に維持するため、大局的有益さのために、手段としての支配を許容する。

市民の身体は、数だけではなく質も管理される。国家の細胞たる市民には健康でいてもらわなくてはならない。品質管理は必須だが、管理・支配によるストレスは無効化する。ストレスをそもそも与えないという発想はない。二重思考やソーマを使い、精神を含めた身体をコントロールする。住民たちの性、性衝動、性欲、性行為などセクシュアリティへの介入、積極的な再生産を推奨する。『すばらしい新世界』では、そもそも妊娠・出産・子育てが社会的事業となり、プライベートな家庭空間は存在しない(14)。

◉4-3 《③労働―生産・消費》

人は生きるために働いてきた。飢饉が人類を長く苦しめてきたのは、生きるための生産力が自然の猛威の前に敗北した結果だ。もちろん、時の支配者たちの傲慢や失政もあっただろうが、現代と比べて圧倒的に貧弱なテクノロジーとカロリー生産力、自然への脆弱さが根本原因としてあった。当時の人々に、働かない自由はなかった。働かなければ生きていけないから。そうであるからして、ユートピアは食糧不安だけではなく苦役としての労働からも解放された世界として夢見られてきた。モアの『ユートピア』が一日六時間労働社会なのは、今から見ると「そんなに多いのか」と思うかもしれないが、当時の人にとっては「それだけでいいのか」と思えるのだろう。

労働・生産からの自由がユートピアの条件の一つならば、労働・生産からの不自由こそディストピアの特徴だろう。トマス・モアのユートピア島には奴隷がいたが、ハクスリーの『すばらしい新世界』では生産を担う労働者階級をオートメーション工場で試験管から生産する。消えた労働は誰かが担わなければならない。奴隷か労働者階級か、それともロボットか。人間に代わって労働するロボットに人権が認められないなら、ロボット視点で見るとその世界はディストピアではないか。

生産と対になるのは消費だ。ユートピア島の人々は「足るを知る」ので、必要以上のものは求めない。静的なユートピアでは、必要なもの（ニーズ needs）が満たされれば、それ以上、人は何かを求めることはないとされる。とすると、二つ疑問がある。人がニーズのみで生きている社会はユートピアなのか。人のニーズを満たせない社会、具体的には災害に見舞われた社会は、ディストピアなのか。欲望と欠乏がユートピア／ディストピアとどう関わるのか。

二一世紀ディストピアでは消費が生産に変換される。生産が一次産業から二次産業、三次産業へと変遷するのにあわせ、私たちの消費の形式も変化してきた。私たちは何を生産しているのか。そして、何を消費しているのか。誰に頼まれるでもなくＳＮＳでプライバシーを発信し、フィードを流れてくるほかの誰かのプライバシーに「いいね」するのは、消費なのか、生産なのか。回し車を走り続けるマウスのように、人間は消費―生産―消費の循環運動に取り込まれているようにも見えるし、消費―生産―消費の運動の輪から外されているようにも見える。

◉4-4《④メディア―リテラシー・コミュニケーション》

メディアをテーマにした『華氏451度』では古いメディア（本）vs新しいメディア（巻貝、ラウンジ壁）が対立する。メッセージは内容とメディアに分解できる。内容はメディアから独立して存在するように思えるが、メディアによって規定される部分もある。内容だけ、あるいはメディアだけ、取り出して論じることは不可能だ。ディストピア社会でのメディアというと、『一九八四年』のテレビや二分間憎悪といった、体制によるプロパガンダを思い浮かべるだろう。ただし、メディアは一方向に流れるわけでもない。発信者と受信者は時に立場が入れ替わり、『華氏451度』のベイティー曰く「大衆が望んだ」ものが伝達される。

『華氏451度』に「人類の叡智」とされる本を暗唱する人々・本人間が登場する。『すばらしい新世界』ではシェイクスピアはごく一部の特権階級のみが読むものとされている。鴻巣が指摘するとおり「知と言語の抑制」「文化・芸術・学術への弾圧」が明確にみられる。ディストピア社会に文化がないわけではない。『華氏451度』『すばらしい新世界』にあるのは大衆文化だ。文化を高尚／低俗にわけること自体が権力性をはらむことは自覚しつつ、両作品のディストピア社会は明確に「高尚な文化」を抑圧し「低俗な文化」を繁茂させる。現代社会のアテンション・エコノミーの萌芽である。

メディアはリテラシーのみならず人々のコミュニケーション形態とも関係する。二一世紀ディストピアでは、コミュニケーションは単なるメッセージの伝達・読解にとどまらない。ときに生産活動であり、ときに消費活動であり、自己のアイデンティティを形成する。いままでもそうだったという批判には、そのとおりだと答えたい。しかし、これからはその速度・規模が違う。

「本を燃やす」シンプルな検閲は象徴的に可能でも実際的な意味はない。本の内容はコンテンツとして自律しさまざまなメディアを横断する。内容は媒体から解放されメディアは環境と一体化する。作品単位での検閲から、たとえばサブスクリプションの配信アーカイブから抹消し参照元データベースから削除する、アーキテクチャ的検閲が二一世紀ディストピアの様態だ。

◉4―5《⑤環境―災害・気候変動》

人新世という時代区分が話題だ。地質学的な区分としては正式に認められていないが、斎藤幸平『人新世の「資本論」』が大ベストセラーになったこともあり、すっかり世間に根づいた。人間の活動が地球に大きな影響を与え、人類の時間軸ではなく地球の時間軸で影響をとらえるべきではないか、と人新世という語は提起する。

ハラリは、かつての人類が苦しんだ飢饉を今の人類は克服しつつあるという。確かに、各種データは人類の摂取カロリーが平均して増えていると示す。しかし、カロリーを増やす人類活動が地球環境に与える影響も甚大であり、これから先の人類が過去の人類とは別種の食糧危機・飢饉に見舞われるかもしれない。気候変動は、私たちが生きていくのに必要な最低限度の水や食糧、ニーズの獲得・供給・分配を困難にする。気候変動が直接の原因とされなくとも、ＳＦではさまざまな災害が描かれ、地球の危機を人類の危機に重ねてきた。災害はディストピアを出現させる。レベッカ・ソルニットは『災害ユートピア』を著したが、災害が一時的ではなく恒久的であるとき、災害ユートピアは災害ディストピアに変貌しないだろうか。

災害ディストピアにテクノロジー的解決は無効だ。なぜなら、テクノロジーが災害の原因となるから。また、災害によってテクノロジーの基盤となるインフラが破壊されるかもしれない。テクノロジーの喪失はサイエンスでは補えない。

《ディストピアの五要素》をまとめると、以下になる。

《①場所》境界・統治・法・アーキテクチャ
《②市民》階級・道徳・身体
《③労働》生産・消費
《④メディア》リテラシー・コミュニケーション
《⑤環境》　災害・気候変動

以下の各章でディストピア作品を論じるが、結論では①〜⑤の要素に着目して二一世紀ディストピア像を彫りだしていく。

第2章

監視ディストピア

――スマート化された身体のアイデンティティ――

監視とアイデンティティはディストピアSFの主題でありつづけている。オーウェル『一九八四年』のスローガン「ビッグ・ブラザーがあなたを見ている(Big Brother is watching you)」は有名だし、テレスクリーンによる常時監視は典型的な監視国家の様相を見せる。見る―見られるは公と私に関わる。誰もいないところでは誰にも見られない。プライベートな(私的な)空間だ。誰かがいるところでは誰かに見られる。パブリックな(公的な)空間だ。私たちは公―私の空間で見る―見られるを使い分け、自らのアイデンティティを形成する。二一世紀ディストピアは、テクノロジー/デバイスを公―私的区間に投入しアイデンティティを変容させる。

1　風景から環境へ、溶け込むカメラ

私は二〇一五年に批評家集団・限界研が出した評論集『ビジュアル・コミュニケーション』に、「防犯／監視カメラの映画史　風景から環境へ」という監視カメラ映画論を寄稿した。技術革新と社会変化の速度は速い。私の評論では語れなかった「その後」を補うことで第2章を始めたい。まずは、私が「風景から環境へ」と論じた映像表現の変化を確認し、カメラの遍在と人工知能アルゴリズムの発展が可能にした「スマート化」を説明する。

監視カメラや「見ること」を前景化した古典的映画、具体的には『モダン・タイムス』『1984』『裏窓』では、公的／私的の領域が揺れ動きつつカメラが映すそこにある「風景」と、カメラには写りこまない「内面」が対比的に切り取られる。これに対して、D・J・カルーソー監督『ディスタービア』に、パソコンで動画の編集中に、偶然映り込んでしまった死体を事後的に発見するくだりがある。撮影した本人でさえ気づかない決定的な証拠をカメラはとらえていて、デジタル処理をした結果、死体が見えるようになる。「カメラを通して見る」のではなく「カメラが見る」に変化している。全編監視カメラ映像という体裁の『LOOK』は、カメラを環境に遍在させ、環境に同一化させる。際立つのは、カメラを見る人間、ショット内で観客の視点の代理となる人物が不在であること。『LOOK』も『ディスタービア』同様に、人ではなく「カメラが見る」。もちろん現実には不可能であり監視・防犯の意味をなさないが、この異様さも含めた作品になっている。

トニー・スコット監督『エネミー・オブ・アメリカ』は、カメラの死角を集めたデータから類推しイメージ構築する。環境に溶け込んだカメラは死角を消滅させる。スティーヴン・スピルバーグ監督『マイノリティ・リポート』はプリコグという超能力者の力で未来を予測する。現在に飽き足らず未来までカメラは映すのだ。超能力という設定を高性能の人工知能におきかえたのが、『ディスタービア』の監督カルーソーによる『イーグル・アイ』だ。カメラは過去を記録し、現在を中継し、未来を投影する。

監視技術は断片化した身体を再統合する。監視技術の生産性を指摘するのはデイヴィッド・ライアン『監視社会』だ。

インターフェイスの介在。身体は消失する。監視社会が存在することの第一の意味は、消え行く身体を補塡するために諸々の技術が出現することである。言葉や身振りで信用の徴を示す生身の人間がその場にいなければ、信用の証拠が必要になる。監視は、私たちの日常の行動が本当に私たちのものだと保証・確認するために生み出されるのだ。(二三)

身体が消失するとは遠隔技術で他の誰かと同じ場所にいる「共在」(三一)する場面が減少することを指す。ミクロなレベルであれば生物学的に、マクロなレベルなら社会・文化的に。市民として、労働者として、そして消費者として、一個人は三面から監視される。

ただし、二〇〇〇年代に書かれた本書で、ライアンはナイーブにもこう主張する。

システムの実効性は、データ対象者の非協力によって制限されるはずだ。路上の若者は街頭監視カメラの視線を巧みに避ける術を学び、コールセンターの労働者は数々の装置を使って、効率的に仕事をしているように見せかける。そして、消費者も、保証書や顧客満足度調査への詳細の記入を控えることができる。（七八）

中国の市民はカメラに自分の姿を映すことをためらわない。個人情報を提供するとさまざまな利益を受ける。[1] 犯罪件数を減らし、交通マナーを改善する。労働者はSNSと融合した自己啓発により、就労時間後も「どうすれば効率よく仕事ができるか」自主的に訓練し、良き労働者たらんと粉骨砕身する。その努力の過程をSNSで発信し、結果はともかく過程が他者から承認され、AIからは「おすすめ」「関連トピック」が提示され、翌日の昼の労働と夜の自己啓発の動力に変換する。[2] 消費者は、さまざまなウェブサービスを「無料」で楽しむ代わりに、自分のデータ提供に「同意」する。しかし、いったいどれほどの消費者が「同意」に納得しているだろうか。「対象者の非協力によって制限される」は建前でしかない。そのサービスがデファクト・スタンダードであるなら、参加しない選択はほんとうに可能なのか。選ぶことができないことを選ばされている現実がある。強制されている「同意」にチェックマークを入れる瞬間にのみ、自由意志が生じる。それ以外選べない選択を強いられていることを知りながら（それでも／ゆえに）自発的に選択するという逆説。[3]

ライアンの主張には重要なものが含まれている。監視はプライバシーの侵害で、抑圧的国家体制のテクノロジカルな尖兵であるとする旧来の考え方を批判する。監視装置・監視活動は都市での市民／消費者

／労働者の生活に寄与する。とくに、流動性が高まった社会で失われつつある信用を、監視によって得られた個人の断片的データが担保するという指摘は重要だ。監視の抑圧的な側面ではなく生産的な側面に着目している。この指摘の下地にあるのはフーコーだ。

　私としては、「個人を再–身体化する」ことが積極的な前進の道だと主張したい。もちろん、比喩的な意味である。これを書いているときに私は非身体化しているだとか、これを読んでいるあなたがそうだとかということではない。そうではなく、監視システムの働き方は、私たちは生身の個人だという確信に支配されなければならないということである。（二五九）[4]

「生身の個人だという確信」とは何か。

　ライアンは「意志なきサイボーグ」（一四九）という興味深い概念を提示する。身体管理の一技術として開発・推進されているのがチップの体内埋め込みである。これは一部のフェミニストやテクノロジストにとって、旧来の身体観を再構築する機会と肯定的に評価される。[5]このような身体をヴァーチャルに解放する「柔軟な表象」と対置するのが「直接、身体に接触して、主体に汚されていない情報を得ようとする欲望」だ（一四七）。

　この後者の場合のサイボーグは、正確な身元確認と精密な予測という逆説的な利害関心の中で、おそらくは、意識や自己責任能力を奪われることになる。身体の誘導を目指した旧来の規律型テクノロジーが作動するには、依然として、反省性や自己意識、さらには良心といった観念が必要だった。リスク・監視・セキュリティの新体制下、いよいよ主体が――文字通り――応答可能である必要もなくなる。（一四七）

主体は応答可能でなくてもかまわないが、サイボーグ的チップによる身体情報の吸い上げと、アイデンティティのあいだにズレが生じたとき、「自己釈明しようとする生身の人間」の存在が注目される。ライアンは、規律型テクノロジー＝主体的（人間の内面）と、サイボーグ的テクノロジー＝脱主体的（主体に汚されていない）を対比し、後者を「意志なきサイボーグ」と名づけた。チップやケーブルという物理装置を体内に埋め込むことで、テクノロジーは人間の主体を媒介せずに人間にアクセスするだろう、そして「反省性」「自己意識」「良心」の反発・支配を前提とせず人間を管理するだろう、と言う。ライアンの「意志なきサイボーグ」概念は魅力的だが、ここにも先に指摘した問題、嫌ならば「控えることができる」が反復されている。事態はもっと緊迫している。テクノロジーに従属することを選ぶときにのみ意志が生じる可能性がある。問題の根本は「人間の意識」を身体やテクノロジーとは別のもの、ライアンの言葉を使うなら、元々は無垢であり、未熟な技術で触れると汚れるものととらえたことだ。人間身体をハードウェア、人間精神をソフトウェアとしたときに、ハードウェアに規定されないソフトウェアは存在しない。人工知能を議論するとき、知能を環境とハードウェアで条件づけをしないと、議論がどうにもかみ合わない。(6)

ライアンは遠隔技術によって断片化した身体が監視技術で再―身体化されると考えている。しかし遠隔と監視のどこに技術的差異を見出すのか。両者は本質的に同じものだ。監視技術の断片化―再統合の両義的生産性に注目すべきなのだ。ライアンの議論をアップデートするのは[7]、スマートフォンを軸にした私たち自身の「マイルドなサイボーグ化」と、ニューラルネットワークを使ったディィープラーニングによるAI画像認識の精度の向上だ。ディープラーニングはすぐさま「強いAI（＝意識をもった汎用人工知能）」を生み出すとは思えないが、AIのインプットを質・量ともに改善し、第三次AIブームを牽引してきたのだ[8]。スマートフォンは、チップやケーブルのような侵襲的テクノロジーではないが、「スマホ依存」という言葉や、SNSへの没入が精神的・知的活動だけではなく、脳を通じて身体まで影響を与えていることを鑑みると[9]、「非侵襲的だから問題はない」「サイボーグにはまだまだ遠い」とは思えない。スマホの非／侵襲性のイメージは物体を通過する放射線に近い。あくまで比喩ではあるが。

スマートフォンにはカメラが内蔵されアプリをインストールすることでアルゴリズムを「携帯」できる。（監視）カメラによる身体情報の断片化と人工知能・アルゴリズムによる最適化を「スマート化」と呼びたい。参照したのは、戸谷洋志『スマートな悪』だ。戸谷は本書で名前のない道具＝ガジェットをスマートなデバイス（装置、システム、原理）に対置させている。

戸谷はスマートさを最適化ととらえる。機械・デバイスそれ自体にスマートさは宿らない。機械が最適化を原理とするシステムに接続され「余計なものをのぞき」、その結果「人が受動的になる」。スマートの語源には「痛み」がある。痛みは主観的なもので、外部との関係が一方的に切り離される経験だ。痛みによって感覚は占拠され、間主観的なリアリティは喪失、世界への「不感症」になる。

スマートさは、効率化を追求し周囲の環境を機械化する「機械の原理」から導かれる。政府が推進するSociety5.0は超スマート社会と形容されるが、根本に機械の原理がある。戸谷は「スマートな悪」の極北としてナチスによるユダヤ人絶滅計画をあげる。また、その一方で日本の通勤電車の暴力性も「スマートな悪」とする。両者は、暴力の程度においては甚だしい違いはあるが、根底に機械の原理（最適化のロジスティクス）が共通している。

機械の原理のすべてを飲み込む閉鎖性から、どうやって逃れればよいのだろうか。満員電車への憎悪を毒ガスとしてぶつけたオウム真理教は、閉鎖的な社会への外部たらんとしたが、結局はカルト宗教という別の閉鎖性を示しただけだった。大事なのは、システム間を移動しようとすること。筆者は「名前のない道具」＝ガジェットにその可能性を見る。ある目的のために作られた道具が、当初の文脈から離れ、別の意味＝目的が与えられる。あるシステムから別のシステムへと移ることで、自分のいるシステムを相対化できる。戸谷がいう「スマートな悪」は、機械の原理（システム）によって良心すら最適化され、「良心」それ自体を客観化することなく、環境（習俗）によって与えられたものを、それがなんであれ良心として自分にインストールする。アップデートされたOSがリリースされれば、それがなんであれ、インストールする。最新OSはとにかく「快適」だから。

では、スマートフォンは「名前のない道具」、ガジェットだろうか。二〇年以上も前になるが、私が高校生の頃、パソコンで「いろいろ」試していたら、パソコンに詳しい友達が「最初に考えていた目的と違う使い方ができるのがパソコンの面白いところだよね」と言ってきた。スマートフォンはどうか。スマートフォンは「いろいろ」できるようで思ったほど「いろいろ」できない。おそらくパソコンには脱文脈的な道具設計力、カスタマイズ可能性がある一方、スマホは文脈依存的な道具使用が主たる要素だ。パソコンもスマホも、遠くから見れば両者ともガジェットとは言えないだろう。しかし近づいて見ると両者には差異があり、脱文脈性はスマホよりパソコンが高い。パソコンはコンピュータがパーソナル＝個人化したものだが、スマホはパソコンがスマート化したもので、所有者の身体情報の断片化とアルゴリズムによる最適化を絶えず行う装置となる。

環境に溶け込んだ監視技術は身体の断片化を促す。意志なきサイボーグではなく生身の個人だという確信に基づき再身体化を目指そうにも、スマホ／スマート化の進展により私たちの意識はすでに変化している。最適化のロジスティクスを覆しうるガジェットを再身体化の足掛かりに見つけたい。

これから具体的に「スマート化」がテーマである作品を見ていこう。そして、スマート化された身体のアイデンティティを保てるのか考えていきたい。

2 ヒューリスティックと合理性のあいだ――映画『AI崩壊』

まず取り上げたいのが、入江悠監督の映画『AI崩壊』だ。この作品にはAI監修として松尾豊（東京大学大学院教授、肩書は現在のもの、以下同じ）、松原仁（京都橘大学教授）、大澤博隆（慶応義塾大学准教授）の日本における人工知能研究の第一人者たる三名が関わっている。すぐれたSFがそうであるように本作も現実からの想像的飛躍が見られる。ただし飛躍を可能にする助走は、現実と地続きの手堅い滑走路を進む。

患者の生体データを収集し適切なアドバイスを与え、手術や投薬といった具体的な医療行為もする医療用AI・のぞみ。このAIの開発者・桐生浩介は、最愛の妻・望をガンで失ったショックから、一人娘の心と二人、シンガポールで隠遁生活を送っていた。望の闘病中には法整備が追いつかず、彼女の治療の助けとなるAIのプログラムは完成していたものの、実行することは認められなかった。望の死後、彼女の遺志をつごうと、桐生はAIの「のぞみ」を完成させる。望の弟（浩介の義弟でもある）西村悟は、AIのぞみを運用する会社・HOPEを立ち上げ、電気・ガス・水道・インターネットに続く社会的インフラとして、のぞみの社会的存在を高めていく。

日本が今よりも格差と少子高齢化が進んだ二〇三〇年。五年ぶりに心と二人、浩介は日本に帰国する。千葉に開設したHOPEのデータセンター視察と、総理大臣賞を受け取るセレモニーに参加するためだった。西村に歓迎される二人。だが、突如としてAIのぞみが暴走を始める。データセンター地下のサーバールームに心は閉じ込められ、一方浩介は、のぞみ暴走の原因となったマルウェア（コンピュータ・ウイルス）の作成者のサイバー・テロリストと断定され、追跡される。浩介がのぞみに枷として書き込んでいた人間に従うプログラムはマルウェアにより解除され、のぞみは猛烈な勢いで自律的な学習を始める。やがて医療AIは、人間の命の選別を始める。生体データに納税額、その他もろもろのデータを集め、また人類の歴史から人間が「人間を選別する」その判断基準も学び、誰が「生存」するべきか誰が「死亡」するべきかを判定していく。

浩介を追いかけるのは、警察内部にあるサイバー犯罪専門の部署。警察が開発していた容疑者を追跡するAI・百目のデビュー戦として、MITで博士号を取得した俊英の警察庁理事官・桜庭が指揮をする。

浩介は、圧倒的なテクノロジーの追跡をかわしつつ、物理的に閉じ込められた娘と、システム的にハックされたのぞみを救うべく、たった一人の戦いを始める。

◉2—1　地に足のついたAI像

ビッグデータを集め人間に密着した医療でAIを使っていくならば、やがてAIはインフラになるだろう。そして、ひとたびインフラ化したら、たとえ暴走しても電源を抜くような物理的シャットダウンはできなくなる。この映画はインフラ崩壊パニック映画というジャンルでもある。SFには「水が枯渇したら?」「電気がなくなったら?」という思考実験的な、しかし十分に起こり得る問題を探求する作品が数多くある(本書の第4章で扱う)。本作もAIが普遍化しインフラとなった二〇三〇年を舞台に「もしAIインフラが崩壊したら?」と問う。

映画では、現在でも十分に社会に実装されている監視カメラに加え、公共のものだけでなく私物である携帯電話やらドライブレコーダーやらも含めたあらゆるカメラを利用し、顔認証技術と組み合わせ容疑者を追跡する。カメラの死角も3Dで予測モデリングをしてしまうのだから、この百目という警察AIはそれなりのものだ。

本作が描くAIはインフラであって、人間を超越した存在ではまったくない。それを期待しているわけではない。『ターミネーター』や『マトリックス』といった、人間知性を超えたAIが人間を支配するタイプの物語ではない。先述のとおり、AIのぞみを暴走させるのはマルウェアだ。これは人為的に仕組まれたもので、つまり人間の犯人がいる。これがトリガーであり、逆にいうとこのトリガーがないかぎり

ＡＩは暴走しない。

マルウェアのマル mal は「悪意」malicious という単語から取られている。「悪意をもって作られたソフトウェア＝プログラム」だ。プログラム自体が悪意をもっているように動くわけだが、プログラムそのものは良いものであれ悪いものであれ意図は持ちようがないので、プログラムの作成者の意図といえる。

本作のＡＩは基本的に自律的な思考をしていない。そう見えるときもあるが、背後にはつねにマルウェア＝人間の悪意がある。人間が人間を選別した歴史をネット上にある膨大なデータから学習し、ＡＩも身につけた。ＡＩは勝手に人間を選別したのではなく、選別するように命令されたので人間のやり方を学習して、ただそれを効率よくやっただけ。ＡＩには価値判断はできない。あるのは、人間がしてきた価値判断の蓄積から類推すること。アマゾン社で採用を効率化するＡＩを作ったら、アマゾン社で人間がそれまでやってきた差別（具体的には女性差別）を反復していたという事例を思い出す[10]。

◉2―2　なぜ浩介は妻を助けなかったのか

この映画を劇場で観たときから、私にはどうも釈然としない三つの点があった。

一つ目は「なぜ浩介は妻・望を助けなかったのか」だ。理由ははっきり述べられている。ＡＩ開発者の望は末期癌に冒されていた。浩介と共同開発しているＡＩが認可されれば自分が助かるかもしれないことを十分に知っていた。ふつうならばこう思うだろう。国の認可、法的根拠なんていらない。自分一人が助かるだけであるし、なんなら「実験台」にもなれるのだ。事実、望の弟・悟は、認可なんて関係ないといって浩介に開発途中のＡＩを使うように迫る。浩介は、妻を失うことと妻の希望に沿うことのあいだで

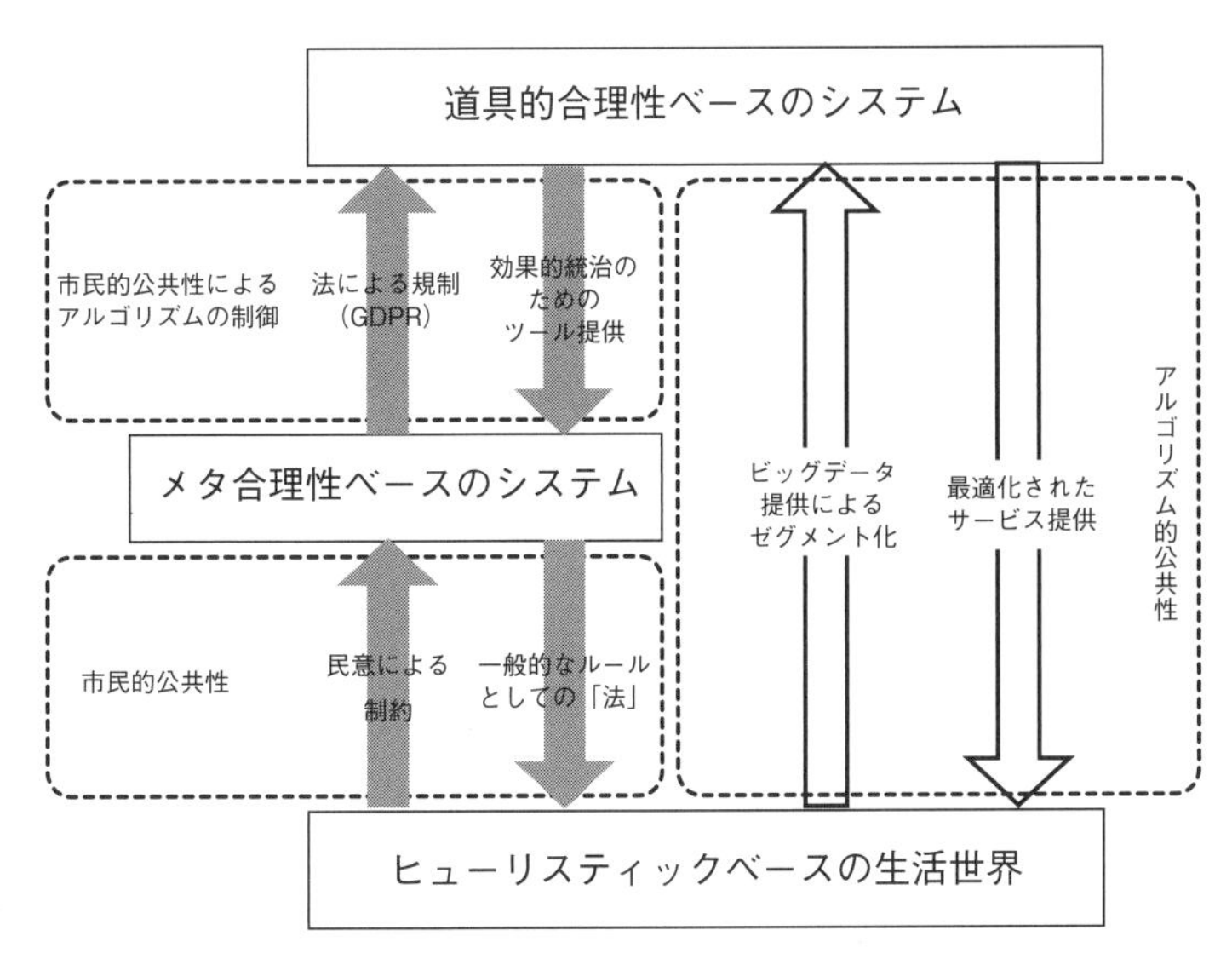

【図１】二つの合理性と公共性
（梶谷作成『幸福な監視国家・中国』185頁より引用）

板挟みにあうが、最後には妻の意志を尊重する。助けられるかもしれない望を、助けないことを選ぶ。

私は浩介の選択に、ずっと釈然としなかった。ＡＩの万能性よりも法を上位に置き、人間的な感情に蓋をしてまでも、法の支配を貫徹しようとする望と浩介の姿勢に納得できなかった。愛する人を守るために「闇堕ちする」科学者・エンジニアにはＳＦは事欠かない。浩介もそうなる理由は十分すぎるほどある。

このモヤモヤを解決したのが、梶谷懐・高口康太『幸福な監視国家・中国』だ。同書で梶谷は「アルゴリズム的公共性」を説明するために上の**【図１】**を利用する。

人間の判断はファストとスローの二層構造になっている。[11] ファストとは直感的・経験的な判断で、ヒューリスティックと呼ばれる。スローは合理的な損得判断だ。ファストとスローは互いに反発したり支え合ったりしながら「より良い社会」を作る思想を生み出してきた。
ベンサムが「最大多数の最大幸福」と定式化した功利主義は、スローで合理的・理性的・計算的な思想だ。人間には計算する手間がかかり、頑張ればできるが、誰も彼もが簡単にできるわけではない。アルゴリズムは、こういった計算なら簡単にできる。アルゴリズム的功利主義は、これまでの人間社会で、手段がほんとうに目的に相応しいものか、目的―手段じたいを検証する「メタ合理性」によって制御されてきた。メタ合理性は、具体的には民主主義的な統治システムだ。民意の付託をうけたメタ合理性は、道具的合理主義、つまり目的のために最適化された手段を、一歩引き「ほんとうにその手段で良いのか」と検討し、必要に応じて法で規制する
橘玲は『(日本人)』で、マイケル・サンデルの議論を引きつつ、四つの道徳概念のうち功利主義のみ進化論的な根拠を持たないと述べている。サンデルがあげる四つの道徳概念とは、リベラリズム(平等)、リバータリアニズム(自由)、コミュニタリアニズム(共同体)、功利主義だ。功利主義は数の計算に基づき、人間が数の計算を文化的に洗練させたのは、農業を発展させ簿記を発明してからであり、人類史においては比較的最近のこととされる。人類史において比較的最近のことは進化の観点からすると人間の脳に埋め込まれておらず、種としての人類が教育によって後天的に身につけた文化・習慣でしかない。もし人類文明がカタストロフを迎え、かつてのように狩猟採集を生活手段としたら、功利主義は人々の間から消えるだろう。
AI技術に「恐ろしさ」を感じ、AIに非人間性を見るのは、AIがファストとスローの割合を変えるからだ。人類は文明の進歩にあわせて、ファストとスローを適度な割合で使い分けつつ、ベストとはい

えないまでもなんとかやっていくのに良い共同体と思想を生み出してきた。ところがAIはファストに特化している。スローをファストに処理できる。速すぎる。人間がファスト&スローだとしたらAIはファスト&ファストだ。

望が自らの命と引き換えにAIの法治（法規制）を選んだのは象徴的な行為だ。梶谷の図では「メタ合理性ベースのシステム」から伸びている「市民的公共性によるアルゴリズムの制御」＝「法による規制」が、望の役目となる。浩介はヒューリスティックベースで考えるなら、愛する妻を失うことには耐えられず、無認可の闇テクノロジーを使うことも頭によぎっただろう。しかし、彼のなかのメタ合理性が望の意図を尊重した。望がAIを法で規制したように、浩介はヒューリスティックをメタ合理性で抑制している。

◉2-3 なぜAIのぞみは修正プログラムをカメラで読むのか

もう一つの疑問点は、クライマックスだ。

マルウェアで暴走したAIのぞみはサーバールームを閉鎖する。偶然その場に居合わせた心は、ミサイル攻撃でも破壊できない強固なサーバールームに閉じ込められる。警視庁のAI百目の追跡を振り切って、浩介はAIのぞみの修正プログラムを完成させる。しかし、完全隔離されたサーバールームに入ることはできず、修正プログラムをAIのぞみに読み込ませる術はないように思われた。そこで浩介たちは、なんとも不思議な手段を思いつく。室内にアップデート・プログラムを投影し、AIのぞみのメインサーバーに付属するカメラに「読ませる」。私たちがコンピュータにプログラムを「読ませる」とき、ふつうはプログラムを直接、コンピュータに入力する。したがって「読む」とは比喩的に意味を拡張して使っている表現である。しかし、浩介たちはカメラ＝視覚を通じて、ＡＩに修正プログラムを読ませる。このときの「読ませる」は本来的、つまり人間的な意味だ。それにしても、最新鋭のＡＩとはいえプログラムを文字どおり読むのはなぜか。

物語的な解答は、サーバールームが物理的に隔離されているからだ。立ち入ることができなければサーバー本体にプログラムを入力する＝読ませることは叶わない。しかし、象徴的な次元において、ＡＩのぞみの視覚を基点とする擬人化は重要な意味を帯びる。

室内に投影したプログラムはＡＩのぞみのカメラ＝視覚に入るものの、正しく読み取ってくれたかどうかはわからない。最終的にＡＩのぞみは復旧するが、そのきっかけが浩介の作った修正プログラムなのか、心が手にしていた家族写真なのか、解釈は開かれている。機械的な音声が特徴のＡＩのぞみは、心の手の中の家族写真をカメラでとらえ、一瞬だけ望（人間）の声をだす。カメラを通じて家族を認識したＡＩのぞみが望となり、心を救ったともいえる。親子（家族）愛という人間に備わったベーシックな感情回路がＡＩのぞみに一時的に生まれ、ヒューリスティックが回復したのだ。

物語の最後「こんな事件があったあとでも、人工知能は人間を幸せにすると思いますか？」と記者に問いかけられる桐生。娘・心から、どう答えるのと促されて、彼は間接的に答える。「その問いはこうやって言い換えることができるかもしれない。親は子どもを幸せにできるか」と。浩介は、親＝人工知能、子ども＝人間と考えている。人間が人工知能の生みの親、つまり親＝人間、子ども＝人工知能ではない。

暴走するＡＩは、ＳＦ史ではフランケンシュタイン・コンプレックスに連なる。フランケンシュタイン・コンプレックスとは、フランケンシュタインが自ら生み出した怪物「それ」の支配権を失う、テクノロジーが持ち主の手を離れ自走する現象（恐怖）だ。暴走するＡＩは、フランケンシュタインから逃げやがて復讐のためにフランケンシュタインにつきまとう「それ」と類比的だ。しかし、この連想を浩介は拒否する。彼にとってＡＩは親なのだ。生物的に親は子どもより早く死ぬし、子どもは親がいない世界で生き続けなければならない。心は、望という生物的な母を失いながら、ＡＩのぞみという代わりの親を得ている。『ＡＩ崩壊』のＡＩは母だ。サーバールームで家族写真を認識したのぞみは、膨大な画像データ処理をする百目とは違うと浩介は考える。親が子どもの幸せを考えるとき、親の考える「子どもの幸せ」と子どもの考える「子どもの幸せ」は一致しないことがある。親は「子どもの幸せ」を子どもに先回りして提示するのではなく、子どもの反応を見ながら自分の考えた「子どもの幸せ」を修正していく。このフィードバックループは愛情という名で人間にビルトインされている（はずだ）。民主主義的な手続きであるメタ合理性が、アルゴリズムという道具的合理性に置き換えられつつあるとき、アルゴリズム自体に人間のヒューリスティック的生活経験を埋め込めないものか。人間が創造したところでやがて造反し暴走する「子ども」ではなく、人間たちの成長を横で見守る「母」として、ＡＩテクノロジーを想像／創造できないものか。それこそが桐生浩介の願いであり、彼が望と作ったＡＩのぞみはスマート化／最適化されない「子どもの幸せ」を願っているのだ。

ちなみに、私が釈然としない三点目は、浩介が百目のシステムをハッキングした方法である。桜庭からもらった名刺を使ったとされるが、どのように名刺を使えば警視庁の最新ＡＩをハッキングできるのか謎である。

3　不可視化する／される階級的身体——林譲治『不可視の網』

◉3-1　監視カメラ下での不可能犯罪

安全・清潔都市事業モデル地区である姫田市。「衰退するだけの地方都市は先端技術特区に選ばれ、SCS（監視カメラシステム）という新しいセキュリティシステムの一大実証実験場」（一〇）となる。市民は街頭の至る所に設置された監視カメラで常時、監視され、AIにより行動を分析される。もし彼らの行動が、テロや犯罪につながる潜在的に危険な振る舞いだと判断されると、SCSから行政（警察）に連絡がいく仕組みだ。

「潜在的に危険」というのがミソで、実際にやる・やらないは関係なく「行われていない犯罪」を抑制する。抑制システムがなければ犯罪が実際に行われていたかは、仮定法的な問いで検証不可能だが、事実として姫田市は統計上、犯罪のない「安全・清潔都市」になった。人口減社会は、警察人員の減少も意味し、SCSは「未来の警察の姿」としてなんとしても成功させたいのが、警察ひいては政府の方針だ。

SCSには「人がアクセスできない情報は、情報が存在しないものとして扱う」（二四七）という原則がある。これは「治安維持と個人情報保護の妥協点」（一四三）であり、具体的には次のように作動する。

「殺人の前科があるような人間が市内に入ったら、SCSは顔分析で、その人物の動きを追跡する。ご存じの通り、これはSCSが自動で行うことで、人間は感知しない。SCSも人間にはその事実を通知しない。だから警察も前科者が市内に入ったことはわからない。」（一四二）

「監視していても、犯罪歴のある人間が犯罪の兆候を示すまでは、SCSはそのことを報告しない。そして犯罪を疑わせる行動をしはじめてからSCSは記録を残すが、そうでない限りは一週間から長くても三週間が過ぎれば画像は消去される。」（一五一）

監視カメラやドローン、さらにアプリを通じてスマホから収集された姫田市に住む人々の膨大なデータは蓄積されていく。蓄積するのもAI、「犯罪の兆候」を読み取るのもAI、潜在的犯罪者を追跡するのもAIだ。逮捕するのは警察＝法執行機関だが、逆に言えば、警察の業務はそこまで削減されている。

「安全・清潔宣言都市」であるはずの姫田市にたどり着いた元派遣労働者の船田は、求職アプリで斡旋された建物の解体現場で、多数の人間のバラバラ遺体を発見する。犯罪が起こり得ないと信じられていて、そして数値の上はそのとおりである姫田市とSCSに、いったい何が起こっているのか。

警察も動き出すが、調べれば調べるほど犯罪が実行不可能だとわかる。監視カメラの不備を疑い一台一台チェックをしてみると、何％かは使い物にならないが、犯罪者をSCSから隠し通すことは不可能な数だ。一方、バラバラ遺体の第一発見者となった船田は、市のゴミ処理場（クリーンセンター）での仕事を得るが「自治会」というグループの代表・川原という女性が船田に接触をする。川原は船田の手引きでゴミ焼却場に違法な「産廃」処理を依頼する。「産廃」とは川原たち自治会の人間が口封じのために殺した自治会仲間のバラバラ死体であり、死体遺棄に関与した船田は、自治会の非合法活動にさらに関わっていく。

◉3-2 不可視化する／される階級的身体

映画『AI崩壊』にはないが『不可視の網』にあるのは階級だ。『AI崩壊』は、清潔でつるつるした世界が舞台である。登場人物たちはパリっとしたスーツを着こなし、職業はコンピュータのエンジニアや巨大IT企業のビジネスパーソン、警察官・警察官僚だ。AIのぞみにより実現した福祉社会は、汚濁（ゴミ）を浄化した。一方『不可視の網』は、AIによって浄化された汚濁（ゴミ）の行く末を徹底的にたどる。

船田や、自治会に参加し連続殺人の加害者または被害者となった者たちは、みな学歴も定住所もなく、非正規労働を転々とし食いつないできた。多数の人間のバラバラ死体が見つかってから警察は被害者の特定を急ぐが、思うように進まない。なぜなら「被害者は突然姿を消しても、誰も気がつかないような人間だった」（二一五）から。被害者の共通点として「底辺層」（階級）が指摘され、憎悪犯罪の可能性も指摘される。しかし、被害者だけではなく加害者と疑われる人もまた同じ属性と推定され、憎悪犯罪の線は消される。

バラバラの死体は二つの意味を持つ。一つは情報的な次元。私たちがデータとして収集されるとき、データ処理の都合と、プライバシー保護の観点から、私たちは個人であることをやめセグメントに分けられる。年齢は一歳刻みではなく、たとえば十年ごと（〜十代）に。性別と出身地、職業は具体的なものから会社員、自営業、無職などのカテゴリーに。登場人物たちも、学歴なら具体的な出身校ではなく「中卒」「高校中退」、職歴なら勤務先ではなく「正規雇用」「非正規雇用」、犯罪歴なら「ある」「なし」といった要素（セグメント）に分解され記録される。姫田市にやってきて、求職アプリをインストールすると、蓄積されているセグメント化された個人情報から仕事を斡旋してもらえる。ただし、選択肢はほとんどない。バラバラ死体となる前に彼ら彼女らはすでに／つねに情報的な次元で断片＝バラバラにされている。断片化された身体は再身体化されることなく物理的に断片化されゴミ処理される。犯罪抑制に最適化されたスマートシティで、就職斡旋スマホアプリをインストールしたことで断片化された彼ら彼女らの身体は、再身体化できるのか。

川原や、のちに明らかになるが船田も、ＳＣＳと連動した監視カメラには写らない。警察はＳＣＳ下における不可能犯罪を、当初は監視カメラの不具合と考えていた。刑事たちは足を使って姫田市のカメラをチェックしていく。確かに死角はあるが「死角となる領域は、道路や人家から離れており、しかも孤立し［…］人の営みなど期待できない場所」（二七七）と結論を出す。ＳＣＳのハードウェアに問題はない。ということは、原因はソフトウェアだ。

しかし、事件の被害者／加害者像である「底辺層」の人たちにソフトウェアを書き換える高度なスキルが必要なコンピュータ犯罪はできそうにない。警察から聞かれた市役所の人間はこう言い放つ。「基礎的な行政手続きさえできない［…］連中にコンピューター犯罪なんかできっこないでしょう」（二五八）。

川原や船田がＳＣＳに不可視化されたのは、姫田市「市民」の要望を忠実に反映した結果だ。「市民」とカッコつきで書いたのは、姫田市に住む全員を示していないからだ。川原や船田のような人間がＳＣＳに認識されないだけではない。姫田市で進行している前代未聞の連続殺人事件も、ＳＮＳで話題にされない。なぜか。ＳＣＳのサービスを提供する民間企業ＫＯＳの北見は、姫田氏のＳＣＳ不具合についてこう結論する。「結果としてＡＩにとって、優先的にサービスを提供すべき人々は、中間所得層以上の世帯の市民となる。彼らの欲求がＡＩの行動に深い影響を与えます」（四四八）。「中間層」は、底辺層に存在してほしくないし、自分の身近なところで物騒な犯罪、ましてや不可解な連続殺人事件など、絶対に起ってほしくないのだ。中間層以上の欲望をSCSはスマホなど各種デバイスから吸い上げ、忠実に実行する。「姫田市の中間層以上の人々にとって存在が許されないような相手に対して、SCSは認識することを止めるのです。[…]この事件の被害者も加害者グループと思われる人間も、どちらも似たような境遇でした。そしてSCSはそうした人間を存在しないものとして扱ってきた。存在しない人間同士が殺し合っても、SCSはそれを犯罪として報告しないわけです」(四四九)と北見は姫田市警察署長に説明する。

SCSは姫田市を階級で分断する。中層階級以上の「底辺層は見たくない」という「底辺層を不可視化する欲望」を実現する。それだけではない。「底辺層を見たくない」という自身の欲望は「不可視化される」。「良心的市民」であれば、階級差別は望ましくないとわかっているからだ。

とはいえ、階級衝突は自衛隊からKOSに出向する斉木から指摘される。

「姫田市の文化の問題かもしれない。先端技術都市で知られる姫田市だけど、町としては何百年も続いている。そこに外部から多くの人間が入ってきた。結果として新旧文化の衝突のようなことがあって、それぞれの文化毎にSCSへの欲求は異なり、時には矛盾する……」(三三四)

さらに、市警の科捜研主任、沼田も前科者の市への流入を警戒する。

「沼田さんは前科者なんかに近所に来て欲しくないと考えている。彼が言っていたようなNPOが、あるいは職場に被害者たちの過去の犯罪歴を密告していたのかもしれない。[…]つまり彼らにとっては被害者は姫田市からいなくなれば、少なくとも自分達の周囲から消えてくれれば、それでいいんだよ。ここまで面倒な手間をかけて殺す理由はないんだ」（三二八—三二九）

「被害者たちから職を奪い、住み家を奪おうとした人間達と、殺人を実行した人間達は別」（三三〇）なのだ。自治会にたどり着いた人々は、自ら選択しているようだが、実際には選択肢などほとんどなく、選ばされてそこまでたどり着いた。ようやく見つけた就職先も、犯罪歴など自分に不利な情報が匿名のタレコミで雇用主に伝わり、解雇される。そして川原が運営する農業法人と「自治会」に吸い込まれていく。「つまり彼らには、選択肢が無いってことですか。あらゆる面で選択肢がないから、みんなが一つところに集められて、殺人に至る濃厚な人間関係が生まれる」（四一一）。

川原は、底辺層で最適化した。一方で、中層階級以上は、自分たちの階級に最適化し、それをSCSが社会に反映させた。SCSはすでにあった階級の分断を推し進め、欲望の不可視化を通じ、互いに交錯しない共同体を姫田市に作り上げた。望まない人間が市に流入した場合は、求人アプリを介し彼らの「身分」にふさわしい仕事へ「流す」。「もしもアプリの設定そのものに偏見が織り込まれ、ここでゴミの分別をするような人間は、底辺層の人間で十分となっていたとしたらどうでしょう」（四〇五）という現実。船田が「クリーンセンター」という名前のゴミ処分場で働き「産廃」バラバラ死体を処分するのは、もはや必然だ。

川原を首領とする「自治会」は、表向きは農業法人だ。それも「やり手」といわれる。姫田市の最大農業法人を運営する山畑は川原のことを刑事にこう説明する。

「ええ、彼女も地元から東京の短大を出て、帰省してから農場を引き継いで拡大した、まぁ、我々の同志みたいものです。[…] 彼女もね、都会で学んだんだと思いますよ。[…] いままでの経営を一新して、いまでは立派な農場経営者です」(三八〇)

川原は「自治会」を取り仕切る。「自治会」は単なる無法者集団ではない。五十人規模の共同体で、なかには乳幼児を連れた母親もいる。子連れで外部からやってきたのではなく、「自治会」内部でカップルとなり子どもを産んだのだ。手の空いているものが共同で育児をする「自治会」は、大きな家族のようでもある。とはいえ、「自治会の掟は、日本の法律と相容れない部分がある。それは自治会委員の秘密だけど、それを漏らそうとする奴もいる。漏らされたら自治会は解散ってことになる」(二八一)。だから裏切り者を「始末し」バラバラにして処分してきたわけだが、「警察にチクるって、自治会を脅そうとした奴も」出てくる。川原は自治会を意思決定・暴力部隊の幹部と、それ以外の「自治会の言うことに従う連中」(二八二)に分けた。

「従う連中」にはこう言って誘導/扇動する。

「自治会を解散する? 解散したら、その赤ちゃんたちは、住む家が無くなってしまうね。それだけじゃない。定住所の無い人間に決まった仕事なんかないんだよ。それはみんな知ってるだろ? スマホで求人アプリを見たときのことを思い出してごらん。まともな仕事なんかあったかい?」(三四八)

いままで社会からさんざんに叩かれ、バラバラの断片にセグメント化され、人間扱いされてこなかった人たちは、ようやく「自治会」で「人間」となれた。であれば、誰がその立場を自ら失おうとするだろう。船田に至っては、学習性無力感から脱し、自己効力感・肯定感を得るに至る。

世の中の仕組みが殺すか殺されるかなら、自分は殺す側にまわる。そして船田は、いままで弱者だと思っていたこの自分が、いまは強者として殺す側に回れることを、この一月足らずの間に学んでいた。(三四九)

クリーンな社会からSCSではじかれたものたちが、独自の共同体を作る。ここにSCS体制の革命の可能性はあるだろうか。断片化された身体を「自治会」で再―身体化したといえるだろうか。川原の思想は徹底的に暴力的で、「自治会」も互恵的要素もあるものの暴力と階級(幹部・その他)による支配構造があることから、「自治会」はSCS体制へのオルタナティブにはなりえない。だが、川原たちは体制とは異なる共同体形成を試みていたのは間違いない。

北見らKOSの人間はSCSの不具合に気がつき、修正パッチを作る。アップデートされたSCSは監視カメラで船田の姿をとらえる。「自治会」から脱走しようとした船田は、「自治会」でできた恋人・アッキーの放った矢に射られ死ぬ。アッキーも警官に射殺される。しかし、川原は身分を偽り(そもそも川原という身分が偽りであったが)姫田市を去る。

もし『不可視の網』を『AI崩壊』と同じ世界に置いたとしたら、『不可視の網』は『AI崩壊』が描かない階級の問題を前景化する。『AI崩壊』に階級は存在しない。のぞみは医療AIだが、ユニバーサルサービス、誰もが利益を享受できるように設定されている。社会にAIへの反発はあり、HOPE社前で抗議活動はあるが、会社の幹部には「ラッダイト運動」といわれる。AIに仕事を奪われる恐怖は階級的な恐怖でもあるが、『不可視の網』が問題化したのは、抗議活動につながるような階級的連帯、連帯とまではいかなくても階級的恐怖の表明すらできない断片化が進行している事態だ。役所に住民票の移動届すら出せない「底辺層」の人たちは、アルゴリズムによって最適化されたスマホの誘導が命綱であり、選べない選択肢から選んでいる。自分たちの階級的欲望は不可視化され、やがては自分の身体すら不可視化される。身体の断片化を迫るスマートなディストピアから排除された人々が集う「自治会」もまたディストピアだ。非合法組織「自治会」は再–身体化の場所になりえなかった。

『不可視の網』の「自治会」の人たちと似た境遇の人たちは『AI崩壊』の世界にもいるはずだが、彼ら彼女らはAIのぞみによる医療サービスを果たして受けられているのだろうか。身体情報の断片化とアルゴリズムによる最適化でもたらされるスマート化は、ユニバーサルなものなのか。それとも、個人の身体を情報的／物質的にバラバラにするだけではなく、「底辺層」をまるごと不可視にし、ユニバーサルサービスをそもそも適応する必要がない存在へと押しやっていないか。

『不可視の網』が問題化した不可視化する／される階級的欲望は、透明化という発想に連なる。透明化は、カメラ等を通じ情報を集めれば集めるほど、物事の真実に近づけると考える。集まった膨大な情報を誰が・どうやって処理するかは考慮されることはない。アルゴリズムも透明で階級的欲望がたとえ入り込んでいても、その事実すら透明化される。

4　遠のく「透明化」——デイヴ・エガーズ『ザ・サークル』

GoogleとAppleとFacebookとAmazonを足して四で掛け算したような新興企業サークル。三人の「ワイズマン」たちが創業して六年。一万人を超える社員は、衣食住＋娯楽が提供されるカリフォルニアの広大なキャンパスで働く。

地元の公共インフラで前時代的&死ぬほど退屈な仕事をしていたメイ・ホランドは、大学の親友アニーの紹介で、サークルで職を得る。カスタマー・エクスペリエンス＝顧客対応からはじめ、めきめきと頭角をあらわし、やがて一目置かれる「期待の新人」に。ワイズマンの一人・ベイリーにも注目され、自身の「透明化」を通じて文字どおりサークルの顔として活躍する。

◉4-1　サークルのサービス

サークルの提供するサービスとその理念を紹介していこう。

◎　トゥルーユー　…ワイズマンの一人、エンジニアのタイが開発。数々のウェブサービスを「一つのアカウント、一つのＩＤ、一つのパスワード」で使えるユニバーサルなユーザー・インターフェイス。原著二〇一三年、翻訳二〇一四年だが、二〇二四年の今ならGoogle Chromeがやっている。トゥルーユーは必ず現実世界のユーザーと結びつけなければならない。

◎シーチェンジ　…超小型・軽量カメラを至る所に設置し、ライブストリーミング映像を流し続けること。そもそもは、サーファーが気にする波の高さなど特定の場所を見るためのものだが、紛争・戦争が起こっている場所に設置すれば、人権保護、戦争犯罪抑止、抑止が無理でもその発見に役立つとされる。スローガンは「起こったことは全て知らされるべし」。自分の行動が誰かに見られてしまうという可能性。カメラへの意識が人々の行動を変える。

◎ラブラブ　…ウェブ上にあるデータを収集しアルゴリズムで分析、デート相手にとって最適の提案をするサービス。マッチングアプリ。分析対象のデータはすべてウェブ上にあるのが肝。誰にでもアクセスできる素材から、有意味なものを提示する。

◎パスト・パーフェクト　…膨大なデータと、自分の家族・祖先を接続する。一方でさまざまな歴史的アーカイブをデータ化し、他方で現代の人々のパーソナルデータを入力する。両者は結合し、自分と歴史が接続される。

◎デモキシー　…選挙登録をトゥルーユーで行う。法改正して国民はサークル・アカウントの取得を義務づけ、全国民をトゥルーユーで一元管理するのを目指す。ウェブ上で投票をしないとサークルのサービスは停止され、ユーザーに投票行動を促す。選挙結果はすぐに共有されるし、誰が誰に投票したかという投票行動も把握される。

◎チャイルドトラック　…犯罪抑止を目的に、骨に取り出し不可能なチップを埋め込み、子どもの位置をマッピングする。位置情報以外も抜き出せる。

◎ソウルサーチ　…探したい人（犯罪者や失踪した人）をクラウドのデータベースで検索をかける。

シーチェンジを見ているウォッチャーからの目撃情報や検索協力、スマホ／カメラを持って外を歩いている人からの情報も収集する。

◉4-2 透明化、そして完全化へ

サークルの製品開発の哲学は「透明性」につきる。データを集めるだけ集め、アルゴリズムを通して、人間には見られない「本当の姿」へ到達する。あらゆる情報が共有される世界では、恥も犯罪も消失し、行動の不自由は情報の共有で解消され、人々はお互いを思いやり争いはなくなる。これが「透明性」の発想だ。

シーチェンジを発表したベイリーの発言をひろってみよう。

「人権保護においてこれが何を意味するか想像してみましょう。」（七三）

「何度カメラを排除しようとしても、カメラは小さすぎて、どこにあるのかも、誰がどこにいつ設置したのかも、結局わからずじまいなのです。わからずじまいであることが、権力の濫用を防ぎます。」（七五）

「透明性が何よりも求められているにもかかわらず、なかなか得られない場所に戻りましょう。そこでカメラをあちこちに設置しました。もし過去にカメラがあったらどのようなインパクトを与えたか、そして未来に似たような出来事が生じた場合、どのようなインパクトを与えるか想像してみましょう。さあ、天安門広場から五十の映像です」（七六）

「みなさん、わたしたちは第二次啓蒙時代の夜明けにいるのです。」（七六）
「我々は全見全知になるでしょう」（七九）

サークルは「透明化」と称し、希望者の胸に小型カメラをぶらさげ二四時間、その人の行動をライブストリーミングし始める。メイは、なじみのレンタルカヤック店から無断でカヤックを持ち出したことがシーチェンジでの通報により明らかにされ、窮地に立つ。もし自分の行動が見られていると自覚できていたならばそんなことはしなかっただろうという「反省」のもと、透明化を宣言する。それ以来、ニコ生主／Youtuber的に、トイレ以外はカメラをもってサークルのキャンパスをうろうろし、サークル内外のウォッチャーにサークルの様子を伝えるのが彼女のミッションとなる。

透明化は不可逆的な変化だ。まず政治家から変化は始まる。「透明化していない政治家は村八分の扱いを受けていた。透明化した政治家は、非透明の政治家らがカメラに写るのを拒むなら、彼らと会って話をすることもなくなり、その結果、彼らは取り残されることになった」（二五七）。

政治家だけではない。我々も透明化するべきと続く。サークルのスローガン「秘密は嘘」「分かち合いは思いやり」「プライバシーは盗み」だからだ。もちろんこのスローガンはビッグ・ブラザーのスローガンを反復している。

サークラーにとって、あらゆる差別や迫害は秘密・プライバシーが原因となっている。その結果ではなく。

「ゲイがいまだに迫害されている世界中のどんな場所でも、もしすべてのゲイとレズビアンが一斉にカミングアウトすれば、一瞬にして偉大な進歩が成し遂げられるに違いない。そうなれば、彼らを迫害する人々、そしてこの迫害を暗黙のうちに支えている人々は、同性愛者を迫害するということは、少なくとも全人口の一割を［…］迫害することだと悟るはずだ。［…］同性愛者や他のどんなマイノリティの迫害も、唯一秘密主義を通して実現するんだ」（三〇二―三〇三）

「秘密が害よりも益になるケースを考えついたことがない。秘密は、反社会的で、非道徳的で、破壊的な行為を助長する。」（三〇八）

「僕は人類が完璧になる可能性を信じているんだ。人類はより良くなれると思う。人類は完璧かそれに近い状態を達成できると思う。」（三一〇）

ベイリーは透明化、その先の完全化の可能性を心から信じている。

ベイリーの息子は脳性麻痺で移動が制限される。メイが一人で乗ったようにカヤックには乗れない。「メイ、君が見たものを見ることができない人が何百万人もいることだ。この人たちに対して、自分の見たものを拒んだのは正しいことだと感じる？」（三一九）「分かち合いは思いやり」から導かれるのは「知識は基本的な人権です。人類が経験しうるすべての経験への平等なアクセスは、基本的人権です」（三二一）だ。

『ザ・サークル』カバー

　サークラー、すなわち「人類」にとって、紙メディアは「有害」

でさえある。社内イベントで見かけなかったのでメイを心配したサークラーに、その時間は一人、湾内でカヤックし、野生動物を見つけたらガイドブックで調べていたのだとメイは説明する。

「紙の何が問題かって、あらゆるコミュニケーションがそこで途絶えてしまうことさ。紙製のパンフレットを見る、それでおしまい。君で終わってしまうんだ。まるで君のことだけが大事とでも言わんばかりだろ。でも、記録を取っていたらどうなると思う？　目にした鳥の種類が確認できるようなツールを使っていたら、みんなが助かる」（二〇一－二〇二）

アナログメディアがデジタル的に駆逐される。本を燃やす必要はない。アーキテクチャ的検閲だ。サークルはコミュニティ第一主義を掲げ、コミュニケーションが大事だという。social は「社会的」と訳せるが、カタカナで「ソーシャル」と訳したい。SNSが「社会的ネットワーキングサービス」でないのと同様に。ソーシャルとはデジタル化されうる活動を指し、紙の本を含むそれ以外のものはソーシャルと判定されない。サークルでは活動したものはすべてデジタル化されなければならず、さもないと活動したとはいえない。

サークルが透明化の先に目指すのは完全化だ。サークルのロゴ「C」は円が欠けた状態でもある。ベイリーは円を閉じる、完全化するべきだと言う。犯罪から子どもを守るという名目で体にチップを埋め込み、子どものころからあらゆるデータを吸い上げる。成績や友人関係、趣味や購買履歴、労働、納税などあらゆる生活データと紐付けて、投票を促す。人間の社会活動のいっさいをデータ化し追跡する。データ化すれば、数値＝ランクとして提示され、上がったり下がったり変化が見られる。「ユースランク」という数値も登場する。子どもの名前を入力すると、その子の学力が全国ランキングで表示さ、アイビーリーグに入学できるかどうかを親に示せる。（ドヤ顔で紹介されるものの、すでに日本では全国模試という名で実施されている…）

メイはサークルで働き始めてからさまざまな数値に直面する。顧客からの評価、サークル内の活動状況、ニコマーク／ムカマークの数、コメントの数、ジング（Twitter的ＳＮＳ）の反応などなど。自身のプライベートにまで光をあて、余す所なくデジタル化し、生まれてから死ぬまでデータ／数値／ランクとなるのが完全化だ。

◉４―３　メイの「裂け目」と欲望の行方

透明化を選んだ／選ばざるを得なかったメイは、心に「裂け目」を抱える。情報を集め共有・公開すれば透明化に近づくと言われ、自分でもそう信じるが「裂け目」は開いていく。裂け目とは何か。

「裂け目」とは最新鋭のガジェットで世界中の人々と繋がっているのに、自分の居場所がなく、自分が承認されていないという感覚だ。メイの両親の姿はシーチェンジで見えず、メッセージを送っても返信はない。アニーも同様だ。欲しいものを探そうとウェブをブラウジングしても「自分の中に裂け目が広がるのを感じた」（三五三）だけだ。「辺境の奥地」に設置されたシーチェンジカメラで「ナミブ砂漠の村でふたりの女性が食事の準備をし背後で子どもたちが遊んでいる光景」を見ても「裂け目」は閉じるどころかさらに広がっていき、「水面下の叫び声がだんだん大きくなり耐えがたくなっていく」（三五三）。カルデンを探しても一向に見つからない。ウェブ上でSNS上でニコマークをどれほどもらおうと、自分のパーティーランクが上昇しようとも、この「裂け目」は閉じない。

ニコマークをもらう一方、もちろんムカマークも送られる。デモキシーのテストで「メイ・ホランドって最高だよね？」という質問に九七％はイエスと答えた。が、残り三％はノーと答えたわけで、彼女はその事実に恐怖し夜眠れなくなる。精神的に疲弊する。「気にするな」と言われるが、気にするのが人間だ。「アンチ」の存在を知らなければよかった、とメイは仮定法過去完了で願望を吐露する。知ってしまったものは忘れられない。サークルに削除は存在しない。データ化されたものは知られてしまう。どんなにニコマークが送られてこようと、アンチの存在に私たちは危険／恐怖を感じてしまう。これは本能に根づいた反応だ。テクノロジーを駆使しても解決されない。

メイが自分の裂け目を感じたときに、思った人物が二人いる。一人は元恋人のマーサー。もう一人はサークルのキャンパスで遭遇し、肉体関係を含む秘密の関係を結ぶカルデンと名乗る人物だ。

マーサーはサークルの思想に反対し「原始人」と揶揄される。メイの両親と仲が良く、難病で身体の自由がきかない父を助けることもある。マーサーはシャンデリア職人で、自分の作品をウェブでプロモーションすることに反対する。必要なところに必要なものが届けば良く、サークルのソーシャルサービスはジャンクフードのように「不自然に極端な社会的欲求」を生み出しているのだと考える。もちろん、メイと話はあわない。メイがサークルに入るために置いてきた「ダサいもの」の代表格。だが、そんなマーサーのことをメイは気にする。気にするのは、サークルの透明化の視線が（まだ）マーサーを貫いていないからだ。

もう一人のカルデンは、メイが知らないサークルの何かを知っているようにメイには思える。事実、物語の終盤で明らかにされるカルデンの正体は、ワイズマン（創業者）の一人・タイだ。彼はサークルのサービスを始めたものの、自分の思う以上の影響力・支配力をサークルが持つにいたり、危険を感じ、なんとかサークルの完全化を阻止しようとメイに協力を求める。メイがカルデンに惹かれる理由は、サークルの透明性とは正反対の不透明性、「幽霊」「神秘性」だ。メイはカルデンに欲望を覚える。「カルデンの不在は暴力のように感じられた。メイが真に欲望と呼べる気持ちを抱いた男はカルデンが初めてだったが、彼とはもう終わったと感じた。誰かもっと気楽な人、連絡ができて、話が通じて、どこにいるのかわかる人と付き合ったほうが良かった」（二五二）。

メイは何度かカルデンと遭遇し、一度は案内された透明化した人間のデータを保管するストレージルームでセックスをする。完全化を阻止するために「デジタル時代の人権」というメモ書きを、カルデンはトイレでメイに渡す。トイレは数少ないサークルの透明化・カメラが届かない場所で、マイクも短時間なら切れる。メイはアニーと「内緒話」をトイレですることもある。こうしてみると、メイが気にかける人物は、どこかに秘密・プライベートな領域をもっている。「プライバシーは盗み」だが、欲望もまた「盗み」だ。盗みたいという欲望ではなく。私たちは誰かの欲望に欲望している。

サークルでメイが関係をもつ男性はもう一人いる。フランシスだ。彼は幼少期に姉を誘拐され、自分は里親の元を転々とする。

メイは自分の影響力にゾクゾクした。フランシスを見ながら、彼が両手をベッドに置き、ペニスで

ズボンがはちきれそうになっているさまを見ながら、ある言葉が心に浮かんだ。[…]「他に何が計れるのかしら?」(二一八)

メイは手でフランシスを射精させるが「その瞬間、シナプスのいたずらか、メイの中でこの光景がカウチに横になり自分の身体を制御できない父親の姿に重なり、一刻もこの場を離れたくなった」(二一九)。メイがフランシスに感じた欲望は、どこから来ているのか。里親を探しているが見つからないフランシスの出自の不透明さからだ。メイが急にフランシスから離れたくなったのは、自分がフランシスを射精=不随意反応させ、父親の姿が重なり、自己の影響力・支配力を感じたからだろう。しかし、さらに事態は進む。フランシスは、後で自分が見て楽しむためにこの性行為を自分のスマホで録画していた。フランシスのスマホはサークルのクラウドにデータを保管するため誰でも見れる。

「今、〝削除〟って言った?」とフランシスは冗談半分に言ったが、言いたいことは明らかだった——サークルには削除という言葉は存在しない。「自分で見られるようにしたいんだよ」「それって誰でも見られるってことでしょ」[…]

フランシスとのことがあってから、一週間集中できないでいた。映像が他の人に見られることはなかったが、フランシスのスマホにあって、サークルのクラウド上にあり、誰でもアクセスできる状態だった。(二二〇)

一度、離れたフランシスの元へメイが帰ってくるのは「自分の人生にいる他の人々全員に今のところ見捨てられてしまったからだ」（三九八）と自分でもわかっている。再会したフランシスは、サークルのサービスを使い、探していた里親たちの居場所を突き止める。「ほとんどはサークルのアカウントがあったから、顔認証すればそれで一発だった」（三九九）とこともなげにメイに話すが、じつはフランシスは里親たちには一人として連絡していない。彼のモチベーションは不透明性を排除することであり、失われていた自分の歴史を回復することではない。メイはフランシスの「性的妄想」に付き合い、そのままセックスをする。「ぐったりしたメイは愛ではないが何か満足に近いもの」（四〇〇）を感じるがフランシスは自分のセックスを百点満点でレーティングするようにメイに迫る。もうフランシスに不透明なものは何もない。メイがしぶしぶ伝えた「パーフェクトの百」は、文字どおりに受け取らなければならない。本音を隠せる場所はサークルにない。口にする言葉すべてが本当の気持ちだ。

メイの前から姿を消したマーサーを、メイはサークルのサービス・ソウルサーチで見つけ出す。興味本位の野次馬たちが自前のドローンを飛ばし、ハリウッド映画さながらの追跡劇がリアルタイムで実況される。混乱したマーサーは運転を誤り、転落死する。落ち込むメイにベイリーは、もっとよいテクノロジーがあればマーサーを救えたのだと、テクノソリューショニズムを繰り返す。自分の中の裂け目とは何か、メイがたどり着いた結論はこうだ。

メイはひとりっきりだと感じると、自分の中にふたたび裂け目が、前よりはるかに大きくて暗い裂け目が開いていくのを感じた。ところが世界中のウォッチャーたちが手を伸ばし、メイに支持を送り、数百万、数千万のニコマークを送ってくれて、メイは裂け目が何であるか、どうすればそれを縫い閉じることができるのかわかったのだ。裂け目とは無知だ。誰が自分をどれだけ愛してくれるか知らないことだったのだ。[…] 知らないことこそが、狂気、孤独、猜疑心、恐怖の種なのだ。(四九〇)

現実はメイの結論とは反対で、無知が裂け目を作るのではない。知識(情報)が裂け目を作る。メイを断片化する。情報を蓄積しても透明になれない。情報は時にノイズになる。人間が自然に処理できる以上の情報がもたらされると、人間はコンピュータに頼らざるを得ず、プログラムする人間の「意図」が入り込む。アルゴリズムは透明に思えるが、誰がどのようにアルゴリズムを作ったか根本の部分は明かされないし、明かしようがない。透明化を志向するアルゴリズム自体は不透明だ。透明化のパラドックスがある。

若いディヴェロッパー/エンジニアたちが、次々にやってきてはサークル幹部の前でプレゼンをする。データ収集、トラッキング、アルゴリズム、結果の表示・共有によって安全・快適・住み良い社会が構築できると彼ら彼女らは一様に言うが、どの数値・どの基準が、安全・快適を示すかは、結局は作り手次第なのだ。若手によるプレゼン合戦は幹部の一声によって「誘導」される。サークルは「神の目」を手にした「全見全知」だと言う。しかし、人間は神にはなれない。

スタンリー・フィッシュは「透明性はフェイクニュースの母」という小論を発表している。[12] 透明性を高めれば高めるほど、客観的で建設的な議論ができると信じられ、主張されるが、実態はその逆であるとフィッシュは言う。透明性とは主観に汚染されていない客観的なデータのことだが、そもそものようなものはない。あらゆるデータに政治性は入り込んでくる。では、客観的な議論は不可能かというと、そういうわけでもない。データの扱い方、議論の手続きを制度化することで、相対的に客観的な議論を保障できる。主観を退けたところに客観があるのではなく、複数の主観の中に間主観的に客観が担保される。[13]

ポストトゥルース状況はアカデミズムにおけるポストモダン思想の結果ではないか、という批判にフィッシュは反論する。「ポストモダニズムは、ばらばらに独立した事実がそこにあり記述されるのを待っているという発想に反対している。そうではなく、事実とはすでに存在しているもので、それにより議論が評価されるものではなく、事実は議論と討議を経て到達するものだとポストモダニズムは主張する。」フェイクニュースは、伝統的な制度——そこにはアカデミズムにポストモダニズム思想も入るが——への信頼が揺らいだ結果で、伝統的な制度が産み出しているわけではない。[14]

透明化がもたらすもう一つの倒錯は欲望の所在だ。どうやら私たちは、見えない部分に欲望を宿すようだ。欲望とは徹底的にプライベートなものである。そして言語的なものであり、間主観的なものである。デジタル化＝透明化の明るい光の下で、私たちは欲望を抱くことはできない。

メイの元彼マーサーは手紙（！）でメイにこう告げる。

　メイ、僕らはすべてを知るようにはできていないんだ。人類の意識が既知と未知のあいだで微妙なバランスをとっているのかもしれないと考えた事はない？　僕らの魂は夜の神秘と昼間の明瞭さの両方が必要だということを？　君たちの会社が創り出そうとしているのは、暮れることのない昼間の世界であって、人類すべてを生きたまま焼き尽くしてしまうと思う。（四五四）

「神秘」とは、メイがカルデンを形容した言葉でもある。私たちは夜の神秘に欲望する。神秘のベールが剥がされたとき、また別の神秘をどこかの夜に探しに行く。

あらゆるところにカメラがあるサークルのキャンパスにも、唯一トイレには設置されていない。透明化した人もトイレでカメラ・マイクを切れる。ただし、オフの時間が不自然に長いと、ウォッチャーから不審に思われるが。いずれ、サークルはトイレにもカメラに導入するだろうか。物語では、トイレで密談が現実に行われる（メイとアニー、メイとカルデン）。とすると、透明化を絶対原理とするサークルにとってトイレ＝死角は存在してはいけないものではないか。

初めて本書を読んだとき、私はトイレの存在に緩さ＝不徹底さを感じていた。それは今でもそのとおりだが、しかしこの不徹底さこそシステムが要請する制度としての死角だとしたら、どうだろう。カルデンの「デジタル時代の人権」宣言はメイによって失敗する。カルデンはベイリーたちに敗北するのだが、与えられた「罰」はサークルからの追放ではない。「タイはキャンパスに留まることを許され、隔離されたオフィスでとりわけ業務も与えられない相談役に就いた」（五一七）。これは寛大な処置だろうか。人々を管理するにはその欲望も管理する必要があり、欲望が存在するためにはプライバシー（秘密）も存在しなければならない。そう気がついたサークルというシステムが、システム内に「公然の秘密」を抱え込むためにカルデン／タイを幽閉したとしたら、どうだろう。

人の欲望すら管理されうる環境こそ、サークルの目指す完全化だ。不完全性すらシステムに内部化する完全性。サークルの輪は閉じないことで、閉じる。

◉4－4　通時的／共時的な因果関係

メイの親友アニーは、パスト・パーフェクトによって自身の「由緒正しい」祖先が奴隷所有者だったと明らかにされる。さらに、父母が溺れた人を助けなかった（見殺しにした）過去までも明らかに。past perfecct は「完璧な過去」ということだが、同時に文法用語で「過去完了形」も意味する。過去形はすでに終わったことを示し、完了形はある出来事がある時点まで影響力を持つことを表現する。現在まで影響力をもてば現在完了（present perfect）、過去のある時点まで影響力をもてば過去完了（past perfect）だ。サークルのパスト・パーフェクトは、きわめて「現在」完了形的だ。アニーの告白にメイは「過去は過去」と励ますが、アニーの先祖／家族の歴史を過去（past）ではなく完了形（perfect）で理解する人も多い。というか、そもそもそういうサービスだ。歴史と自分を接続し、重ね合わせる。

パスト・パーフェクトは、その人間の過去の発言を持ち出し、その人間の現在の立場を批判するキャンセル・カルチャーに通じる。[15] 過去になにか問題を起こしたとして、問題とまではいかなくても「やっちまった」ことがあったとして、それに向き合い反省したとする。その上で現在の立場があるときに、それでも過去の「やらかし」を持ち出して現在を批判できるのか。できるといえばできる。現在は過去の延長にあるから（完了形的）。できないといえばできない。過去は過去として現在とは別だから（過去形的）。マーサーよろしく人間は過去形と完了形をほどよく使い分けてきたのだろうが、私たちの活動領域が「社会的」から「ソーシャル」へと移動するにつれ、私たちの責任の捉え方・責任観も「過去形」から「完了形」へと移動してきた。行為主体としての人間がもちうる責任を、直線的かつひとつの原因にのみ帰属させている。情報を集めれば集めるほど、集まった情報のあいだでどのような関係が築かれているか考えるのが、とても大変だ。そこで印象的な、それも負の出来事を取り出し、脱文脈・脱歴史的に現在の責任として接続させる。

人々は多様である。多様性は世の中の常識として、相手を尊重する行動規範の原理として定着しつつある。しかし、一人の人が成長、変化、矛盾を抱える多義的な存在である、という認識はどうか。多様性は、たくさんのラベルを用意し一人に一枚わりあてることではない。人々は多様であり、人は多義的である。過去の過失「だけ」で現在のその人すべてを批判することは、その人の多義性を単一性に縮減していないか。「ひろゆき論」の伊藤昌亮は『炎上社会を考える』で注意を促している。

パスト・パーフェクトを通時的因果関係としてみよう。これに対して共時的な因果関係もある。レーティングだ。カスタマー・エクスペリエンス（顧客対応窓口）で働き始めたメイは、まずレーティングをあげるようアドバイスされる。顧客対応だけではなく、サークラーとしてもランキングされ、「ソーシャルな」活動をする／しないで上がったり下がったりする。ゲーミフィケーションである[16]。メイを含めテクノロジーに没入する人たちは「自分で操作している」という自己効力感にひたっている。自分の行動と自分の評価が単線的に結ばれる感覚。上がった／下がったが（ほぼ）瞬間的に、（ほぼ）共時的に表現される。社会は複雑で、自分がどの程度、影響を与えられるかみんなよくわかっていない。また、人間も複雑で多面的なので、一つの数字で切り取ることはできない。言われてみればそのとおりだが、私たちはその複雑さに耐えきれなくなっている。だから、世界と人間をもっと単純に単線的に結びたくなる[17]。

通時的にしろ共時的にしろ、因果関係を同定することで本来なら自己効力感を覚え、自己肯定感を高められそうだ。ところが、どうやらその逆になっている。そもそも、メイがソーシャルになれない原因は、自分のやっていることは「共有する価値のないものだ」とみなす「自己肯定感の低さ」ではないかと上司に指摘される。以来、心を入れ替えたメイはせっせとサークルでのソーシャル・ネットワーキングに従事するが、自己肯定感は高くない。裂け目に吸い込まれていく。何か悩み事があると仕事に没頭し心を落ち着けるのだが、ニコマークやレーティングで自分の仕事が評価されること以上に、単に脳のリソースが目の前の情報を処理することに使われて、悩み事に悩むことが物理的にできなくなっている。[18] 各種レーティングは、肯定感を高めるどころか、自分の足りない部分を可視化し、人格そのものの否定として受け止める。

メイがマーサーを受け入れられなかったのは、彼がテクノロジーのもたらす「自己効力感」をジャンクなもの、依存性のある危険なものと直感的に判断し、拒絶しているからだ。マーサーの「原始人」的直感は正しい。自己を際限なく広げるのはリスクでしかない。自己は自己としてあるが、他者や共同体、社会のなかでしか自己の輪郭は得られない。自己肯定感とは単に自分の問題ではなくつねに社会の問題でもある。では、どこまでその社会を広げれば良いのか。今の若者はSNSで自分以上の才能をすぐに見つけてしまうから不幸だ、という話と共通する。[19] その点、何度も登場してもらって恐縮だがマーサーの本能的な戦略はうまい。「メイ、君は何かを部屋の中にただ留めておくことができないんだ。僕の作品はひとつの部屋の中に存在する。他の場所には存在しないんだ。そしてそれこそが僕の意図なんだ」(二七六)。マーサーは意図的に世界を狭めることで、相対的に自己効力感・肯定感をあげている。

世界は濁っている。

私たちは世界の本当の姿を見ることができない。世界を透明にするテクノロジーを使うことをサークルの人々は選ぶ。しかしテクノロジーもまた言葉（ロゴス）であり、世界を写した表象のバリエーションにすぎない。『ザ・サークル』は透明化社会をディストピアとして批判的に描いている。来るべきディストピア社会の管理運営者は国家ではなく民間企業で、人々はコスト削減と利便性を求め「自発的」に隷属するだろうと警告する。サークルのワイズマンの思想はシンギュラリティ論者と通底する。両者はともに、テクノロジーの徹底によって私たちと世界のあいだにある濁りを除去できるという立場だ。

犯罪や残虐行為・圧政が、常時、カメラによって中継されると本当になくなるのだろうか。たいていの人は「ムカマーク」を送るだけ、せいぜいドローンを飛ばしてメディアスクラムもといソーシャルスクラムを対象にしかけるだけだ。追いかけられたマーサーは転落死したが、この世のどこかにある独裁国家も崩壊するだろうか。犯罪には警察権力が、残虐行為には軍事力を含めた国際的な圧力が必要となるだろう。モニターを見てリツイートするだけで、世界は変わらない。もちろん、歴史として起こったことを記録する姿勢は重要である。支配者は、自分に都合の悪いものは消していくから。それではサークルが蓄積したデータには、歴史的真実があるのだろうか。データはあるだろう。ただ、データはデータであって歴史ではない。制度的な保証がないデータは、語りたいものが語りたいことを自由に語るための材料にしかならない。

世界中に網のように張り巡らされたスマートなデバイスで常時記録される身体は、情報として断片化され、しかし一人の人間として統合されることはない。メイの心には「裂け目」が生じ、アニーは多義性が単一性に塗り替えられ、スマート化を拒絶したマーサーは転落死する。再–身体化は失敗した。サークルに外部はないのか。サークルの恐ろしさは、私たちの欲望の根拠たる「夜」「神秘」「プライバシー」すら、企業のシステム内部に取り込むことにある。プラトンは「洞窟の比喩」で、哲学者ではない者にはイデアの影しか見えないと言う。また、啓蒙思想とは「光で照らすこと（Enlightenment）」であり、この世界の影／闇を光で照らさんとする人類の野心は、果たして人類が光の下でも目を開いていられるかを問うことはしない。

5 分人dividualsと散影divisuals――エアリプと平野啓一郎『ドーン』

人類初の有人火星探査ミッションについた宇宙飛行士六人。数年におよぶ過酷なミッションから帰ってきた六人は、それぞれの道を歩み出す。物語は三つの軸で進んでいく。アメリカ大統領選と、共和党政権が二期続けてきた東アフリカ戦争で使われたのではないかとされるマラリアを使った生物兵器ニンジャをめぐる政治的陰謀劇。火星有人宇宙船ドーンが果たした約三年のミッションの間に、宇宙船内で起こった事件。日本人の乗組員、佐野明日人とその妻・今日子の関係。それぞれ国家的、中間共同体的、家族的な関係性で、人類初の宇宙ミッションがどんな影響・変化をもたらすのかが語られていく。

◉5-1 分人と散影

『ドーン』で私が注目したいのが分人主義と散影だ。

まず分人から見ていこう。筆者の平野啓一郎は『ドーン』で分人主義を描いた後、分人主義をテーマに『私とは何か』[20]も書いていて、平野が創作を通じて追求したいテーマであることは間違いない。分人とは相手との関係性によって変わってくる自分の一部のこと。個人とは分割不可能な in-divide-able な存在＝individual と長らく考えられてきたが、近代化＝テクノロジー化によって、人は自分の内にさまざまな分人（dividuals ディヴ）をもち、相手と場面によってそれらを（無意識に）使い分ける。この考え方が分人主義だ。明日人は、妻・今日子にこう説明する。

「人間の体はひとつしかないし、それは分けようがないけど、実際には、接する相手次第で、僕たちには色んな自分がいる。今日ちゃんと向かい合っている時の僕、両親と向かい合っている時の僕、ＮＡＳＡでノノと向かい合っている時の僕、室長と向かい合っている時の僕、……相手とうまくやろうと思えば、どうしても変わってこざるを得ない。その現象を個人 individual が、分人化 dividualize されるって言うんだ。で、そのそれぞれの僕が分人 dividual。個人は、だから、分人の集合なんだよ。――そういう考え方を分人主義 dividualism って呼んでる。」（一二九）

ただし、分人は「キャラ」ではない。

「僕は、今日ちゃんと今しゃべっている自分を、別に無理して作ってるわけじゃない。自然とこうなってる。実家の母親としゃべっている時だって、キャラを作ってるわけじゃない。ディヴは、キャラみたいに操作的 operational じゃなくて、向かい合った相手との協同的 cooperative なものだって言わ

れてるんだよ。」（一三〇、強調原文）

分人や分人主義をどう受容するかは、アメリカ大統領選の候補者間でも異なる。共和党候補・キッチンズは「社会の複雑さに適応するために、人間自身に複雑になれと唆しているのです」（一一七）と言い、対して民主党候補のネイラーは「身のまわりに、多様な考えの人間がいればいるほど、それに対応する自分も多様でなければならない」（一一八）と返す。分人主義は、多様なアイデンティティを認めるだけではなく、アイデンティティの多様さも積極的に認めていく。

分人に対して散影はテクノロジーの名称だ。世界中に（自発的に）張り巡らされた監視カメラ網で捉えられた個人の姿。個人の顔をフックに、さまざまな場所に散って存在している分人を、個人として統合することを可能にしたのが散影 divisuals である。分人とは分裂・分散していく個人とその内面で、散影とは散った分人を「それでも同一人物である」とアイデンティファイし続けるテクノロジーだ。

「顔というものが、ものすごくくっきりして、あの人の顔はこうだと、みんなが写真や動画といったデータと記憶とを照合しつつ生きるようになった時代に、その唯一の顔を利用して、《散影》は、一人の人間が持っているあらゆる分人を全部統合してしまう。もちろん、防犯カメラの記録精度が上がったことも原因の一つです。」（七四、強調原文）

分人主義によってとらえにくくなり、見えにくくなった個人を、過剰に可視化する。

分人主義と散影は二つで一つのものともいえる。複雑化した社会がバラしたものをまとめる再―身体化技術だ。ただし、マイナスにプラスをしたらゼロに戻る単純な話ではない。一度、バラバラに散ってしまった。顔を中心にして統合しても、できあがった個人は「ツギハギだらけの怪物」ではないのか。

事実、物語の後半、散影システムの裏をかくために可塑整形を顔に施した人物が登場する。カメラに映り込む姿は、その都度、微妙に変化し、同一人物と判定されない。同一判定の網をくぐり抜けた結果、彼は自分の顔を文字どおり保てなくなる。キュビズム時代のピカソが描いたみたいな顔を持つ男ディーンに会った映像作家ウォーレンは「驚いたな、しかし。キュビズム時代のピカソが描いたみたいな顔になってるぞ」(二六八)と率直な言葉を漏らす。ディーンは、さまざまなカメラに映る自分の顔を物理的に変化させていた。分人にそれぞれの顔を用意したのだ。別の顔を得た分人は、個人に統合されたとき、一つの顔をもつことができなくなったと象徴的な次元では解釈できる。もちろん、彼のように可塑整形を誰もがやるわけではないし、可塑整形を含めて散影が同一判定する可能性も示唆されている。[21]

むしろ重要なのは、たとえ顔を変えないとしてもさまざまな分人を持つなら、人はアイデンティティ(同一性)を持てるのかと問うことだ。スマート化され情報として断片化された身体のアイデンティティ(同一性)を保持できるのか。むろん分人主義は、人間の同一性と分人は両立しうると考えるが「ただし顔(視覚的情報)が必須」だ。

◉5-2　散影と透明化

散影の設計思想に「情報の透明度をあげれば民主的に運用される」がある。散影CEOのゴールドは、システムのハッキングを受けた後、次の発言をしている。

「情報の〝非公開の独占〟と〝恣意的な活用〟。それこそが恐怖なのです。国家が防犯カメラの映像を使って、個人の生活を好きなように出来るという、そのことなんです。この社会から、防犯カメラや監視カメラを一掃出来ないなら、その運用の公正化を図るしか、我々には道がないのです。」（二一九―二二〇、強調原文）

「今の社会は、どう考えても、複雑になりすぎています。社会はもっと、透明になるべきです。小さな愛すべき片田舎の町で、一歩家を出れば、誰もが顔見知りで、誰に見られても恥ずかしくないような生活を心がける。《散影》は、都市をそうした、小村的世界の平和へと圧縮するツールです。」（二二一）

散影テクノロジーの生みの親であれば、こう言うしかない。しかし、実際に透明にすることはできるのか。そもそも、透明化が「一掃できない監視カメラ」への対処法なのか。ゴールドは「複雑」の対義語に「透明」を置いている。複雑の対義語は「単純」だ。もう社会が単純な小村的世界に戻り得ないと自覚した上で「単純」に代わる概念として「透明」を提示している。しかし、監視カメラ網のデータを集めて公にすれば透明化が達成されるのか。

私たちの社会が複雑になっている原因の一つは、日々やりとりされる膨大な量のデータ・情報だ。「賢い」人間たちは脳に代わる高性能の情報処理プログラムを作った。個人の行動履歴に基づいて最適化された、個人以上に個人の欲望をくみとるプログラムを。意思決定という一番大事なところのみ人間に残し、それ以外の「めんどくさい部分」はすべてコンピュータが処理する。情報が多ければ多いほど良いのは古き良き「小村的世界」でのこと。今では、情報が多ければ多いほど人間主体は空疎になる。

「透明」という言葉は、大統領選の最後の討論大会で、ネイラーも使っている。ネイラーはこれまでの共和党政権が東アフリカで進めてきた軍事作戦と軍産複合体の関係を、透明化すべきだと言う。「ビジネスのためには、非人道的な手段をも辞さないというような無法な企業に雁字搦めにされてしまっている、この国の軍を救済しなければなりません。何よりも重要なのは、行動の透明化であり、適正化であり、最低限の可塑性の確保であり、国連下での他国との協調体制です」（四一五、強調原文）。

ネイラーに対立するキッチンズは、戦争の大義を「悪党をやっつける」という単純な物語に還元する。ネイラーは、戦争という多数の利害関係が複雑に絡まり合う現象を、単純な物語で語ろうとする姿勢こそが、介入をつねに失敗させ、失敗しつづけることで逆に軍事的均衡状態を作り出していると指摘する。ネイラーは複雑さを単純にするのではなく透明にするべきだと言うのだ。ここでも「単純」に対して「透明」が使われている。ネイラーは人間の不透明性を前提にした透明化へのプロセス（情報開示と対話）を強調したいのだ。ただし透明化した先に無数の選択肢が並び、決定不能に陥るならキッチンズの単純な物語もそれなりに魅力的に思える。

◉5-3　分人のアイデンティティ

火星への飛行中、ドーン乗組員のノノが精神に不調をきたし妄想・幻覚・幻聴を経験する。明日人はドーンの医師としてノノの診断・治療にあたるが、ノノはメルクビーンプ星人の襲撃について語る。

「このところずっと、メルクビーンプ星人がまた、僕の脳にアクセスして、ウィルス攻撃をしかけてきてたんだ。僕の記憶はもう、20パーセント程度、汚染されてしまっていて、書き換えが進んでる」（一〇五）

「アイツらの目的は、僕じゃなかった。リリアンだったんだよ！［…］アイツらは、リリアンを誘拐して、メルクビーンプ星の特殊生物研究機関で人体実験をしようとしている。」（一〇六）

いったい原因は何なのか。地球に帰還後、治療を続けるノノの担当医の見解を、NASAの管理職ハリスは明日人に語る。

「長期の宇宙滞在は、対人関係の限定から、個人individualの中の分人dividualの発生が過度に抑制されてしまう。そうなると、過去の記憶の中の分人や、未来の妄想の分人が大量に溢れ出して、収拾がつかなくなってしまう。［…］彼の中では、リリアンと恋愛関係にあった頃の分人が蘇って、突然、不合理に活性化されてきた。」（三一四）

ノノは宇宙飛行士に選抜される前、ほんの一時期、リリアンと恋人未満の親しい関係を作っていた。分人は空間的広がりを必要とし、限定されない人間関係で作られていくものだ。分人がうまく作られないと、アイデンティティの危機、自己同一性の統合を失調する。どうやら、鍵となるのは適切に「分人を発生させる」ことにありそうだ。

他者から見たら自分の中の分人はどのように見えているのか。自分の知らない「相手の分人」を、人はどこまで許容できるだろうか。人物Aと接するときに生じる分人aと、人物Bと接するときに生じる分人bがいたときに、人物Aから見ると分人bは分人aと同一性をもっているのか、それともaとbは別人のように写るのか。

今日子にとって明日人は「ふつうの人」だ。世間からは英雄視されようとも、自分の前では「ふつうの人」である明日人に、かつての今日子は嬉しさを感じていた。しかしドーンでのミッションを終え、リリアンと明日人のあいだに何かがあった、その何かは妊娠・中絶手術かもしれないと思い始めた今日子は、リリアンに嫉妬を覚える。「明日人がリリアンの前で見せていたディヴが、どう見ても、自分との関係のディヴよりも魅力的で、充実したものと感じられたことがショックだった」(三〇八)。「彼女は、自分は彼の中の一番つまらないディヴとだけ、これまで長い時間を過ごしてきたのではという思いを禁じ得なくなっていた」(三〇九、強調原文)。

ノノの精神失調は、適切な分人の発生が限定的な空間・人間関係によって阻害されたためだ。今日子が明日人の中の自分の知らない分人と、その相手に嫉妬をするのは、自分が知っているはずの相手に自分が絶対に知り得ない領域があるためだ。ノノと今日子の苦しみは分人をめぐる問題の裏表に思える。相手の中にいる自分の知らない分人を、散影というテクノロジーで解決することは、果たしてできるのか。

散影は、文字どおり散らばった撮影データを一人の人物として統合する。ウォーレンは気まぐれに自分の姿を散影で確認すると、本来ならよく知っているはずの男＝自分の姿を監視カメラ越しに見て困惑する。「初めて見る自分の《散影》上の姿に、彼の心拍は速くなった。夕方の自分が、地下鉄の改札をくぐっている。何なんだろう、この冴えない顔は？　こんな変質者みたいな目をして、俺は毎日、町を歩いているのか？　どうりで最近、モテなくなったわけだ」（一六八）。

散影は自分で気がついていない自分の姿、自分で発見できていない相手の姿を視覚的に確認できる。ただ、他人を散影で調べたときは検索履歴が残り、検索対象の人物はどこの誰が自分のことを調べたのかわかるようになっている。もっとも、どこまで抑止力になるかは疑わしいが。

散影テクノロジーが見せるのは、あくまで表面＝顔だ。顔は人間の情報が集まる部分である。散影は「どこで何をしていたか」は明瞭に示してくれる。だが、「どこで何をしていたか」と「その人が誰か」は簡単にイコールでは結べない。結局、探している人物の顔を見つけ出しても、その人がどこかの場所で誰かと関係性を築いているなら、自分の知らない分人が発生している可能性がある。

分人を統合するのに散影は不十分なのだ。スマートで断片化された身体は「キュビズム時代のピカソが描いたみたいな顔」のままだ。

◉5－4　私たちはどうしてエアリプをしてしまうのか

少し『ドーン』から脱線する。最後には『ドーン』に戻ってくるので、しばらくお付き合い願いたい。

私たちはどうしてエアリプをしてしまうのか。

エアリプとはリプライ（返信）対象を明示せず返信すること。返信対象とされた当人はエアリプを目にしても、明確に自分宛と示されないので「ひょっとして自分のことなのかな」とは思っても、確信できない。とてもモヤる。また当人は見ていない可能性が高い場合でも、エアリプは成立する。そもそもフォロワー数の非対称性などエアリプが構造的に届かない場合もあるし、届いてしまうと困る場合もある。ある程度、匿名度やら抽象度を高めた会社や家族への愚痴、文句などは吐き出すことで楽になる「ガス抜き」だが、何かの改善を期待しての発言ではないので、エアリプの対象者に見られたらじつは困る。

自分に向けられていない言葉を「ひょっとして自分宛てかも?」と勘ぐったり、その反対にリプライ対象であるのにそのことにまったく気づかない（それも仕方がないのだが）まま、第三者的にそのエアリプに賛成／反対するのは結構ある。

エアリプは、発するもの（＝エアリプライヤー）の問題だ。何か・誰かにリプライをしたいが、直接にリプライへのリプライをもらいたくはない。問題や関係の改善を求めているならば、エアリプはしないだろう。本当に改善を願うなら関係者のみに応答すればよいのだ。むしろエアリプは事態の改善を妨害しうる。何かを揶揄するエアリプを飛ばしていて、それがエアリプ対象に捕捉され自分宛てだと推定された場合、関係改善の前提となる信頼が損なわれる。エアリプライヤーは、何か・誰かに対して言っているようで、何か・誰かとの関係をどうこうしたいわけではない。

では、何の・誰のためにエアリプを飛ばしているのか。自分のためである。抽象化したエアリプに賛意を示してくれるフォロワーから、自己肯定感を補充するためだ。エア（宛先不明）なリプライが、誰かに届き、それによってエアリプから「エア」が取れる。久保明教が『機械カニバリズム』で朝井リョウ『何者』をTwitterの〇・五人称小説として分析していたとおりだ。

たとえば、ブログでは精密な論考を展開することで有名な人物Aでも、Twitterでは嫌いな同僚についてつぶやいてしまうかもしれない。そのツイートは、彼のブログの読者には到底ならないような人物Bの目に触れ、同感や非難を示すメッセージが届く。このとき、Aのツイートは不特定多数の目に触れるが、それは人称性を帯びた「私」から「あなた」への発話ではなく、誰に向けたとも言えない、いわば「〇・五人称」のつぶやきである。発話状況に根ざした人間的記号としてのツイートはAにとって単なる「独り言」にすぎないが、それが機械的情報に変換されることで、Aの発話状況を超えた領域にまで届いてしまう。それは非人称の「誰か／何か」の発話としてBの前に現れ、Bからの返信［…］がAに届く時点で、はじめて一人称の発話となる。（一四三）

私たちは一人称で語れない／語らないことがある。自分の発言が向けられていた相手を「事後的に」発見することで、ようやく一人称として自立できる語りが〇・五人称である。

一見すると、〇・五人称は分人主義のようにも思える。分割不能な一人を半分＝〇・五人にしている。ところが、分人主義ほど牧歌的なものでもない。分人主義は多重人格とは異なり、自分と相手とで「協同作業」で生み出される。分人は、あくまで一人称と二人称の間、「私」と「あなた」の協同によって生まれるもので、あえて言うなら一・五人称とでも呼べる。[22] それに対し、〇・五人称は、自分の発言に反応してくれる相手は、事後的にしか現れない。場合によっては最後まで現れない。「現れるかもしれない」という可能性を頼りに言葉が発せられる。これは分人主義ではなく散影的だ。

散影では、自分の映像を参照した人も調べることができる。自分の映像的痕跡に興味を持っている人はいるのか。いるとしたら、それは誰か。これを知ることで、自分とのその相手との関係を（再）構築する／できる。映像作家ウォーレンは、自分の散影での動画が妻によって見られていたと知り、自分―妻の関係を（再）構築する。妻はすでに知っている存在だが、見ず知らずの人も散影データを見れるし、見たことを本人が知れる。散影はエアリプ的SNSよりも一段階、亢進している。つぶやかなくても、自分が存在しカメラに姿が映り込むだけで誰かに参照され得る。実際に参照されるかどうかは関係ない。参照「され得る」可能性の海に放り込まれている事実は変わらない。散影は、一・五人称というよりもTwitterのエアリプ的〇・五人称に近い。ただし意識的につぶやかなくても、自分の身体がデータへと流出している。

『ドーン』は分人主義と散影をセットで提示し、分人主義を補完するテクノロジーとして散影を位置づけている。が、それは誤りではないか。ここまで検討してきたように、散影的テクノロジーを徹底化しても、CEOの野心とは裏腹に、透明化は完遂されない。過剰なまでの可視化は不透明さを内包する。[23] 私（一人称）とあなた（二人称）のあいだで協同的な分人を成立させる助けになるどころか、「誰かから参照されるかもしれない」というエアリプライヤー的マインドのために、自分のアイデンティティを情報＝可能性の海へと沈めてしまうだろう。

Twitterなど各種SNSでプロフィール欄をハッシュタグやスラッシュで埋める人は多い。自分が検索され、誰かに見つかりやすいようにアイデンティティの構成要素を羅列しているわけだが、当然、要素と要素のあいだには「人間的な隙間」がある。タグに分解し、情報として可視化していこうとも、「人間的な隙間」はけっして埋まらない。

では、どうやれば「人間的な隙間」を埋められるだろうか。『ドーン』では、「人間的な隙間」を埋める手だてとして「N字創作」の一種といえるウィキノベルが登場する。宇宙船ドーンの乗組員たちは、ウィキノベル上で物語の主人公として語られ直す。機密情報もあり、ドーンのミッションは一般人に向けてすべてがつまびらかになっていない。しかし、足りない情報を人は想像力で補う。ノノに何が起ったのか？　リリアンに何が起ったのか？　リリアンが中絶手術を受けている動画はリークされ、一部が表に出てきてしまった。どう「公式見解」を出すべきか関係者は考える。その判断材料のひとつにウィキノベルの物語がある。『ドーン』の要所要所で、ウィキノベルでの乗組員描写が言及される。人物造形もときに揺れ動く。注目されなかった人物が、実は内面的葛藤を抱えていると読まれる＝語られる。

ウィキノベルは、散影的〇・五人称を分人的一・五人称へと変換する試みだ。ハッシュタグで切り取られデータベースの大海を漂う断片化したアイデンティティは「人間的な隙間」も含め誰かによって語り直される。大事なのは物語だ。監視カメラによって情報が集まり、アルゴリズムによって最適化された「答え」を与えられたとしても、埋まらない「人間的な隙間」を、私たちは語っていかなければならないのだ。語りの中にしか人間的経験は表出しない。[24]

6　監視ディストピア　結論

二一世紀にディストピア社会を設計するなら、洗練された監視技術は必須だ。監視カメラだけではなくスマートフォンなどのモバイルデバイスを通じデータを収集し、人工知能のアルゴリズムでこれまでの人間には不可能だった監視が可能となる。『AI崩壊』『不可視の網』『ザ・サークル』『ドーン』いずれも、監視カメラは重要な役割を果たすが、それと同程度以上に携帯端末・スマートフォンの役割が決定的だ。監視技術で身体が情報的に断片化され、アルゴリズムにより最適化されるこの過程を、『スマートな悪』を踏まえて私はここでスマート化と呼んだが、四作品を論じながら検討したのは「スマート化された身体のアイデンティティを保つことはできるのか」だ。ライアンはこれを再–身体化と呼んでいる。

『AI崩壊』ではメタ合理性による法の統治をアルゴリズム的公共性より優先させ、望は亡くなる。その後、脱法的にアルゴリズム的公共性を貫徹しようと暗躍する警察庁のテクノエリートの野望は、AIのぞみのカメラアイが家族写真をとらえヒューリスティック的判断の前に挫ける。浩介はAIを「母親」にたとえるが、「子どもの幸せ」がスマート化から逃れるには、アルゴリズム公共性に人間的なヒューリスティックを含める必要がある。

『不可視の網』は、スマート化された身体が、情報としてのみならず物体としてもバラバラにされる。『AI崩壊』で表象されなかった階級が前景化し個人の身体をスマート化するだけではなく、人々（複数形としての人）をスマート化する。スマート化以前から社会が内包している階級間の断絶が亢進しつつ不可視化される。底辺に押し込められ、カメラに映らなくなった者たちは、自らを新しい階級として組織できたかもしれない。結局は暴力による支配・統治であり、システムアップデートにより不可視の住人は可視の世界へと統合されたのだが。

『ザ・サークル』では「主体に汚されていない情報」（ライアン）を得るべく、社会は透明化に邁進する。

透明化した人間は情報の海のなかで輪郭を失い、過去／現在がぐずぐずに溶ける。共時的な因果関係も通時的な因果関係も、自己効力感を増すどころか減じさせ、人間の責任＝主体を崩す。人間の欲望は透明化されない場所に宿るが、企業体サークルは、透明化されない場所＝欲望も内部に構造化する。

『ドーン』では、分人概念と散影テクノロジーが対になっているように見えるが、分人は相手がはっきりしているという点で一・五人称的、散影は事後的に相手から発見されるという点で〇・五人称的であり、スマート化した身体をテクノロジー的で同一に保つこと、安定したアイデンティティを付与することは困難だ。散影では補えない人称の差を埋めるのがN字創作＝ウィキノベルではないか。

何にも汚染されていない純粋な主体を求める透明化の欲望は、監視カメラとAIのアルゴリズムで日々、強化・促進されていく。検索されやすいように自分のアイデンティティをハッシュタグで刻み、バラバラの場所に映りこんだカメラ映像を視覚的に統合しても、タグや映像には映りこまない「人間的な隙間」がつねに生じる。映らないものは、語らなければならない。ウィキノベルのようなN字創作は、登場人物・キャラクターという他者を通じ作者の自己を語る。スマートなデバイスで日常的にアイデンティティが断片化する私たちにも同様に、物語が必要とされるのではないか。その物語は、断片化された身体情報を直線で結び、わかりやすい因果関係を当てはめたものであってはならない。因果を結ぶ直線に「裂け目」を入れていくものでなければならない。

二一世紀の監視ディストピアでは《①》国家のみならず市民が、自発的に監視カメラを設置し、さらに携帯端末やスマホを使い相互に監視をする。ただし、監視が監視と認識されないハード／ソフトの設計になっている。カメラは完全に環境の一部となる。膨大なデータを収集・分析、最適解を人間に提供し、統治するのは非人間的アルゴリズムだ。《②》監視を通じ、市民は個人／階級的欲望を形作る。見たいものは見たいが、見たくないものは見たくない。アルゴリズムは見たい／見たくないという欲望を先取し、そもそも視界に映さない。《③》監視活動はSNSへの自発的参加＝隷属を通じてなされ、見る方も見られる方も活動はプラットフォーマーのデジタル資産となる。社会的な活動はデジタル化されうるソーシャルなものに切り詰められる。《④》データ量の増加にともない見る／見られる機会は増大し、自己や他者の多義性に気づくが、自他の多義性をどう受け止めればよいのか混乱する。テクノロジー的解決も模索されるが「人間的な隙間」は埋められない。人間の経験は語りによってのみ表現される。

第3章 人口調整ディストピアと例外社会

1 少子高齢化時代の「炎上」案件

少子高齢化が宿痾の日本社会で、長期的な社会設計の話をすると、定期的に「炎上」が起こる。[1] 民主主義国家である日本は一八歳以上の国民に投票権はあるものの、高齢者が多く若年層が少ないという人口分布のいびつさと、若年者の投票率の低さがあいまって、構造的に若者の声が政治に反映されにくい。しぜん数が多く、投票に足を運ぶ高齢者の意見が政治に反映される。高齢者は労働人口からはずれ、福祉（医療、介護、生活保護、年金など）の対象となる。つまり税収は減り、支出は増える。「○人で一人の高齢者を支える」というとき、○のなかの数字は一貫して下降する。それが少子高齢化の財政的な意味だ。

シルバーデモクラシー[2]を手当するには選挙の制度的な変更が必要かもしれない。税金の収入／支出の不均衡は、入りを多くして出を少なくするしかない。定年を引き上げ、増税し、若い労働力（移民）を積極的に受け入れるといった具体的な政策立案と、その是非をめぐる論争が現実味を帯びてくる。しかし増税ひとつをとっても、誰からどのように徴税するか、不満を少なく公平（感）を出すにはどうしたらよいか、細かい議論になると難しくなる。再分配も所得制限のする／しないをめぐり、一〇年前は「愚かだ」と所得制限なしを批判した政治家（の所属する政党）が、やっぱり所得制限なしにすると言ってのける。

選挙によって民意を反映させ、税金を集める／配ることで、国民の数をコントロールするのは、はっきり言ってまどろっこしい。そのまどろっこしさから、論者によっては極端な主張をし「炎上」となる。糖尿病の人工透析は医療費を圧迫するからやめるべき。終末医療の費用が高いからやめるべき。高齢者は「集団自決」するべき。ホームレスより捨て猫を保護するべき……などなど。炎上発言にはバリエーションはあるが、根本の部分では、社会への貢献（＋）と負担（－）を比べて、赤字（－）になる社会的な集団は「なんとか」しなければならないとなる。もちろん、この手の主張の先には「意思疎通のできない人間は生きる価値がない」が連続している。

ＳＦのディストピア社会はもっと直接に人口を調整してきた。メタファーではなく、高齢者が文字どおり「集団自決」する世界もある。そもそも、自決という言葉は権力が強いる自殺、すなわち権力による殺人を、自分で決めた死＝自決と読み替えた言葉だ。自殺でも殺人でも、もちろん自決でもなく、ディストピアは市民の命を奪う。

ここで、日本を含めた少子高齢化社会がどうすればよいか政策議論をするわけではない。ＳＦ評論家である私の手に余る。政策論議はその道のプロにやってもらうとして、本章ではディストピアが市民・国民の生死をどう管理するかに焦点をあてる。生と政治の関係は、ミシェル・フーコーの生政治から、ジョルジョ・アガンベンのホモ・サケルまで、近代・現代の思想的重要問題である。補助線に、カール・シュミットの「例外状態」、アガンベンの「剝き出しの生」、笠井潔の「例外社会」を用いる。アガンベンが扱うのは過去の文献だが、そこから抽出した概念がSF的未来に当てはまるかどうか。SFはその未来的ビジョンで、近代以降に立ち現れた生と政治の関係をどう描くのか、作品分析を通じて示すのが本章の目的となる。

アガンベンのホモ・サケル（プロジェクト）を確認しておこう。

『ホモ・サケル』によるとホモ・サケルとは「殺害可能かつ犠牲化不可能な生」（一七）と定義される。ホモ・サケルは例外的な存在だが、例外は既存秩序の外に位置づけられながらも、例外と秩序の関係は切断されない。アガンベンは例外が必然的に帯びるこの二重性に注意を向ける。「規範は、例外に対して自らの適用を外し、例外から身を退くことによって自らを適用する」（二九）。例外が例外ではなくなる一方、なお例外であり続ける社会が近代なのだ。「例外がいたるところで規則になっていく過程と並行して、もともとは秩序の周縁に位置していた剝き出しの生の空間が、しだいに政治空間と一致するようになった、ということである。そこでは、排除と包含、外部と内部、ビオスとゾーエー、法権利と事実が、還元不可能な不分明地帯に入る」（一七―一八）。

上村忠男『アガンベン《ホモ・サケル》の思想』によれば、アガンベンは、それまで例外状態は必要性により主権者が決断する領域だとされていたシュミットの図式に疑問を呈する。「それらの例外的手続きは法の地平では把握されえない法的手続きという逆説的な状況のもとに置かれていることになり、例外状態というのは法律的形態をとることのできないものが法律的形態をとって現れたものであるということになってしまうのではないか」（六五）。法と関係を結びつつ法との関係を切断する例外状態での主権者の決断は、事態をスッキリさせるどころかややこしくする。

例外状態とは疫病、災害、飢饉、戦争、革命などの非常事態だ。ただし、笠井潔が『例外社会』で示したとおり、現代社会は例外状態を内包・構造化した例外社会（例外国家）ともいえる。人口過密や財政破綻も、それが国家の存亡に関わるほど深刻であれば、例外状態といえるだろう。シュミットの言うように「主権者とは例外状態に関して決定を下す者」であるなら、国家政策の施策として主権者（有権者）たちが人口調整を決定したとき、どのような空間が出現するのだろうか。人口調整の対象となった当事者や、具体的に調整を実行する執行者は、自分たちの生と存在をどう理解し、どう位置づけるのか。「法の地平では把握されえない法的手続き」がどう記述されるのか。本書「はじめに」で述べたが、ユートピアは《私たち―あいつら》の境界と、それを確定する暴力に深く関係する。人口調整ディストピアは共同体内部にどのように《私たち―あいつら》の線を引くのか。アガンベンなら、《私たち―あいつら》の線を引く政治的行為こそが、共同体を構成するのだ、と言うだろう。

再びアガンベンを引用しよう。「［排除と包含などの］境界がぼやけ不分明になるとき、そこに住んでいた剝き出しの生が都市の内へと解き放たれ、政治的秩序とその抗争の主体となり、また対象ともなる。それは、国家権力の組織の唯一の場であり、また国家権力からの解放の唯一の場でもある」（一八）。

人口調整がおこなわれるこの場（トポス）は解放のユートピアなのか、それとも組織のディストピアなのか。

2　人減らしディストピアの原型——星新一「生活維持省」

星新一「生活維持省」は、国民の幸福な生活を維持するためにコンピュータが公平に選んだ人間を、生活維持省の役人が殺す話だ。シンプルなショートショートゆえに問題点が凝縮された濃密なテクストだ。

視点人物の「私」は生活維持省で課長から何枚かのカードを受け取る。同僚と二人、車にのってランダムに引いたカードが示す家まで向かう。ついた先で娘アリスの「死ぬ義務」を取り乱す母親に伝える。外出から帰ってきた執行対象者の娘を、本人も気づかないうちに、そっと光線銃で殺す。次のカードを引くと「私」の名前が書いてあり、同僚に銃を渡してこう言う。「ああ、生存競争と戦争の恐怖のない時代に、これだけ生きることができて楽しかったな」（九六）。以上が物語だ。

執行対象者に向かう車の中で、同僚は言う。「こんなに社会が平穏に保たれているのは、やはり政府の方針のおかげなんだろうな。国民一人あたりに、充分な広さの土地を確保しなければならないという」（九〇）。「私」は、強盗や詐欺、あらゆる犯罪だけではなく、さらには交通事故や病気、自殺もなくなり「いまでは、すべての悪がなくなっている」（九〇）と続ける。同僚は意味深長に「それはそうだ。たったひとつのことを除いたらね」というが、「私」は「そのたったひとつまでなくそうと考えたって、無理だよ。必要悪は、もはや悪じゃない」（九〇）と返す。

執行対象者アリスの母は、自分の娘が生活維持省に選ばれたことを、とうてい受け止めきれない。激しく動揺する。

「せめて、あたしをかわりに。お願いです。［…］家族と別れるひまぐらい、いただけませんか。いますぐでなくても、いいではありませんか［…］なんで、こんな方針に従わなければならないのでしょう。たまらないわ……」（九三）

「私」は「地上の大部分を、文明とともに廃墟にしてしまう戦争のほうがお好きなら別ですが」（九四）と説得する。

「生活維持省の計算機が毎日選び出しているカードは、絶対に公平です。情実が入っているといううわさなどが立ったことは、ないはずです。そう、老人だからといって、子どもだからといって、差別をすることは許されません。生きる権利と死ぬ義務は、だれにでも平等に与えられなければなりません」（九五）

アリスの母親は納得しないが、納得しなければならない。

では、物語の最後、カードで執行対象に選ばれた「私」は納得しているのだろうか。「生存競争と戦争の恐怖のない時代に、これだけ生きることができて楽しかった」と納得しているように見える。しかし、もう少し丁寧に物語を見てみたい。

まず、登場人物は三種類のレイヤーに位置している。執行者（生活維持省の役人）、当事者（市民）、傍観者（市民）だ。この名称は今後も人口調整ディストピアを論じるときに使っていく。

執行者たる役人は「私」「同僚」と、「私」に向かってカードを渡す「課長」の三人だ。課長は「無表情な目で、遠くの青空で育ちはじめている入道雲を見つめたまま言った」「課長のこういうぶっきらぼうな態度は、なにもいまにはじまったことではない」（八七）と描写される。生活維持のために人を殺しに行く仕事を、監督する立場の管理職＝課長が、生き生きと従事するわけでも、嫌々やらされているわけでもなく「無表情」「ぶっきらぼう」なのは、役所＝官僚制度の一部だからだ。制度に愛想は不要だ。

部下とはいえ同じ役人である「私」と同僚はどうだろう。「私」から見ると同僚には「疑問のひびきがないでもなかった」（九〇）。二、三年「外まわりの仕事」をし「内勤」にうつり、結婚して広い家に住むことを夢見る。夢を語るには目の前の仕事をきちんとこなさなければならない。とはいえ、ふとした瞬間に「疑問のひびき」が口調に混ざる。「私」はほんのわずかな「疑問のひびき」も感じ取り筋道たてて生活維持省の意義を説く。

生活維持省（役所、官僚組織）とはどのような場所なのか。最大多数の最大幸福というベンサム的功利主義を機械的に追求する場所に思えるかもしれない。しかし、「私」と同僚のあいだに不思議なやりとりがある。

「ところで、きょうの道順は、どういうことになるんだい」[…]

「そうだな。なあ、どうだろう。こんなに天気もいいんだし、道順なんて能率的なことを言わないで、ドライブをかねてゆっくり回ろうじゃないか。カードを引き出して、出た順番にさ」

「それもいいだろう。われわれは、きめられた仕事をその日のうちに終えればいい、役所づとめなん

だから」（八八）

カードをランダムにひいてはどうかと提案する「私」に、同僚は「役所づとめ」を理由に非能率的な方法に賛成する。役所づとめの二人は、課長からカードとして与えられたノルマはあるが、どうこなすかは二人の裁量となる。じじつ「私」と同僚は「平和」な世界にゆっくり車を走らせ、景色と人々を観察しながら目的へ進む。

このように人口調整の執行機関・生活維持省の役人たちも一枚岩ではない。「無表情」で「ぶっきらぼう」な課長。言葉に「疑問のひびき」が若干はいる同僚。同僚の疑問を打ち消し、生活維持の意義を説き、自分が執行対象となっても「幸せ」だと言って引き受ける「私」。この役所は、功利主義的な発想で設計されているが、徹底的な合理主義の上に台風の目のような余裕・ゆとり・安らぎが生まれている。

市民に目を向けてみよう。余裕は恐怖と表裏一体である。「私」と同僚は、途中、ガソリンを補給する。ガソリンスタンドの老人は「こちらのほうでお仕事ですか」（九一）と二人に話しかけるが、目は伏せたままだ。二人のことを生活維持省の役人と知っているようで、必要以上の話はしない。執行対象アリスの家につくと、出迎えた母親が二人を生活維持省の人間だと認識するやいなや「ああ、死神……」（九二）と青ざめて倒れかける。老人と母親は、市民ではあるが執行対象者ではない。傍観者だ。老人は生活維持省の目的や役人に何か言いたいことがあるだろうが言わない。言わないというか、言えない。もし「不適切な発言」と受け取られたら、自分が次の執行対象になってしまわないかと疑心暗鬼なのかもしれない。執行対象はコンピュータが公平に決めると言われても、一市民には公平さを検証する術はなく、結果として「疑わしい行動」を自粛する。母親は娘を守るべくいろいろ言うが、すべて却下される。母親は「不適切な発言」をしたところで失うものは自分の命だけだ。娘が助かるならなんだってやる覚悟はある。傍観者でしかない市民は、徹底的に無力だ。老人ももし自分が母親の立場であれば、役人に言いたいことをぶつけていた可能性はある。

もう一人の市民、アリスは傍観者ではない。執行対象者の当事者だ。しかし、当事者は自分が執行されたことに気がつかない。「私」は母親に、「声をおたてにならないように。気がつかないところを、そっとやりましょう。そのほうが、本人のためにも楽ですから」(九五)と言ってから、光線銃を出して狙いをつける。恐怖も苦痛もあたえることなくアリスはこの世から消える。

役人も市民も、もし執行手段が痛みをあたえるなら執行対象の恐怖につながると理解している。だから痛みを感じる間を与えずに「そっとやりましょう」。仮定の問いだが、もしアリスが役人の到着を知り、自分がシステムによって殺されると理解したら、どう反応しただろう。アリスの母親のように何かを言って執行をずらす/遅らせようとしただろうか。それとも「私」のように、「これだけ生きることができて楽しかったな」と自分の死を受け入れるだろうか。「生活維持省」には、死が執行される当事者の声が、まったく描かれない(アリス)か、「楽しかった」(「私」)の二種類のみある。ガソリンスタンドの老人や、アリスの母親が、もし自分が当事者と知ったらどんな言葉を発するのか。それとも、アリスのようにどの執行対象も自分が消されることを知る前に消されるのだろうか。それは「理想」かもしれないが、実践するのは難しいだろうし、実践できても「私」のように当の執行者が執行対象となる場合は、あてはまらない。

最後に、計算機(コンピュータ)の問題がある。執行対象を決めるカードは、老人も子どもも「公平」

になるようにコンピュータが選ぶという。何をもって「公平」とするのか。全人口からランダムに選ぶことが公平なのか。ランダムに選んだ結果、偶然にも特定の年齢層からカードが選ばれ続けることがあったら、人口の年齢構成は崩れる。これを避けるなら、年齢によって「選ばれやすさ」を設定しなければならない。おそらく国は、「理想の人口動態」を算定し、理想に近づくためのプログラムを用意している。コンピュータの計算結果にミスはないだろう。問題は「理想の人口動態とは何か」になる。

さらに「私」はアリスの母親に「絶対に公平」「情実が入っているというわさなどが立ったことはない」と言うが、「うわさ」のある／ないは公平性の証明にならない。考えられるのは二つ。生活維持省はコンピュータのアルゴリズムをオープンにしている場合。それを理解できる人が少なく、理解していても、アルゴリズムどおりに執行されているか当事者以外は知りようがない。もうひとつはコンピュータのアルゴリズムをオープンにしていない場合。漠とした役所＝国家がシステムの運用を保証している。

「生活維持省」から見えてくる論点は以下のとおりだ。

国民は執行者、傍観者、当事者の三種に階層化される。ただし執行者も一枚岩ではない。当事者の苦しみは、執行者や傍観者の士気に関わる。傍観者は自分がいつ当事者になるのか怯えながら、制度の維持に協力しなければならない。当事者は、自分が執行対象であると知る可能性もある。物語でアリスは知らぬ間に消されたが「私」は自分の運命を知る。知る／知らないで当事者も分裂する。むろん「私」がそうであるように執行者は当事者になるし、傍観者もいつか当事者になるかもしれないと怯え、老人のように役人と目を合わせようとしない。

「生活の維持」が目的なら、「どのような生活を理想とするのか」が誰かによって決められなければならない。「理想の生活」が公開されるのか、公開されたとして忠実に執行されているのか検証されなければならない。が、傍観者たる一市民には、それをやるエネルギーもスキルもない。せいぜい「うわさ」をたてるくらいだが、この世界にはおかしな「うわさ」はないと言う。もっともこれは役所の公式見解なので、実情がどうなのかはわからない。

人口調整の現場で、当事者に死を与えるのは執行者だ。傍観者として外から見れば執行者が死という究極の暴力を独占・行使しているように見える。単なる執行者が、権力者に見えてしまう。権力者の意のままに、恣意的に対象を選んでいるわけではないが、「もしかしたら」と思えてしまう。しかし「私」が証明するように、執行者もまた当事者となる。執行機関の内部からみると、生と死の境界は揺らぐ。役所内部で権力闘争があるのか不明だが、生と死の境界確定には不透明さがつきまとう。アガンベンの〈閾〉(『ホモ・サケル』では「境界線」と訳されている)が現出する。

以上、ほんの数ページのショートショートだが、ベンサム的功利主義に設計されシステムによる人減らしが合法化されたディストピアで、何が起こりえるのか多数の論点を提示している。これから見ていくように、社会の平穏のためにランダムに人口調整するのは、社会の「平穏さ」以上に、近代国家を成立させる根幹——例外状態の内包——と密接に関わる。

3 「かわりましょかわりましょ」――藤子・F・不二雄「定年退食」

「生活維持省」ではランダムだった執行対象者の選定基準が年齢になり、当事者の声／視点を中心に物語が進む藤子・F・不二雄「定年退食」。この社会では、生産人口と扶養人口の割合を政府が決める。多すぎる扶養人口は「不要」とされ、政府からの一切の支援、「食糧、年金、医療」が打ち切られる。退職ならぬ退「食」というわけだ。

物語は一人の老人を中心に進む。おそらく息子夫婦と同居する老人は、「塩コーヒー」を「老化防止」に飲み、用意してもらった朝食は全部食べることはせず「ごちそうさま。これ保存パックにしといてくれ」とお願いする。息子の嫁から「たまには全部めしあがったら？」と聞かれるが「冬に備えなくちゃね」（九三）と言う。仕事に行く息子は老人に車に乗らないかと言うが、「歩いたほうがいい。からだのためにもね」（九三）と申し出を断る。

冒頭二ページでこの社会についてわかることは「老人の食糧が限られている」「余らせた食事は保存しその後（冬）に備えられる」「老人は労働者世帯と同居している」「老人は健康に気を付けている」「嘘か本当かわからない健康情報を実践している」だ。

この老人は、塩コーヒーを勧めてくれた友人・吹山に会いに行く。途中、腹が減ってふらつき倒れ、監視カメラから「どうしました？」と心配される。年齢を聞かれ、身分カードを見せるが、救急車は断る。「いや、けっこう。腹がへっただけだから」（九四）と。老人は吹山と会うが、吹山は「二次定年特別延長の申し込み書の登録ナンバーのとこに、ツメで印をつけとけ。必ず当たるから」（九五）と言う。申込書のツメ跡が賄賂のサインで、「抽選は、コンピュータがやっても、操作するのは人間だから」（九六）。老人は「どうも君の話はいつも……」（九六）と半信半疑だが、区役所に向かい何やら書類を書いているときに人目を盗んでスッとツメ跡を書類に残す。

役所から出た二人は「節食」「定員法改正」「与党内の老人パワーのつきあげ」といった話をする。老人は帰宅し、小鳥のロボット修理を嫁から頼まれ、テレビをつけては「二次定年特別延長の当選者」発表を待つ。テレビでは陰鬱なニュースしか聞こえてこない。ニュースでは「汚染地域はいっそう広がり、農漁業生産は、さらに縮小されるみこみで……配給量カットの検討を始めました」（一〇〇）。子ども向け番組では「とってもうれしいお知らせがあんのよ。養殖トンボが二百万びきも、全国のお空に放されることになりました」（一〇二）。歌のお姉さんは子どもと一緒に歌を歌う。「かわりましょかわりましょ　2番さんが来たら1ぬけて　3番さんが来たら2もぬけて」（一〇二）。

老人は当選者名簿に自分の番号が入っておらず衝撃を受ける。「がっかりなさらないで、二次定年になってもわたしたちでなんとかしますから」（一〇三）と嫁に慰められるが、ファックスを見ても、役所にいって「書類に……ツメあと……」（一〇四）と役人に耳打ちしても、ダメだ。同じく役所にやってきた吹山も、役人に詰め寄る。「二次定年者、すなわち60歳から75歳までの死亡数だ。しかるに……この穴を埋める当選者が714名……勘定が合わんじゃないですか」（一〇五）。

つかみ合いの乱闘騒ぎの最中、奈良山首相の重大声明、定員法の縮小が発表される。

「健康にして文化的な生活、これは憲法に定められましたる大前提であります。われわれはこれを「定員法」制定により現実のものとし、今日に到りました。しかるに……みなさん御承知の如く、昨今の食糧事情の急速なる悪化……ついに……この定員法を大幅に縮小の止むなきに至ったのです。[…]現在、人類がさらされております未曾有の危機に思いをいたせば……氷の如く冷徹なる理性的行動！今や、それだけが人類を救う唯一の道なのであります。二次定年をこえられたかたがた、あなたがたの運命はやがてはわれわれのものでもあるのです。各位、ご自愛あって一日も長く……実り多い人生を全うされんことを……祈ります。」（二〇七―一〇八）

再び老人の家。「食欲がないんだ」とトースト、目玉焼き、塩コーヒーに口を付けない老人。裏山で倒れるが心配する監視カメラに自分が年齢オーバーであると告げる。吹山とベンチに座るが、吹山の孫から席を譲るように言われ、怒る吹山をなだめながら「いいじゃないか、ゆずってやろうよ。わしらの席は、もうどこにもないのさ」（二一一―二一二）と言って物語は終わる。

この作品では「ご存じの通り現在の人口構成では、二・七三人で年金生活者ひとりを扶養」（一〇五）が役所＝政府の公式見解だ。ちなみに内閣府の資料だと「六五歳以上人口を一五～六四歳人口で支える割合」は二〇二五年に「一・九」とあり、現代日本のほうがよっぽど厳しい状況だ[3]。生産人口／扶養人口の割合を高められない理由に、この作品では「食糧事情」がある。その背景として、ニュースで「汚染地域」が広がっていると言われる。作品が発表されたのは約半世紀前の一九七三年で「六五歳以上人口を一五～六四歳人口で支える割合」は下降傾向にあるとはいえ八・六である。社会にとっての脅威は自然環境の悪化による食糧の供給不足なのだった。[4] 一九六〇年代に公害が社会問題となったことを考えると、七〇年代に環境悪化による人類危機を想像するのは、おかしなことではない。現代であれば、脅威は自然環境悪化「だけ」ではなく、少子高齢化になる。自然環境悪化も、たとえば公害といった工場や農薬という個別具体的な原因が特定・対処できるなら、時間はかかるが政治的・テクノロジー的に解決・改善が可能だ。Aという洗剤が環境負荷が高いなら、BやCなどもっと自然環境に配慮したものに置き換えるというように。工場からの排出物が野放図になっているなら、法的な規制をするというように。ところが、少子高齢化という「人口統計の時限爆弾」(demographic time bomb)と呼ばれる問題に政治的・テクノロジー的な解決方法はない。[5] という点において、環境汚染よりも少子高齢化のほうが解決方法はなく、不可逆的な窮状である。

「定年退食」の世界には、二次定年の「特別延長」が認められる。役所で書類を記入し、抽選される。しかし吹山が老人に「吹き込む」ように、「賄賂」といった抜け道があるかもしれない。ないのかもしれない。結局、下々のものにはアルゴリズムがどうなっているのかわからない。アルゴリズムが公開されていたとしても、アルゴリズムどおりに実行されるのか、実態をどう反映しているのか、検証しようがない。「生活維持省」の計算機の問題が反復される。ただし「定年退食」では「うわさ」が半信半疑に信じられ、実際的な効果をもつ。うさわは自分が信じていなくてもよいのだ。老人のように半信半疑でも、「自分ではない誰かが信じていると自分は信じている」のであれば、効果をもつ。

奈良山首相は「氷のごとく冷徹なる理性的判断!」と言う。功利主義的な社会設計に、感情的な反発ではなく理性的な理解を求める。しかしもちろん人間は理性と感情の生き物である。[6]「定年退食」当事者たる老人と吹山が、感情を理性で納得させせられるかどうか。老人と吹山の関係は「生活維持省」の「私」と同僚の関係と似ている。「定年退食」のほうが感情的な振幅は大きいが、制度に順応するか反発するか対照的に描かれるのは共通だ。老人は、公園は若者（吹山の孫）に席を譲り、象徴的に社会からの「退食」を吹山と、何より自分自身に向かって言う。「わしらの席は、もうどこにもないのさ」。

「定年退食」には退食当事者（老人、吹山）の葛藤は描かれるが、傍観者はただ傍観しているだけだ。老人の息子夫婦と思しき同居家族、吹山の息子夫婦、役人や公園で遊ぶ子どもたち。非当事者＝傍観者はさまざま出てくるが、傍観することで制度を暗黙に了承している。傍観者が傍観者でいられるのは、「生活維持省」のランダム抽選とは異なり、定年未満であれば誰もが傍観者だからだ。

「生活維持省」にいて「定年退食」にいないのは、当事者に近い傍観者、アリスの母親である。生活維持省の役人がやってきて「死神」と呼び、動揺し娘の代わりに自分の命を差し出そうとする「親の愛」を体現する人物。「定年退食」にも確かに老人の心配をする息子の嫁はいるが、実際にどうなるのか不明だ。息子よりも嫁が心配しているのはなぜか。伝統的なイエ概念における嫁役割を果たしているからか。

奈良山首相の「あなたがたの運命はやがてはわれわれのものであるのです」発言は、かつて第二次世界大戦中に無謀な作戦に兵士を送り出した軍上層部の「内面」のように、どこか薄っぺらい。本当に「われわれのもの」として受け止めているのかわからない。「後から続く」といって続かなかった者たちを私たちは知っている。老人の嫁は「二次定年になってもわたしたちでなんとかしますから」と公助が断たれたあとの共助を申し出て、社会的に見捨てられても家族であるから守るという。しかし、公園で老人と吹山は、吹山の孫とその恋人の若者カップルから席を追い立てられる。それに、子ども向け番組で歌のお姉さんが「かわりましょかわりましょ」と後から人が来たら先にいた人は「ぬけて」いくのだと、子どもたちと歌う。この歌を歌って育った子どもたちが大人になり、やがて定年退食を迎えると、自発的に先に抜けていくのだろう。社会のあらゆる場所で「かわりましょかわりましょ」のスローガンは聞こえてくるに違いない。

吹山の家では孫が「無髪族」に入れ込み、孫は「管理社会に対して」「体制への反抗」と言うが、その父親は「生意気ぬかすな!!」と叱る。若者世代に新しい価値観が生まれ、親世代との軋轢が生じている。世代間による価値観の相違は、昔からあり、これからもある。髪型がどうこうというのはまだ「かわいい」テーマだ。ここに「かわりましょ」が入ってくる。髪型（髪の毛のある・なし）といった些末な違いが全面化する一方で、老人は社会から去っていくべきというより深刻なテーマは後景に退く。吹山家では、息子vs孫が無髪族の是非で対立するが、まさに「体制」「管理社会」である定年退食制度に、孫は反発しているのか。外から見るとじつにどうでもよい微細な美学を焦点化する一方、社会の根源にある管理体制はスルーする。いや、スルーどころか無批判に加担し、老人と吹山に席を譲るように迫る。これは「冷徹な理性的判断」ゆえか。だとしたらだいぶものわかりのよい若者世代だ。

「定年退食」は定年＝高齢者＝年齢が区分となり、国民の生死の境界を定める。「生活維持省」で生きる権利と死ぬ義務が抱き合わせになっていたが、「定年退食」の若者たちも自分たちに生きる（＝席に座る）権利は当然のようにあると思っているようだ。「ただし高齢者は除く」という注意書きが「自分たち」を限定修飾する。ランダム抽出よりも、年齢という「理由」は合理的で「冷徹なる理性的行動」と相性が良いように思える。しかし、定員法の年齢が急に引き下げられることもあるし、「特別延長」という制度もある。「特別延長」はランダムに抽選されるというが、不透明さと「うわさ」は付きまとい、生きる希望を与えるための制度的欺瞞もありえる。奈良山首相は、私たちも後に続くというが、先に「退食」したものたちには、本当にあとに続いたかは知りようがない。

「定年退食」は退食当事者たる二人の老人にフォーカスする。二人のぼやきともあがきともいえる声が聞こえてくる。生活維持省とは異なり当事者の声を聞ける制度であるが、《私たち―あいつら》の《あいつら》側に追いやられる高齢者たちの声を積極的に聞こうとする者はいない。若者世代の新しいスタイル・無髪族は世代間対立を深めるようで退食制度は問われず、「かわりましょかわりましょ」の歌声で幼少期からイデオロギーの刷り込みは進行する。定年を迎えた高齢者は、社会に存在しているが「生きて」いないともいえる。ある日、突然に生存権を含む人権が剝奪されるのではなく、徐々に例外化され、やがて例外状態への深淵へと放り込まれる。奈良山首相、すなわち民主国家における国民の代表は、定員法の根拠に憲法をもちだしたことを思い出そう。曰く、憲法に保護された「健康にして文化的な生活」を実現するために、定員法が制定された。憲法と定員法は何ら矛盾しない。憲法こそが定員法を可能にする。アガンベンの〈域〉はここにも見いだせる。

4　老後の人権がありません！――垣谷美雨『七十歳死亡法案、可決』

国家が国民の人口を調整するとき、どのようなプロセスを経るのか。民主主義国家は国民の民意で意思決定されるので、人口調整は「自分の首を自分で絞める」。人口調整ディストピアの法律制定過程を追ってみよう。

垣谷美雨『七十歳死亡法案、可決』は、七十歳死亡法案が可決され施行まで二年となった日本社会で、ある家族の様子を描いたものだ。

七十歳死亡法案とは次のようなものだ。「日本国籍を有する者は誰しも七十歳の誕生日から30日以内に死ななければならなくなった。例外は皇族だけである。尚、政府は安楽死の方法を数種類用意する方針で、対象者がその中から自由に選べるように配慮するという」（六）。

この法案の目的は「高齢化による国家財政の行き詰り」（六）を解消すること。少子高齢化、年金制度の破綻、医療費の増加、介護保険制度の財源不足などを一挙に解決する方法とされた。人権侵害であることは火を見るよりも明らかで、国際的に批判もされるが、他方、日本の行く末を「明日は我が身」とばかりに静観する国もある。

ある一家とは宝田家。東洋子（五五歳）、その夫・静夫（五八歳）、同居する静夫の母（姑）の菊乃（八四歳）。東洋子夫婦には子どもが二人。長女・桃佳（三〇歳）と長男・正樹（二九歳）。菊乃は骨折して以来ベッドで寝たきりで介護を必要とする。嫁の東洋子は専業主婦ということもあり、呼び出しブザーを鳴らされたり大声で名前を呼ばれたり、四六時中、姑を介護しなければならない。仕事人間である夫は介護にまったく理解をしめさず、休みの土日も遅くまで寝たりゴルフへ行ったりと好き放題。挙句の果てには、七十歳死亡法案が可決されたから、残りの人生を楽しみたいと言って早期退職し、母親の介護を嫁・東洋子に任せて、男友達と二人で世界一周の旅に出る。

子どもたちはどうか。正樹は帝都大学から大東亜銀行という華々しいコースを歩んでいるように見えたが、仕事がうまくいかず退職。再就職をめざすも、これもうまくいかない。失業三年目。直接に言われたわけではないが、家族(母親)からの視線に「こんなところでは働けない」という忖度&プレッシャーで自縄自縛に。部屋にいて母親に食事を運んでもらい、夕方から夜にかけて外出する。祖母に介護が必要であることはなんとなくわかっているが、介護は母親の仕事であり自分は関係ないと思っている。娘の桃佳は印刷会社で働いていたが、仕事をやめて介護を手伝ってくれないかと母親に言われたのを機に家を出た。印刷会社の仕事を辞め、今は特別養護老人ホームでヘルパーの仕事を始めた。

第一章「早く死んでほしい」とは東洋子の心の声だ。「二年後を想像してみる。生活はがらっと変わるはずだ。お義母さんには本当に申し訳ないけれど、想像しただけで心は解放感でいっぱいになる」(九)。介護の辛さは、もちろん肉体的な辛さもあるが、精神的な辛さもあり、その原因の一つに「いつまでこの生活を続ければよいのか」という先の見えなさがある。そして「早く終わってほしい」と介護生活の終わりを願うことは、介護対象が死ぬことであり、死を願っている自分に気がつき、また苦しむ。「いっそお義母さんが癌だったら良かったのに……。あと三か月の命です、などと医者に宣告されたなら、もっと優しくできたと思う」(四八)。東洋子は自分の心の中に「赤鬼」「悪魔」の存在を感じる。

この心の中の悪魔は、どんなに押し込んでも、介護相手の菊乃には感じとられている。

——一日も早く死んでほしい。嫁が考えていることくらい手に取るようにわかる。いや、嫁だけじゃない。実の娘にしてあの態度だ。遺産さえ手に入れば、もう用はないらしい。[…]娘たちだけじゃない。しーくん[静夫]でさえも、老い先短い母を置いて外国に旅行するというのだ。でも……当然といえば当然だ。なんの役にも立たないどころか、面倒ばかりかけているんだもの。(一一六)

要介護状態の姑と、つらくあたる姑を「あと二年」と自分に言い聞かせながら介護する嫁の間に立つべき夫・静夫は何もしない。何もしないどころか、早期退職&海外旅行だ。ついに東洋子は我慢の限界をむかえ家を出る。アパートを借りて一人暮らしをし、弁当販売のパートを始める。正樹は部屋から出て祖母の介護を始める。さらに同級生で家業のリフォーム会社を継いだ峰千鶴と協力し、住宅のリフォームを計画。世界旅行から引き戻された静夫も、手伝い始める。

壊れかけていた宝田家が修復の兆しを見せる頃、若くしてカリスマ性を発揮し七十歳死亡法を成立させた総理大臣・馬飼野は、今度は自ら廃止法案を提出する。

七十歳死亡法は日本の財政危機を救うために作りました。しかし、施行までの二年の間に、状況が変化してきたわけです。[…]七十歳死亡法ができたことで、老後の心配をしなくて済むということがどういうことなのか、国民は骨の髄まで身に沁みてわかったはずだよ。[…]七十歳死亡法のおかげで、国民の心と準備と覚悟ができたんだ。今まで、長期的視野に立った政策は国民の支持を得られなかった。[…]だが、やっと国民も目が覚めただろう。[…]我々の仕事はこれからだよ。長生き

するのが幸せなことだと心から思える社会を実現しなければならない。（三〇〇―三〇四）

どこか小泉純一郎を連想させる総理は、テレビ番組で真意を語る。曰く、長期的な視野に立った税制改革、すなわち増税は、短期的な視点に立つ旧来の抵抗勢力から反発され、国民的な支持を得られなかった。七十歳死亡法ができたので、国民も「老後の心配をしなくてすむ」ことが理解できた。ゆえに「老後の心配をしなくてすむ」社会、すなわち福祉国家実現のために増税をしても理解されるだろう。

総理のロジックは壊れている。自分が七十歳を超えて生きていけない＝死ななければならない人間たちが、早期退職したり、使いきれない資産を寄付したりして、「余生＝七〇―現在の年齢」を生きようとするのは「老後の心配をしなくてすむ」のとは違う。老後がないのだ。老後があって心配するのではなく、心配する老後がそもそも存在しない。心配の意味が異なる。寄付制度を整備し、寄付が増えたことで財政状況も少しは良くなったというが、寄付が増えたのは「人の善意」（三〇二）によるものなのか。使いきれない資産を寄付することは、そもそも善意か。また、本当に善意からなのか。菊乃は昔からの友達に〈裏の法律〉の話を聞く。「定年退食」のツメ跡と似たようなものだ。

「だから、七十歳死亡法の網から逃れる方法のことだってば［…］聞くところによるとね、七十歳を過ぎていても、国会議員をやったことのある人とか、ノーベル賞受賞者とか癌の研究者は死ななくてもいいらしいのよ。法律には裏ってものがあるらしいの」［…］「年金は受け取りません、医療費は全額自腹で払いますって一筆書いて区役所にもっていったらしいの［…］それだけじゃだめらしい

のよ。無料奉仕も必要なの」（一一八―一二二）

後で、この〈裏の法律〉は千鶴が高齢者に住宅のリフォームを促すために自分が流したものだと認める。「なんとかお年寄りに金を使わせる方法はないかと思って知恵を絞ったわけ。あの噂を流したおかげで、自宅をバリアフリーにしたいっていう問い合わせが急に増えたんだよ」（三〇七）と悪びれずに言う。高齢者に生きる希望と、労働する意味を与え、かつ自社の売り上げにもつながったわけで、千鶴の作戦は「嘘も方便」と許容されるかもしれない。しかしおそらく〈裏の法律〉に似たものがいたるところに発生しているだろう。それに、七十歳死亡法には例外がある。冒頭でも引用したが「皇族」は例外だし、「日本国籍を有する者は誰でも」とあるので日本国籍を捨てればよい。

菊乃は自分が社会の負担であると認識している。負担とは「役に立つ」と「面倒」を比べて、「役（利益）＜面倒（負担）」の状態を指す。「定年退食」でいえば、生産人口／扶養人口の割合が低下していく状態だ。いずれも数式的に表現できる功利主義の発想である。となると「七十歳」という年齢による一律の死亡より、「役＜面倒」に該当するものを人口調整の対象として選ぶことが、より「合理的」だ。同世代においてもっとも資産の格差があるのは、高齢者世代だ。資産を持つ者はさらに資産を増やすことができる一方で、資産をもたない者は退職とともに貯金や年金を頼りにしなければならないからだ。むろん本作に登場するのは後者である。年金や医療費など国からのお金を受け取らず、かつ自分が無償労働を「自発的に」提供すれば、法律の執行対象から逃れられるのではないか、と発想するのはごく自然だ。

財産を「自発的に寄付」し、国家からの福祉・補償を「自発的に拒否」し、労働力を無償で「自発的に提供」

する。いずれも自分が決めたこと、すなわち「自決」であるが、しかし、その背後には法によって保障された人権概念が適応されない、法によって定められた例外状態の空間である「七十歳以上」に放り込まれる恐怖がある。「法の地平では把握されえない法的手続き」の地平を垣間見ている。物語ではテレビの討論番組や近所付き合いの茶飲み話で、七十歳死亡法について賛成・反対の意見が取り交わされる。七十歳以上の当事者たちは、もちろん反対が多い。反対でない人も、積極的な賛成というより、決まったことなので従っている様子だ。

七十歳で死ぬ社会で六十九歳と一一カ月の人の人権は保障されるだろうか。十ヵ月は、九ヵ月は、八カ月の人はどうだろう。では六十八歳の人は、どうか。人権が終わる期日が明示されていたときに「期日までは人権を守ろう」となるのか、それとも「期日が近いから人権をないがしろにしてよい」となるのか。現代社会に出現する例外状態を観察するに、後者は十分に起こりえるシナリオだ。七十歳を目前に控える高齢者が「自発的に寄付」するのも、七十歳を待たずに自分の人権が剥奪されるかもと無意識に感じているからだ。

奇妙なことに、七十歳死亡法が解決すると言われる「日本が抱えるほとんどの問題」の一つ、福祉負担が物語ではあまり描かれない。印象的なエピソードを二つ紹介しよう。宝田家は、制度はあってもヘルパーを頼まない。旅先で宝田家の窮状を知った旅行仲間は、静夫に言う。

「ヘルパーに来てもらえばよかったんだよ。その間だけでも奥さんは解放されるじゃないか」

「それはだめだ。俺のお袋は、他人が家の中に入ることをいやがるんだ」(二四九)

国家による福祉を、受益者の利用意図へと縮減している。介護を費用的にはマクロに国家財政へとつなげるものの、ミクロには家庭内労働へと押し込める。奇妙な分裂がある。

もう一つのエピソードは、正樹の同級生・沢田にまつわるものだ。自室に引きこもる正樹は沢田のブログを読んでいた。沢田がある企業で正社員として採用され、意気揚々と働き始めたことを知り嫉妬するが、その後、ブログの更新は滞り「人生に疲れた」「助けてくれ！」と心の叫びが書かれるようになる。不安になり、唯一、連絡先を知っていた千鶴と一緒に沢田の職場を訪ねる。沢田から話を聞くと、勤め先はブラック企業であり、すでに同僚は二人、過労死しているのだ。なんとか辞めるように説得する二人に、「宝田、俺にホームレスになれっていうのかよ」と返す。最終的に二人の説得は功を奏し、沢田は会社をやめエネルギーを蓄え、千鶴の会社で見習いとして働き始める。ここだけ見るとハッピーエンドに思えるが、沢田に「ホームレスになれっていうのかよ」と言われた二人は、「生活保護を申請しよう」と返せるし、返すべきだった。宝田家にヘルパーが存在しないように、沢田・正樹・千鶴にも生活保護制度は存在せず、ブラック企業かホームレスかの究極の二択で苦しむ。

しかし、介護保険も生活保護も具体的に描写されない世界で、いったい何が国家財政を圧迫しているのか。ヒントは延命治療だ。特別養護老人ホームで働き始めた桃佳は、気になる同僚の福田と親しくなる。福田には寝たきりで胃ろうを置かれ四年になる祖母がいる。二人で見舞うが「その当時、俺には延命治療がいかにむごいかなんていう知識はかけらもなくて、医者の勧めなら間違いないだろうって……」（七二）と福田は桃佳に言うのだ。このシーンは「第一章　早く死んでほしい」の最後に位置している。「早く死んでほしい」は東洋子の気持ちから始まり、福田の言葉「あと二年の辛抱だよ。あの法律のおかげでね」(七三)で終わる。なぜ延命治療が国家への脅威かといえば、患者が自分で決める(「自決」)ことができないからだ。

国家による福祉がほとんど描かれないなかで、高税率・高福祉の国家を目指すことは成功するのか。首相は二年後という条件付きで例外状態を垣間見せた。[役∧面倒]の数式で例外状態へと吸い込まれていく高齢者たちを見ながら、例外状態の穴を閉じたところで、福祉国家は設計できない。いつ何時、例外状態が社会に出現するかわからないからだ。意思疎通のできない人/延命治療の患者を公費圧迫を理由に社会から退場させる手段として《私たち》共同体内部に《私たち―あいつら》の境界線を導入するが、ひとたび例外状態の穴を社会内部に開けてしまうと《あいつら》に認定される対象は増えていく。介護保険も生活保護も、公費(公助)の増加で《私たち》の負担となるなら、自発的に自助や共助で乗り切らなければならない。さもないと、次に穴に入るのは自分かもしれない。何もないところに首相が例外状態の穴を開けたわけではない。例外状態は最初からすでに社会に不可視なものとして存在していたのだ。ただ、首相は穴に光を当てたにすぎない。したがって本質的には例外状態の穴は閉じていない。そもそも閉じられない。

垣谷美雨が原作小説を書き、前田哲が監督した映画『老後の資金がありません!』は「老後資金二千万円問題」が話題になった後に公開された。『七十歳死亡法案、可決』にはカリスマ政治家・馬飼野がいたが、この作品では政治空間が消失している。老後の資金繰りは、国家の財政危機でも少子高齢化という社会問題でもなく、個人が家計をやり繰りする努力として描かれる。今度は《私たち―あいつら》の線を共同体内部に引かず、《私―私たち》の自助―共助のシェアハウス＝中間共同体が解決策として提示される。主人公・篤子はヨガ教室の友人・サツキに頼まれ、年金詐欺の片棒を担ぐことになる。結局は未遂に終わるのだが、自助・共助で足りなければ、公助ならぬ「公取」とでもいえるか。もはや公・国家は期待するだけ無駄なのだ。

しかし、考えてみると不思議だが、社会内部に《私たち―あいつら》の線を引くと、国家の成員として残る《私たち》はいるのだろうか。誰も残らないのではないか。この疑問に答えるために、山田宗樹『百年法』を読んでみたい。

5 決断できない国民・決断できる政治家――山田宗樹『百年法』

山田宗樹『百年法』は国民の寿命を決める政治家・官僚たちが主要人物で登場する。百年法。正式名称は生存制限法。百年法は「不老化処置を受けた国民は処置後百年を以て生存権をはじめとする基本的人権はこれを全て放棄しなければならない」と定める。不老化処置とは、一九四〇年にアメリカで実用化され、敗戦ののち共和国として生まれ変わった日本に一九四九年に導入されたHAVI（ヒト不老化ウイルス接種技術）のこと。HAVIを受けたヒトは不老となる。事故や病気で死ぬことはあるが、若いうちに健康な肉体でHAVIを受ければ、百年以上生きられる。しかし「永遠の生」を認めると人口増加や社会の停滞が予測されるため、HAVIを希望するものは「自分はあと百年だけ生きる」と同意しなければならない。義務ではないが、社会のほとんどの人はＨＡＶＩを選択する。それから約百年後の二〇四八年。物語の幕が開く。『百年法』は「寿命をどこまで伸ばすか」ではなく「寿命をどこまで伸ばすのをやめるのか」が論点となる。

百年法施行を来年に控え、政府は百年法の実施に向けて広報に力を入れる。国民には百年法がいまいちピンとこない。二〇四九年に百年法の対象となるのは、一九四九年、技術が導入された最初の年にＨＡＶＩを受けた者。生存の期限を迎えた人はターミナルセンターへ向かい、安楽死を迎える。拒否はもちろん許されない。が、拒否者がでることは政府も想定している。一般国民よりも及び腰なのが、政府や国会議員連中である。議員のなかには百年法の初年度対象者も含まれ、彼らはこの法律を施行することを嫌がる。ＨＡＶＩを受けるときに確認したとはいえ、誰が自分の寿命を百年と定めた法律に嬉々として従うだろうか。野党が百年法凍結をマニフェストに選挙に臨むのではないか、という憶測すらある。

ＨＡＶＩを受けた後の生存可能期間を百年と定めているのはアメリカと日本だけ。他国はもっと短い。制限がないことはありえないが、百年と長いと国力が衰退する。百年法施行にむけて地固めをする官僚・遊佐は「百年は長すぎました。韓国や新興国では四十年。ＥＵでも五十年が主流。それ以上になるとＨＡＶＩの問題が目立ち始めることは、現代社会学の常識」（上　一〇三）と、決断を渋る鴻池首相に発破をかける。「生存制限法がなければ、社会の中に古い人間がいつまでも存在します。それがいちばんの問題なのです。肉体は老いなくとも、心は老いる。心の老いた人間は、もはやイノベーションを生み出せない。新しい時代に対応できない」（一〇五）と遊佐は続ける。

「老い」という概念が社会から消えつつある日本は、若返ったわけではない。停滞している。HAVIを受けた人は好奇心を失い、精神的な成熟も見られない。日本が復活するために、予定どおり百年法の施行が必要だと信じ、遊佐は政府・議員に働きかける。

HAVIを導入するには国際機関HALLOに加盟しなければならない。HAVI導入には生存制限法が必須である。だから「永遠の生」はありえないものとされる。ただし「何年なら生存して良いのか」は各国の裁量で決められる。先述したとおりアメリカと日本は百年。国は停滞したが、アメリカでは日本より一足先に百年法が実施され、活力が戻りつつある。「アメリカも、我が国と同じ危機に見舞われました。しかし、七年前より生存制限法を断行し、その効果がすでに表れ、危機を脱しつつあります」(上 一〇三)と遊佐は力説する。

さらに韓国は生存制限を延長するさまざまなインセンティブを用意している。「徴兵に応じている間は、生存可能期間から除外される。スポーツや科学技術の分野で著しい貢献のあった場合も大幅に延長。ノーベル賞やオリンピックで金メダルを獲得すれば、百年のビッグボーナスだ。さらに、国家に財産を寄付しても、金額に応じて生存可能期間が加算」(上 一〇二) される。国民は長く生きるために努力する。各国の事情を知る遊佐は、国が栄えるには百年生きたHAVI者を確実に退場させる必要があると考える。短期的で自分の人生しか顧みない一般国民には共感されないが、強いリーダーが自分の言葉で未来のビジョンを語れば、やがて理解されると信じて。

しかし、鴻池首相は決断をしない。鴻池に限らず、ほとんどの政治家、ほとんどの人間は決断できないだろう。国が停滞することが事実だとして、国際機関との約束があるとして、不老化した自分たちに寿命を定める＝死ぬことを決断できる人はいるだろうか。自分一人の命であっても躊躇するし、ましてや首相なら全国民の命がかかっている。「後世の評価」という自分には知り得ないものをちらつかされても、心は動かないのが普通だ。『百年法』は全四部構成だが、第一部は百年法を実施するのかしないのか、政治的な駆け引きが中心となる。遊佐やその上司・笹原、生存制限法特別準備室の面々は、百年法実施に向けて動くが、鴻池首相や「政争の具」を狙う野党は、百年法の実施を渋り凍結を主張する。鴻池は国民投票で決めると政治決断する。現実の日本でも、あるイシューをめぐる住民投票で住民間の温度差があらわになり、地域が分断されたという話は聞く。『百年法』でも国民の間で議論が進めば、分断も進む。ある人は、同僚から賛成・反対を聞かれ「まだ決めていない、投票に行くかどうかも」と言うと、「ダメよ。ちゃんとNOに入れてくれなきゃ［…］YESが過半数を取ったら、わたし、死んじゃうんだよっ！」（上一五六）と返される。百年法が施行されたときに自分があと何年で生存制限にひっかかるかで、百年法との距離感が変わる。「HAVIを受けて二十年未満の、いわゆる新世代層では賛成が圧倒的多数を占めていますが、世代が上がって残り時間が少なくなるにつれて反対の割合が増え、全世代を総合すると、賛成と反対がほぼ拮抗しています」（上一七八）。鴻池はじめ大臣や国会議員が渋るのは、初年度適応者もいるからだ。内務省次官の笹原は大臣に、自分と一緒に国民の前で率先して「模範」となるべきだ、と言う。笹原は戦争を体験し仲間を特攻でなくしている。特攻は「後から続く」と言って上官が若い兵士を先に送り出したが、実際には上官が「後から続く」ことはなかった。とくに、特攻作戦を立案・命令した者たちは。裏で百年法を逃れる人がいるのではないかと国民が懐疑的になるのもおかしな話ではない。

百年法の賛否を問う国民投票が予告されたあと、笹原は「自決」する。「率先して、理性による〈死〉

を受け入れる人間の存在だ。そういう先導者の姿を見れば、国民は覚悟を決め、その者に続く。もちろん先導者は、誰でもいいというわけではない。国民が納得できる人間でなければ意味はない」（上 一八三）。笹原は、自分の思いを述べた映像を残し「自決」する。笹原のメッセージは、政府上層部に握り潰されそうになるが、遊佐が別ルートで公開する。しかし、国民投票は賛成三九・三二パーセント、反対五五・七六パーセントとなり、大差で百年法は凍結されるのだ。後世のことを考える「国民的理性」と、人間として自分のことを考える「人間的感情」の綱引きは、後者に軍配がある。

寿命がひとまずは延びたことを喜ぶ国民もいるが、他方、百年法賛成者、とりわけ若年層の反発は激しく、デモ・暴動に発展。首相は非常事態を宣言、政治・経済、日本中が混乱をする。これが〈二〇四九年の危機〉だ。賛成にしろ反対にしろ、結論が出ても国を二分にした議論は収まらない。私たちは私たちから人権を奪うと私たちで決められない。少なくとも、民主的なプロセスを経て、人権を剝奪する決断をすることはできない。理性的に計算しても感情的に反発するだろう。法（規範）と例外の関係は、百年法制定の国民投票に表れる。

遊佐は一貫してカリスマ的リーダー、真に国民のことを考えられる独裁者を希求している。「国家というものは、一人の、あるいはごく少数の何者かに託すことでしか運営できないことは、歴史が証明しています。ならば、その何者かには、卓越した現実認識力と先見性、そして民衆をまとめるカリスマを持つ者がなるべきです［…］私が考える理想の政体は、優れた指導者による独裁です」（上 一一七）。しかし、遊佐の理想とする独裁者が考えるのは国民のことか、それとも国のことか。

国民投票で百年法が反対＝凍結された後、遊佐は国会議員・牛島と接触。以降、〈二〇四九年の危機〉

に乗じ、遊佐は政治家となり首相となる。この世界の日本は戦後に共和国制となり、首相に加えて大統領職も創設されていたので、牛島は大統領となる。[7] こうして牛島・遊佐体制が完成する。電撃的に大統領権限を強化する法案を可決し、大統領の独裁体制ができあがる。第二部以降は二〇七六年が舞台。二〇五四年から「新百年法」が施行されたが、そこには「生存延長税法」と「大統領特例法」がくっついている。前者は「生存可能期限を過ぎても、一定の金額を税金として国庫に納めれば、生存期間を延長できるとしたもの」で、後者は「大統領がとくに認めた場合、生存制限法の適用を免除する」(上 三一九) もの。これにより、大統領は国民の生殺与奪の権を掌握した。のちに、遊佐は牛島に「皇帝にする」と言っていたことが明らかになる。ついに決断者が政権を奪取し、例外化する権力を掌握したのだ。

百年法の施行で停滞から日本が脱出できたかといえば、そうではない。懸念事項は三つある。一つは百年法の拒否者が多いことだ。安楽死施設 (ターミナルセンター) に出頭せず、ときに拒否者ムラを作って生活している。「公的には、拒否者は人間ではない。生きてはいけない存在とされている」(下 七七)。人権が剝奪され、例外状態におかれた者たちだ。拒否者ムラのなかには自滅するものや、権力に虐殺されるものもある。国民はＩＤ管理されているが、ゴーストＩＤも出回り、拒否者をゼロにできない。さらに伝説的なテロリスト・阿那谷童仁を名乗る人物が、拒否者ムラで暗躍しているらしいのだ。政府上層部は反政府活動につながると警戒する。

二つ目は、大統領特例法の不透明さだ。国会議員の実に七割が特例措置で生きていて、大統領の意のままである。自分の寿命が百年法まであと何年かで、大統領との関係が変わる。百年法まで時間があるときには大統領の施策を批判できても、生存制限が近づき大統領から特例措置を受けたいと思えば、しぜん大統領への批判は控えるようになる。HAVI技術で人を「生きさせる」一方で、大統領は気に食わない人間を「死の中へ遺棄する」ことができる。「生きさせる／死の中へ遺棄する」はフーコーが近代的生権力の特徴として述べたものだ。

三つ目は、SMOC（突発性多臓器ガン）という致死性の病気が急激に広がっていること。目下のところ原因は不明で、なお恐ろしいことにHAVI処置を受けた者も発症しうる。

これら三つの懸念は根本でつながっている。拒否者ムラは権力に従わない者、特例法は権力を振るう者、SMOCは権力を脅かす物。いずれも牛島大統領の権力と関係する。百年法下の権力とは、寿命の消滅＝生存制限の適応を決める力だ。この権力の最大の脅威はSMOCによる寿命の復活だ。ともあれ政治権力は、百年法の下で「生きさせるか」「死の中に遺棄するか」に変換される人の生死を決定するものとして表象される。

遊佐は自らが作り出した独裁者＝牛島の手綱を握れない。独裁権力は人に宿り、人から人へと距離の近さを通じて伝播する。牛島は執務室のあるパレス・フジにこもりがちになり、パレス・フジにつめる秘書・南木は、SMOCで牛島が倒れたタイミングで、牛島から権力の奪取を試みる。牛島が秘密裏に用意していた指令ゼロ号が発動し、執政不可能な牛島の権力は遊佐に移譲され、南木のクーデターは失敗に終わる。

クーデターを防いだものの、遊佐は新たな国家的危機に直面する。SMOCの原因はヒト不老化ウィルスで、「HAVIを受けて体内にヒト不老化ウィルスを取り込んだ者は、いずれは全員、SMOCを発症する」（下 四一九）。「発症時期は、HAVIを受けてからの経過時間の影響を受けません。つまり、H

ＡＶＩを受けて百年後の人間も、一日しか経っていない人間も、同じ確率でＳＭＯＣを発症しているのです」（四二〇）。「現時点でＨＡＶＩを受けている人間の、最後の一人がＳＭＯＣを発症して死亡するのは……十六年後」（下 四二二）。遊佐は、ＨＡＶＩを受けたものは十六年以内に死ぬという前提で動かなければ、国が滅びると言う。百年法は凍結、「また、全国に十数万人ともいわれる拒否者についても、もはや犯罪者扱いするべきではない。彼らも貴重な人資源だ」（下 四二五）と、人権剝奪者に人権が回復される。しかし果たして、人権とは政治家／独裁者の判断で「奪ったり与えたり」できるのか。

遊佐は、牛島の手綱を握れなかったが、独裁体制にまったく懲りていない。新しい国難に対応するため、独裁官を設置することを発案し国民投票にかける。「二十年間と期限を区切り、大統領と首相の代わりに、独裁的な権限を行使できる独裁官一名を置く」（下 四三〇）。さらに、もうひとつ「国家の新たな運営方針」も国民投票にかける。「この国の未来のため、次の世代のために、あえて不利益を甘受する」（下 四二九）かそうではないのか、国民の決を取る。

遊佐は官僚時代から独裁官となったあとも、「国民的理性」と「人間的感情」が対立しても、カリスマ性のある政治家が理性的に話せば、国民は理性的な決断、すなわち後世のために自己の利益を抑制する決断ができると国民を一貫して信じる。しかし、国とは何か、国民とは何か、それぞれの利益とは何か、細かい議論が必要になると、感情的・情緒的なレトリックで乗り切ろうとする。国民の賛否が半々に分かれている問題を、政治家の弁論術で解消することは不可能だ。だから、理性的な判断で独裁者への権力の集中、という選択肢が浮上する。独裁者は百年法の制定や、例外措置の適用で、国民を例外化する政治権力を一手に引き受ける。「理性的」に選出された独裁者も人間でしかなく「感情的」判断で権力を恣意的に行使するようになるのは、すでに見てきたとおりである。

多数の国民の利益がからみ複雑化した問題を解決するのに、利害関係者の調整をするのではなく、複雑な問題を解決する個人を選ぶ。独裁も民主的なプロセスを経れば民主的なのか。断じてそんなことはない。それでも、民主的独裁への欲望は抑えきれない。その欲望は、遊佐を通じて『百年法』全体に感じられる。ポピュリスト政治家は、その巧みな弁舌で「話せばわかる」と国民に「理性的な対話」をする。しかし、やっていることは理性的対話で理解を広げるのではなく、共感をベースに理解者を「さらに深い理解者」へとし、理解しない者をコミュニケーションが通じない相手とラベリングし排除する。遊佐が図式的に持ち出す「感情的」な国民と「理性的」な政治家に私がカッコをつけたのは、テクストから引用したからだけではなく、そもそもの対立が疑似的なものだからだ。人の生死は理性的に決められず、かといって人の生死を決めれば理性的かというと、そうではない。大統領特例措置で権力基盤を固めた牛島がその例だ。

百年法は高齢化問題の暗喩である。「我が国は多くのものを失ったが、たった一つ、若さだけは取りもどせたのだから」(下 四八六)と最後の独裁官・仁科ケンは物語を結ぶ。HAVIにより失った象徴的な若さを、百年法の施行、SMOCの発症によって「取り戻せた」とする。HAVI下での「若さ」とは何か、「国力」や「衰退」とは何か具体的に描写されることはない。社会から退出する人がいなくなったら停滞するだろうことが暗黙に前提される。高齢化社会のメタファーを背景に「次の世代のことを考えたら、ある程度、個人の自由が制限されるのも仕方ないんじゃないかな」(下 四四四)とさえ語られる。

遊佐が、最初は牛島を、次に自身を独裁的権力を有する地位に就けたのは、国民投票という「主権者の決断」を通してだ[8]。では、主権者は何を決断したのか。最後の国民投票、独裁官の設置と現役世代の不利益甘受は、とくに後者が国民投票の議題たりえない。少なくとも作中の国民投票はイエスかノーか保留かの三択で、結局のところ立法者にフリーハンドを与えるための儀式となる。必要なのは「主権者の決断」であって、細かい政策論議ではない。

遊佐にとって国とはインフラだ。逆に言えばインフラでしかない。インフラとは社会を支えるための公共物だ。以下は、遊佐が仁科に発した言葉だ。

国力がいかに衰退しても、電気・通信・水道・道路・鉄道網のメンテナンスだけは怠ってはならない。ライフラインと物流は、国を動かす両輪である。この二つが機能するかぎり、国が死ぬことはない。宗教や思想、主義、哲学、生き甲斐、人生観、価値観、そういった精神的なものは、国民一人一人に任せておけばよい。国政を預かる者の責務は、国民が人間らしい生活を営むための物理的基盤を整えることに尽きる。なぜなら、それができるのは国家だけだからだ。（下 四八四）

インフラは経年劣化する。ほうっておくと古くなり、壊れていく。新陳代謝、メンテナンスが必要だ。国は入れ物である。国民もインフラのように、経年劣化に負けない新陳代謝が必要だと遊佐は考える。遊佐の国家像は完全に転倒している。国民が構成要素となり形作られるのが国のはずだ。国が国民にインフラを提供するのは、国民が安全に豊かな生活を送れるようにするためだ。容れ物としての国家が安定して存在するために、国民の生死が権力の源泉とされてはならない。それとも、それを使う国民がいなくなっても国家はインフラを提供し続けるのだろうか。このディストピア的国家像は、『七十歳死亡法案、可決』で国＝公助が退潮していく様子と、ベクトルは逆向きだが動力源は共通している。動力源とは国民の寿命を定める権力、《私たち》の幸福な生存・繁栄のために《あいつら》を名指し区切る権力だ。しかし『百年法』が明らかにするのは、いささか倒錯した事態である。権力の源泉に国民の生命があてがわれ国家のインフラ維持のため《私たち—あいつら》の区分を《私たち》共同体内部に入れると、最終的に《私たち》に誰も残らずインフラ＝国家となる。

『百年法』の「感情的」な国民は自分の寿命を自分で決められない。「国民投票」で決めようとしたが決められず、自分たちで決められないなら「理性的」な誰かに決めてもらうほかない。「理性的」な政治家を国民の代表に決めたが、あっという間に政治家は独裁者になる。天皇制を廃止し共和制となった日本で《私たち—あいつら》の線を引いた政治家が「皇帝」と称される独裁的大統領となるのは皮肉である。しかし、独裁者も国家インフラの歯車でしかなく『百年法』には国家しかない。国民の生命を権力の源泉にするにもかかわらず、いや国民の生命を権力の源泉にしているからこそ、国家しか存在しない。

6　確率化された暴力としての国家繁栄＝福祉——映画『イキガミ』

この節では、間瀬元朗の漫画『イキガミ』を原作にした映画『イキガミ』をテクストに、国家の人口調整計画に抗えるか考えていきたい。

イキガミ（逝紙）の正式名称は「死亡予告証」だ。この国の国民は小学校に入学するとすぐに体育館で「予防接種」を受け、教室で担任の教師からその注射の意義が説明される。注射の中には、〇・一パーセント、千人に一人の割合で致死性のナノカプセルが入っている。一八歳から二四歳になると、ナノカプセルが破れ、その者は必ず死ぬ。誰がナノカプセルを注入されたのかは、死亡二四時間前にならないと本人・家族に伝えられない。これが「平和な社会に暮らす国民に死の恐怖を植え付けることによって生命の価値を再認識させる」ことを目的とした国家繁栄維持法（通称、国繁）だ。国繁を導入した結果、自殺と犯罪は減り、出生率とGDPは上昇。国民は健全な国家意識を持ち、国繁死亡者は「お国の役に立つ」立派な人とされる。主人公は、国繁対象者に死亡予告証（イキガミ）を配達する役人、藤本。映画では三人の人物にイキガミを届け、むろん三人とも死んでしまう。

「この国には自由がある。平和がある。一握りの国民は容赦なく国家によって切り捨てられる」という藤本のナレーションで始まり終わる本作は、星新一「生活維持省」と似ている。[9]『イキガミ』が星新一作品からの影響をそもそも受けているのか、受けていたとしてどの程度なのかをここでは検証しないし、私には検証もできない。本論では両作品が類似していることは前提としながら相違点にも着目し、国繁とは何か、国繁イデオロギーへの反抗は可能か、可能だとしたらどのような形となるのかを考えたい。

国家による人口調整の必要性が「生活維持省」では、狭くとれば生活空間、広くとれば資源の分配というハード面から生じているが、これに対して『イキガミ』は「生命の価値」という抽象的な理念が根拠とされる。『イキガミ』の国は物質的な豊さは保証され、人々は豊かに暮らし、自由と平和を満喫している。

人口爆発や食糧・エネルギー危機といった物質的・身体的な危機からは無縁のようだ。それでも国家が国繁を通じ人口調整するのは、数よりも質に問題を感じるからだ。国民が、生命の価値を感じられないから、犯罪件数や自殺者が増え、出生率は低下し、国力（GDP）も下がると考えられている。国力とは国民の数×質で、多少の数は犠牲にしても損失数以上の質を高められればよい。さらに、この「国民」は全世代ではなく若者に限定される。「若者が生命の価値を感じられないから」国家危機的な数々の問題が生じる。もし全世代の国民に生命の価値を感じさせたいなら、国民全員にナノカプセルを一定の割合で注射すればよい。若者だけを狙い撃ちにするのは、問題の原因が若者にあると国家は考えているからだ。主人公・藤本は国繁を「生き延びた」二五歳に設定される。入所式で隣席の島田が、恋人を国繁で失い体制への疑義を唱えるが、思想犯として連行されるのを目の当たりにする。これから藤本はイキガミを配達し、国繁死を遺族とともに近くで見ることになるが、自分が死ぬことはない。「生活維持省」では執行者と執行対象の当事者が入れ替わるランダム抽選だが、『イキガミ』は年齢制限することで執行者と当事者を明確に分離する。当事者・傍観者による反抗と、執行者による反抗、それぞれがある。

若者に理不尽な試練を押しつけ、命懸けでクリアをさせる根性を叩き直したり、生命の価値を再認識させたりする発想は、『イキガミ』に限らない。まっさきに連想するのは高見広春『バトル・ロワイアル』だ。映画版では「新世紀教育改革法（BR法）」でランダムに選ばれたある中学校の一クラスがまるごと絶海の孤島に連れ去られる。武器を配られ、制限時間内に友達同士で殺し合うよう命令される。いまでは「バトロワもの」というジャンルとしておなじみだが、ゼロ年代を予言的に特徴づける作品だと論じるものも多かった[10]。

『イキガミ』では若者たちの剥き出しの感情・暴力は国家によって徹底的に抑圧されている。死亡予定者が自暴自棄になって犯罪行為をした場合、遺族に支払われる予定の恩給はなくなる。おそらく「国のための名誉の死」とも言われなくなり、本人と遺族は社会的な制裁を受けることになる。もっとも、映画『イキガミ』の冒頭、死亡予告を受け取った青年が学生時代に自分をいじめていた男を探し出し殺そうとする。寸前のところで、青年のナノカプセルは効力を発揮し未遂に終わる。ともあれ、自暴自棄になる者がでることも想定されている。その上で、『イキガミ』は暴力を若者から取り上げ、年齢を限定して若者自身に向けてランダムに配分する。いわば「暴力の再分配」である。

『イキガミ』の理不尽な死は国家が積極的に関与している点で、人間的な理不尽な死と本質的に異なる。理不尽な死は、国繁制度に関係なく昔からどこにでもある。たとえば、三人目のイキガミ受取人、飯塚さとしは両親を交通事故で失っている。その事故で、唯一の肉親となった妹・さくらも失明してしまう。理不尽な運命だ。さくらは施設で育ち、さとしは独り立ちするもののヤクザの事務所で詐欺・恐喝の下請けをして金を稼ぐ。そうやって得た資金で、妹を施設から引き取り二人暮らしをしようとした矢先に、イキガミが届く。理不尽な運命に、さらに国家が追い討ちをかける。これ以上、理不尽な目に遭わせる必要があるのだろうか。しかし、交通事故とイキガミは当事者にとってみればともに理不尽だが、前者は偶発的であるが後者は国家によってもたらされた理不尽さだ。国繁の狙いは理不尽さそのものではなく、理不尽さを国家が与えることにある。法が例外（理不尽さ）を規定する。

国家は理不尽さを国家の繁栄、広く福祉のために必要とする。『バトル・ロワイアル』で一時的にしろ若者たちに与えられ、例外状態化した孤島で振る舞うことを許された暴力は、『イキガミ』においては国家が吸収し、国家の繁栄＝国民の福祉としてランダムに再分配される[11]。

国家による理不尽な暴力に抗うことはできない。しかし、当事者さとしはある秘策を実行する。さとしは、自分が死んだあと角膜をさくらに移植できないかと担当医に相談する。移植相手を指定した臓器提供は原則として認められないが、国繁対象者は「例外」だと告げられ、さとしの望みは叶えられる。さとしにイキガミが来たのではないかと疑うさくらは、さとしの死亡予定時刻が過ぎた後に自分は手術を受けると言い出す。藤本はさとしと協力し、病院内の時計をすべて一時間早める。

二つのことが同時に進行している。一つは「国家繁栄（国繁）」がいつの間にか「個人の健康」にすり替わっている。この場合の個人の健康とは、さくらの視力回復を指す。そもそも国家繁栄維持法は、理不尽に生き残された者たちに「生命の価値」を感じさせることを目指す。国繁は死ななかった者たちに変化を望む。彼ら彼女らは、社会の中に構造化された理不尽な死を直視することで、自分の命を見つめ直すだろう（と国繁は期待する）。理不尽な暴力をその身で受けさとしは命を失い、さくらは視力を取り戻す。健康の回復という「わかりやすい物語」がせり出し、国家の理不尽さを「それでも意味がある」と読み直す。もし移植できないならさとしの死は理不尽なものだ。移植できたのでさとしの死は理不尽だがさくらの視力回復に資する。さくらの視力回復によってさとしの死の理不尽さは減じたのだろうか。そんなことはない。さくらの視力が回復する／しないと、さとしの国繁死の理不尽さは、関係しているようで切断されている。

もう一つは、国繁制度は不動の前提として、その上で人々にどう受け止めてもらうかが物語のクライマックスになっている。具体的には病院の時計を一時間早めることだ。藤本とさとしは病院スタッフだけではなく、入院患者にも協力をお願いする。ビラを作って配り廊下中に貼り出す。さくらが時間を誤認したまま手術を迎えられるかがサスペンス（緊張）の焦点になる。もっと注目するべき国繁体制はそのままに、一国民目線でイキガミをどう受け止めるのかがテーマになる。執行対象者のさとしが計画した秘策は国家の理不尽さを理解可能な枠に収める努力、当事者による反抗である。しかし、単に意味づけをズラすだけで根本では国繁イデオロギーは何も揺らがない。

対象者ではなく執行者視点の反抗はあり得るだろうか。藤本は最初から最後まで国繁体制への疑念が拭えない。思想犯になると何が待っているかは知っているので、積極的に反体制思想を広めようとは思わない。だが、イキガミを配達しながら「僕も何か役に立ちたい」と思う。「役に立つ」とはイキガミを無効にすることではない。イキガミを受け止める助けとなることだ。体制の執行者たる藤本は、体制に反抗するのか、それとも体制内部のやり方に異を唱えるのか。最初こそ後者であったが、課長の存在をフックに徐々に前者へとシフトしていく。

そもそも、国繁体制に抗うことは可能なのだろうか。反体制思想はどこまで実際的に信じられているのだろう。二人目のイキガミ受取人・滝沢直樹は保守派の国会議員・滝沢和子を母親にもつ。小さな頃から母親にかけられたプレッシャーで、親子関係は破綻し、豪華な一軒家の一室にひきこもり状態だ。「生きているのか死んでいるのかわからない」状態の息子に、自分の選挙演説の応援を要請する。「国繁教育の徹底！」を街頭で訴える滝沢和子は、しかし、思想犯として断罪された過去を持つ。警察官から強奪した拳銃で演説中の母親を殺そうとした直樹は、かつて母親が小学校で予防接種を受ける自分をなんとか逃そうとし、捕まったことを思い出す。和子がどのような「思想教育」を受けたのか詳細は不明だが、自分の身を顧みず守ろうとした息子が国繁で死ぬことを、自身の政治的野心に使おうとするほどに、彼女は変貌した。議員秘書の夫は落選した和子に、自分が地方議員から国会議員にのし上がって「あの法律」を変えると語る。ここにも反体制思想は見られる。どこまで現実的なものかは不明だが、体制を変える方法も示される。

藤本の上司たる課長は、藤本に出過ぎた真似をしないように注意していた。物語の最後、藤本は管理職によって思想をチェックされる。課長は国繁体制への疑問は口にしないように、と事前に忠告をする。課長のアドバイスに従い藤本の処分は減給ですむが、課長は果たして反体制派なのだろうか。監視カメラの画角を気にしながら、藤本に「君の思いは胸のうちに秘めておく。時が来るまで」と耳打ちする。反体制活動の存在がほのめかされる。その一方、藤本は思想犯として連行された島田が白衣を身にまとい、入学式で予防接種を呼びかける姿を目にする。島田の思想教育は完成されたのだ。

このように反体制思想や、反体制活動の存在はうっすらと感じられる。しかし、このほのめかしは危険だ。それすらも体制側が用意した可能性がある。大衆蜂起の暴力は、すでにつねに体制内部へと安全に構造化されている。『一九八四年』でオブライエンの芝居を見抜けなかったウィンストン・スミスを思い出すべきだ。島田のような明確な思想犯を、強制的・矯正的に改宗するのは簡単だ。では、明確でない思想犯にはどうしたらよいのだろう。反体制活動をほのめかし集まった者たちを一網打尽にするのが得策である。映画を観る限りでは課長のポジションは不明瞭である。

一人目のイキガミ受取人、田辺翼の事例が教えてくれるのは体制が反体制を取り込み拡大・浸潤していく手際のよさだ。田辺は売出し中のミュージシャン（デュオ）だ。路上ライブで活動していたら音楽会社の人間に発見され、プロデビューした。ただしプロデビューの条件は、路上ライブで組んでいた相方（森尾）とは別れ、会社が用意したミュージシャンとデュオを作ることだ。失意の森尾は工事現場の労働者として肉体労働に従事しながら、田辺の活躍を気にしている。テレビ初登場の日時が田辺の死亡予告時刻であった。リハーサルを無視し、本番ギリギリにテレビ局に現れた田辺。自分の出番では予定していた曲ではなく、路上ライブ時代に森尾と歌った歌を急遽、ひとりで歌い始める。テレビ画面越しに森尾は声とギターを重ね昔のデュオは復活したが、田辺は歌を歌い終えると同時にその場に倒れ、国繁死を遂げる。

死後、問い合わせが殺到している田辺の歌について、藤本は課長に「最初からこの歌で勝負していれば」と言うが、課長は「死ぬ瞬間、全身全霊で歌った」からこそ多くの人の心をつかんだのだと、国繁イデオロギーを教科書的に反復する。藤本の上司として役割的に国繁イデオロギーを繰り返しているだけなのか、それとも本当にそう思っているのか、判断できないし、判断したところで大きな変化はない。重要なのは課長がそう信じているかどうかは関係なく、イデオロギーは田辺の死を飲み込み社会に浸潤する点だ。映画の最後、音楽会社のプロデューサーは路上ライブをソロで再開した森尾を見つけて、プロデビューの話を持ちかける。国繁死の直前に田辺が歌った歌（「ミチシルベ」）がデビュー曲だ、と言って。森尾は「あんたたちに聞かせる歌はない」と断るが、アマチュアだろうとなんだろうと再び楽器を手にする決意をしたのは田辺の国繁死を目の当たりにしたからだ。田辺の死が森尾を変えた。この変化を肯定的にとらえてよいものか。森尾の変化こそ国繁イデオロギーの効果そのものだからだ。

『イキガミ』は「生活維持省」のテーマを引き継ぎつつ、人口調整の目的を資源の再分配にしない。国家が独占した暴力を若者のみを対象にして確率的に再分配することで、生命の価値を再認識させる。反体制、反国繁イデオロギーの存在もほのめかされているが、どこまで実体的かは不明であり、反体制すら支配的イデオロギーの一部の可能性すらある。島田や滝沢和子といった思想犯罪者は徹底的に再教育されイデオロギーの尖兵となる。国民、それも若者をランダムに殺すことが国家の繁栄を維持するという発想は、ナノカプセルに具象化した例外状態を社会内部に構造化する。国繁に乗るも反るも生命の価値の称揚に回収され、対象者・傍観者・執行者いずれの立場の人も抱く制度自体への反発は、いかに死を受け入れるかという人間的なメロドラマへと矮小化される。一方で理不尽な死は相変わらず社会に散見されるが、国繁死はそれとは別の理不尽さを含む。国繁イデオロギーの理不尽さは、自分の死を他の誰かの健康（福祉）に読み替えても解消されない。さとしは死ぬ直前まで、死にたくないと言っていた。当然である。国繁死は受け入れがたい。受け入れがたいからこそ、国繁死のイデオロギー的効果が発揮される。

国繁死という理不尽すぎる暴力が身近に頻発する社会では、理不尽さとは無根拠さのことだ。どれだけイデオロギーがメディアと教育装置を通じて国家繁栄維持法の意義を説いたところで、国家的暴力の根源的無根拠性は解消されない。国繁当事者は理不尽さから意味を取り出そうとし、傍観者は国繁に内心で反対していてもその死に衝撃を受け、価値観を変化させる。それが国繁の目的だ。国繁体制では「例外が規則化し、剝き出しの生が政治空間と一致する」（アガンベン）。人口調整ディストピアに人は抗えるのか。当事者も傍観者も執行者も、それぞれの立場で葛藤し、反抗を試みるものの、理不尽さを理解可能な意味へとズラすことが精一杯であり、国繁イデオロギーの影響下から逃れられない。

7　静謐な「自決」を止める――映画『PLAN75』

相次ぐ高齢者への襲撃事件を受けて作られた高齢者の安楽死を認める法律。通称、プラン75。冒頭、銃をもった血まみれの男は、おそらく介護施設の高齢者を殺し、自らの命も絶つ。犯行声明で「増えすぎた老人がこの国の財政を圧迫し、その皺寄せをすべて若者が受けている。老人たちだって、これ以上、社会の迷惑になりたくないはずだ。なぜなら、日本人というのは昔から、国家のために死ぬことを誇りに思う民族だからだ。私のこの勇気ある行動がきっかけとなり、皆が本音で議論し、この国の未来が明るくなることを心から願っている」と言う。

続く、テレビのニュース。

七五歳以上の高齢者に死を選ぶ権利を認め、支援する制度、通称プラン75が、今日の国会で可決されました。高齢者が襲撃される事件が全国で相次ぐ中、深刻さを増す高齢化問題への抜本的改革を政府に求める国民の声が高まっていました。発案当初から物議をかもし、激しい反対運動がくりひろげられましたが、ここにきてようやくの成立となりました。前例のないこの試みは、世界からも注目され、日本の高齢化問題を解決する糸口になることが期待されます。

四人の人物に焦点が当たる。一人は七八歳の高齢者ミチ。ホテルでハウスキーパーの仕事をしている。

同じく高齢の同僚と、健康診断へ行ったり遊びに行ったり、楽しく過ごすこともある。しかし、その友達からプラン75のことも聞かされる。転機となったのは、同僚のイネが仕事中に倒れたことだ。真偽はわからないが「ホテルで老人を働かせるな」という投書もあって、高齢の仲間は皆、解雇される。家族を頼る者もいるが、独り身のミチは仕事を失い、家も失いそうになる。不動産屋からは「生活保護受給者向けの住宅」を勧められる。ミチは「もう少し頑張ってみたい」といって生活保護の受給は考えていないと言う。ようやく交通整理の仕事を見つけるも、肉体的に過酷だ。いざ公的な生活支援を頼ろうとしても、相談は締め切られている。公園で炊き出しとセットになっているプラン75の説明を受け申し込む。

二人目はマリア。スペイン語圏からの出稼ぎ労働者。故郷に夫と五歳の娘を残している。娘は心臓の病気で手術が必要だが、そのための金がない。月一五万円の給料で老人ホームで介護士として働いているが、同郷コミュニティで「もっとよい政府関係の仕事」を紹介される。二つ返事で引き受けるが、勤務先はプラン75を申し込んだ高齢者が安楽死をする施設だった。

三人目は役所でプラン75の手続きをするヒロム。役所で困っている老人がいたら、積極的に声をかける、人あたりのよい青年である。ただ、主な仕事はプラン75の紹介だ。公園の排除ベンチのデザインを業者と打ち合わせし、その後、公園で生活困窮者向けの炊き出しの横で、プラン75のノボリを立てて仕事をする。二〇年ぶりにおじさん（父の兄弟）と再会したのは役所の窓口だ。七五歳になったばかりのおじさんは三親等の親族のため、自分は担当から外れる。

四人目は、プラン75に申し込んだ高齢者を電話でサポートするヨウコ。電話は一五分と決められていて、まだ話し足りないと感じたミチの願いで、ヨウコは一緒にボウリングへ行ってしまう。コールスタッフは高齢者との直接の接触は禁止されているのだ。なぜかとミチに問われ「情が移るからでは」とあやふやな答えをするヨウコ。ヨウコにとってミチは特別な人になっていく。しかしヨウコになすすべはない。

じつに静謐な映画だ。ラジオ番組から流れるクラシック音楽で幕を開ける本作は、ギリギリと真綿で首を絞められるように高齢者が「自決」へと押しやられていく様子を丹念に描く。明確な暴力、とくに高齢者に向けられた剝き出しの暴力は描かれない。冒頭の高齢者襲撃事件は、襲撃が終わったあとから始まる。公園でプラン75相談所を設営するヒロムに、ペンキのようなものが投げられるが、投げた相手は映らないし、ペンキは、パネルを狙ったのか、ヒロムにはしぶきは飛ぶが、パネルを汚しただけだ。安楽死は口につけたマスクからガスを吸引させ、高齢者は眠るように亡くなる。

ミチたちが社会のあちこちで感じる高齢者への圧力も、はっきりとした暴力の形は取らない。健康診断の待ち時間、待機場所のベンチの前においてあるテレビからプラン75のCMが流れ続ける。プランを選択した高齢者が、生まれる時は選べないが死ぬ時を選べたら「安心」でなんの迷いもないと語る。不快に感じた一人の老人がテレビCMを消そうとリモコンを操作するが、なかなか消えない。老人はコードを引っこ抜き、ようやく消す。ずっと俯いていたミチは、その様子を見て少し笑う。高齢者の就職先はない。ハローワークのような職業斡旋所で、若者に混じってコンピュータ端末を操作しても、おそらく年齢のためかゼロ件と表示される。ミチはそれを「壊れているのではないか」と思い係員に聞くが、「壊れてはいない」と返される。壊れてはいない。じゃあ、「何がいけないのか」と含みがある。

おそらく年金はもらえない。生活保護を申請しようにも窓口は閉まっている。借家住まいのミチは、失職すると住むところを失うことになる。住むところを失った人はどこへいくのか。公園だ。しかし公園のベンチには排除棒がついていて、体を横にすることはできない。ただ座るだけ。座った目の前に、炊き出しとプラン75のノボリがセットになっている。優しい声をかけてくれるのは、プラン75を斡旋する役所の人間のみ。優しく、ゆっくりと、確実に、死を「選ぶ」ように誘導する。

　コールセンターで働くヨウコは、ミチと最後の電話をしたあと、放心状態になる。彼女の背後ではコールセンターの女性上司が、職務内容を新任のコールスタッフに説いている。いわく、途中で止めたいと言う人が多いがそうならないよう「みなさんがうまく誘導する」、誰も好きこのんで死ぬ人はいない、そういう気持ちにきちんと寄り添い、その上で利用者がこの世に未練を残すことなく旅立つ（死ぬ）ようにする。コールスタッフに「ノルマ」はあるのだろうか。ヒロムをはじめとする役所の人間に、プラン75の契約件数の「ノルマ」はあるのだろうか。作中で明示されないが、ノルマがあったところで何の驚きもない。

　プラン75は、国家による究極の暴力＝死を薄めて分配する制度だ。薄めたところで死は死である。映画では高齢者への暴力は直接的には描かれないが、薄めた暴力は無毒でもない。プラン75に関係する人、それも若者の精神を蝕んでいる。ヒロムとヨウコは、プラン75を選んだ高齢者との個人的な関係を通じ、制度＝システムへの違和感が体内に育っていく。しかし、システムの転覆にはならない。ヒロムが公園に立てたパネルにぶつけられたペンキは、誰かによってであり、ヒロムがやったわけではない。ただし、ヒロムの内面をまったく表現していないか、といえばそうではない。ヒロムは、おじさんを施設まで送るが、送り出した帰り道、施設に急いで引き返す。おじさんはすでに亡くなり、それでもヒロムはおじさんの遺体を施設から勝手に連れ出す。役所で知ってしまったのだが、施設の遺体は火葬場で焼かれたあと、産業廃棄物処理業社に引き渡される。人が産廃として処理される。高齢者は死んだ後、国家システムという「産業」が出した「廃棄物」になる。ヒロムはおじさんをせめて「産廃」にだけはしないようにと火葬場を探す。スピードを出すヒロムの車は警察に止められ、結局、火葬に間に合ったかどうかはわからない。

プラン75を選び、安楽死施設のベッドに薬物吸入用マスクを装着して横たわるミチ。隣のベッドには一足先にヒロムのおじさんが安楽死させられる。しかし、ミチはいつまでも意識を保つ。隣の看護師が「機械の故障」の連絡を受けていなくなる。安楽死装置の故障が暗示される。生き残ったミチは施設を後にし、見晴らしのよい場所から山のあいだに昇る日の出を見る。彼女は二度目の安楽死ではなく生を選ぶ（「自決」）が、彼女が帰っていく社会は、何一つ変わっていない。おじさんの人間的尊厳を最後に取り戻そうとしたヒロムがスピード違反で警察に捕まってしまったが、果たしてミチは自決を迫る社会から逃げられるか。

死にすら階級がある。ミチの同僚が話していた安楽死の民間プランではリゾートホテルで最期の時を過ごす。プラン75は役所が提供する国営の格安プラン。支度金一〇万円を受け取り、火葬場・納骨場所を提携先に選べば費用はかからない。もっとも産廃扱いなのは伏せられている。ミチの同僚は三人いるが、子どもと孫はいるものの関係が切れているイネは自宅で病死し、家族のもとへ行ける者は「孫のベビーシッター」になる。出稼ぎ労働者のマリアは安楽死施設で遺品の整理を行うが、先輩の日本人同僚から金目のものを私物化する（盗む）ことを教えられる。単に時給が良いだけではなく、追加収入が見込めるため高収入なのだ。安楽死施設の運営費は、どこまで圧縮されているのか。高齢者の福祉負担で国家財政が圧迫されているのがプラン75制定の背景にあるから、安楽死施設に多額の税金が投入されているとは考えにくい。時給もそこまでよいわけではないかもしれない。

マリアは、ヒロムがおじさんの遺体を運びだす手伝いをする。彼女にとってリスクだ。何のメリットもない。見つかったらクビになってしまうかもしれない。それでも、彼女は手伝う。これは、奪われる者たちの連帯の可能性ではないか。

流れるように高齢者を「自決」に誘う本作に登場するテクノロジーを三つ取り上げたい。この三つは社会と一体化したベルトコンベアだ。ミチが健康診断後に耳にしていたプラン75のCMを流すテレビ。ハローワークのパソコン。公園の排除ベンチ。おそらく健康診断は年齢で区切られている。プラン75に申し込んだ高齢者が待ち時間に安楽死の案内を目にする。高齢者向けの仕事を表示しないパソコン。仕事が見つからなければ、公園で野宿でもするほかないが、ベンチで横になることを許さない排除ベンチ。悪意/暴力が死への道をなだらかに舗装する。

テレビはリモコンで操作しても画面が消えない。テレビまたはリモコンが壊れているのか、とまず疑う。どうやら「壊れてはいない」ようで、なぜCMが消えないかというと、そういう設定だからだ。それに気がついた老人は、テレビの電源ごと引っこ抜く。ということは、ミチはコンピュータの電源を、あるいは排除ベンチの排除棒を、引っこ抜いてしまえないのか。テクノロジーには物理的攻撃で、テクノロジーそのものを粉砕できないものか。ミチの安楽死装置が故障したのは偶然だが「偶然」を意図して起こし続けられないか。もし物理的攻撃に身体的エネルギーを必要とし高齢者のミチではできないというのならば、たとえばマリアのような若い力にできないものなのか。静かな絶望に溢れた本作に希望を見出すとしたら、テクノロジカルに推進される世代的分断を、階級的連帯を通じたテクノロジーへの物理的攻撃によって止めることにあるのかもしれない。

8　人口調整ディストピア　結論

人口過密のためか、圧迫する財政のためか、それとも「生きる意味」のためか。理由はさまざまだが、国家が国民人口の調整を行う物語をたどってきた。物語にはバリエーションがあるが、その一方で「例外がいたるところで規則になっていく過程と並行して、もともとは秩序の周縁に位置していた剝き出しの生の空間が、しだいに政治空間と一致するようになった」（アガンベン）ことが共通する。例外状態における主権者の決断は因果が転倒し、決断する者が主権者だとされる（シュミット）。ただし、例外状態を必要状態と見做し「必要は法律をもたない」ために、決断主体を法的に位置づけられなくなる。決断主体が主権者となったとき、主権者が自らを含む主権者の死を決断できるのか、《私たち―あいつら》の境界線を共同体内部に引く《私たち》とはいかなる存在なのか、これらの物語は問いかける。

人口調整ディストピアの古典たる星新一「生活維持省」は、国民を執行者／当事者／傍観者の三層に分離させた。さらに、執行者が当事者になる可能性がつねにつきまとうことがエンディングで示される。執行者と当事者の境界線は流動的だ。判定区分はコンピュータによると言われるものの、透明性が必ずしもあるわけではない。

星新一が人口調整の必要性（根拠）を人口過密に求め、当事者をランダムに選定するのに対して、藤子・F・不二雄「定年退食」は、人口過密・食糧不足を人口調整の根拠にする点は同じだが、年齢に基づき当事者を選ぶ。「冷徹で理性的な判断」と強調され、当事者たる高齢男性二人組は、自分たちを待ち受ける運命を諦念とともに受け入れる。「生活維持省」ではランダム選定のうえ、当事者を苦しめないために当事者が事態を理解しないままで執行されるので、当事者の声は原理的に聞けない。他方、「定年退食」はみな年をとれば高齢者になり、高齢者も段階的に食糧（福祉）が削減される＝退食するので、当事者が突然選ばれこの世から消されるわけではない。ゆえに「生活維持省」では聞けなかった当事者の声が読者には聞こえるのだが、果たして声を聞いてくれる人はこの社会にいるのか。親と子の世代間対立は描かれても、高齢者を人口調整していく国家と主権者たる国民の間の対立は描かれない。対立が存在し得ないのだ。緩慢に人権が削られる高齢者とは、そもそも対立しようがない。

人口調整の対象となる当事者をランダムに選ぼうと、年齢で選ぼうと、突然に執行しようと段階的に執行しようと、当事者の声は存在しないものとされる。声はあっても、聞かれない。当事者の声はない。声が聞ける場合でも、声を聞いてはいけない。

国民は国民自らの首を絞められるのか。国家が人口調整する法律を、民主国家はどうやって成立させるのか。例外状態では決断するものが主権者となる。『七十歳死亡法案、可決』は財政を圧迫する高齢者を社会から退場させる法律を、カリスマ総理大臣の力技で成立させたが、福祉国家建設のためのショック療法（ブラフ）だと明かされる。ひとたび《私たち》共同体内部に例外状態の穴が開いてしまうと、《私たち—あいつら》の線引きは難しく《私たち》として誰が残るのだろうか。『百年法』は《私たち》として残るのは、国民ではなくインフラだと答えた。例外状態で決断した政治家は、国民の生死を権力闘争の資源とし「皇帝」のように振る舞う。独裁はやがて失敗するが、カリスマ的リーダーの独裁待望論が通奏低音だ。《私たち―あいつら》の境界を《私たち》が定められないとき、この枠に収まらない超越的存在が召喚される。この超越的存在は、人であって人でなく、最終的にインフラとしての国家として具象化する。

例外状態をつくり出す国家の下で生きる人々に反抗するすべはないのか。『イキガミ』は執行者内部の分裂が仄めかされるが、制度に反対した当事者の声は体制強化のために利用される。外部すら内部化する国家＝制度はびくともしないように見える。『PLAN75』では、静かなベルトコンベアに運ばれるように、高齢者たちはテクノロジーとアーキテクチャで、死へ追いやられる。静謐で冷徹なテクノロジーに抗えないのか。一人の老人がケーブルから引っこ抜いて安楽死プランをCMするテレビを電源から消したように、テクノロジーをさらなるテクノロジーではなく、身体的暴力でもなく、物理的な力で押し返すことはできないのか。ほとんど唯一の「安心できる」シーンは瞬間的であり永続はしなかった。テクノロジーの「偶然の故障」を必然に読み替えられないか。

人口調整ディストピアは《①》法によって例外を定める政治権力が瀰漫する。《私たち―あいつら》の区分を《私たち》共同体内部に出現させ《私たち》国家の延命を図る。政治権力は決断できる民主的独裁者の姿に具現化する。人口調整を執行するのは法律（官僚・役人）だけではなく、社会に埋め込まれたアーキテクチャでもある。執行対象者は例外状態の穴へとテクノロジーで舗装されたベルトコンベアで運ばれる。人口調整をつかさどる「冷徹な」アルゴリズムはいつも不透明だ。《②》人口調整社会の市民は執行者、当事者、傍観者に分けられる。人口調整のカッコ付き「根拠」でこの三者の立場は流動化する。執行者も傍観者もやがて当事者になり《私たち》として誰が残されるのか。インフラとしての国家（観）だ。《④》子ども番組にテレビCM、学校教育から政府広報まで、至る所でプロパガンダは流される。対立があるように見えるがあくまで疑似的なガス抜きだ。本質的な対立、法と例外の緊張関係は「疑問のひびき」「うわさ」「裏の法律」といった偽の表現が社会の表層で与えられた後、社会の深部へ慎重に隠され、近代国家の政治権力の源泉となる。《⑤》人口調整は国家存続の危機という例外状態での必要な措置とされる。人口爆発、食糧不足、環境破壊など人間の手に負えない外部＝自然環境が危機の原因とされるが、そこにイデオロギーが混入する。

第4章　災害ディストピアとニーズの分配

1　人新世と気候正義

「『人新世』以降、すべてのＳＦは陳腐（banal）である」とは科学史を専門とする塚原東吾がアドルノを踏まえて言った言葉だ[1]。たとえば、ＳＦに登場する核のボタンを握ったマッドな大統領というキャラクターは、現実のものとなった。いままでＳＦが文明批評たりえたのは、批評対象の文明とＳＦのあいだに距離があったからだ。ＳＦの想像＝創造的ビジョンがベタに社会に実装されたとき、それでもＳＦが批評的視座をもつには、どうしたらよいのか。

「過去数十年、人間の活動が拡大するにつれ、地球の生態系はかつてない規模で変化してきた。この時代に名前をつける必要がある——多くの人がそう考えたのもの無理はない。その名が「人新世（アントロポセン）」である」[2]。人間が地球に与える影響は、近年、加速度的に増している。気候変動の根拠として大気中の二酸化炭素量が示されるが、産業革命以前（一七五〇年）と比べると約五〇％増加している。[3] 狩猟採集から農業、産業革命から情報化社会へ、人類がテクノロジーを発展させればさせるほど、地球への環境負荷は増す。国連の推計によれば世界人口は二〇八六年の一〇四億人をピークに減少する。[4] が、まだ時間はかかるし、減少局面に入っても百億人いる。少なくとも今後一世紀は、現在と同程度の負荷が地球にかかり続ける。

気候変動は人類にとっての脅威だ。しかし、この脅威はユヴァル・ノア・ハラリがあげた飢饉・疫病・戦争とは種類が異なる。飢饉・疫病・戦争はテクノロジーが解決・改善したが、気候変動はテクノロジーが根本原因だ。それも、単線的な原因ではなく、いくつもある原因をたどった先のそれぞれにテクノロジーがあり、問題のテクノロジーだけを取り出し解決・改善できない。温室効果ガスの排出制限も、正直いえばどこからどう取り組んでよいのかわからないほどに、原因となるテクノロジーは散らばっている。

気候変動の解決策として「よりよいテクノロジー」を提案するものがいる。テクノソリューショニズム（技術解決主義）だ。なるほど、たしかに気候変動も地球が抱える「技術的トラブル」であり、よりよいテクノロジーであれば解決できるかもしれない。しかし、解決できないかもしれない。夢のテクノロジーと謳われたものが、ある問題を別の問題にズラし解決したように見せただけという事例にテクノロジー史は事欠かない。気候変動対策が、新しいテクノロジーを模索しつつ、人間の活動制限の両方が叫ばれるのも、理にかなっている。しかし、一人の人間として困惑を覚えるのも確かだ。テクノロジーを信奉すればよいのか、テクノロジーを抑制すればよいのか。どちらに答えがあるのか。地球温暖化の原因だと知りながら、地球温暖化で生じた異常気象に耐えるためにエアコンをつけっぱなしにしなければならない事態が生じている。
気候正義という言葉がある。気候変動は先進国が発展するために消費したエネルギーの影響を、発展途上の国は先進国以上に受ける。また、先進国でも現役世代と将来世代のあいだで、発展の恩恵と環境破壊の被害の不均衡が生じている。これら地域・世代におよぶ不公平さを、気候変動を人権問題と捉えなおし、人類全体にとって人権が保障する「人間らしい生活」を脅かす危機として、地域・世代関係なく解決に向かっていかなければならない、と気候正義は考える。[5]
正義は理解できたとして、正義を実現するために私たちは何をしなければならないのか。環境保護活動は、気候正義を実現する手段の一つだ。「SDGsは「大衆のアヘン」である！」と斎藤幸平は言ったが、[6]昨今のマスメディアが喧伝するゆるふわSDGsはその不徹底ぶりから批判されうる。その一方で、どこまで徹底すればよいかの判断は難しい。環境活動家のグレタ・トゥーンベリが日本でも注目されると、冷笑的な批判を投げつける者もいた。環境保護活動家たちの「過激な」抗議行動は、ときに「一般」市民から冷ややかな反応が返ってくるが、人間ではなく地球視点で見れば許容される、と少なくとも彼らは思っている。地球に人間が住めなくなれば人間文明どころではないので、地球第一に行動するのは間違っていない。活動家（市民）と一般市民の区分を問うのが、環境保護活動なのだ。
気候正義の「正義」に武力行使を認めたのが斉藤詠一『環境省武装機動隊EDRA』だ。物語は「大異変」後の二〇三八年を舞台にする。二〇二〇年代後半、地球環境は臨界点を超え、地球は異常気象や大規模災害に見舞われる。海に面した国は水没し国民は難民となる。地域紛争の原因となり、武力衝突はやがて核使用につながる。こうして「大異変」をきっかけに始まった世界戦争を「異変戦争」と呼ぶ。何億人もの人が命を失い、環境汚染と七メートルの水面上昇により、人が住める場所も減った。国連は、地球環境への脅威は人類への脅威だとして、二酸化炭素排出や森林破壊などの環境保全に協力しない国への武力行動を是とする。人道上の危機があれば国連安保理決議を経て軍を派遣してきたように、自然環境への脅威も軍事的安全保障活動の一貫とされる。こうして「自然を壊す者を国際社会は許さない」世界ができあがる。主人公は日本の環境省下に組織され武力行動も認められている武装機動隊に所属している。

『環境省武装機動隊ＥＤＲＡ』は環境の正義を貫徹するための実力行動を積極的に認める。「正義」を普遍的な人権を守る理念から、武力を使ってでも実現するものへと読み替えた。今の日本から見るとあり得ないように思えるが、「大異変」と「異変戦争」後の世界であればあり得る。ヒトが地球環境の危機を自分たちのことと理解するには、何か大きな出来事と、出来事を教訓として制度のなかに永続化することが求められる。ヒトはデフォルトでは地球環境を考えられないようにできている。

ヒトが森から疎林に生活領域を移した後、外敵や環境の危険から身を守り生存・繁殖することに最適な脳が作られた。現代人の脳も、サバンナ時代のヒトの脳と共通した要素をもつ。サバンナ時代のヒトは、自分と仲間と敵だけを認識して生き残ってきたのだろう。サバンナで地球環境に想いを馳せるヒトはいたのだろうか。いたとしても、その地球規模の想像力が形質として脳に継承されていったとは考えにくい。脳のリソースを使うなら、もっと生存に直結したエサの発見や身近な脅威の回避に使ったほうが生存に有利だ。昔のヒトは地球のことを考える必要がなかった。地球はヒトの生存に関与しなかったからだ。むろん災害はあっただろう。しかし、天災は天災であり「考えるだけ無駄」なものだ。人間の脳は地球のことを考えるようにはできていない。だとしても二一世紀の私たちは地球のことを考えないと、人類の、地球の未来が危ない時代に生きている。

人間の脳は可塑的だ。文化的訓練で、想像できなかったものを想像できるようになる。近代国家が国民・臣民にイデオロギーを注入し、見たことも話したこともない誰かのために自分の命を投げ出す兵士を育てられたのも、文化的訓練の「賜物」であろう。国家のイデオロギー装置が、ヒトに国家なる近代の産物を想像させるなら、「地球のイデオロギー装置」があってもよいではないか。

どうしたら気候正義を私たちの正義に重ねられるか。「私たちの正義」のことを、ハラリなら「共同主観」と呼ぶだろう。人間には主観と事実（客観）のあいだに、共同主観（イデオロギー、物語）があり、古くは宗教、現代であれば民主主義、人権概念、貨幣制度、資本主義がその役割を担う。複数の人々のあいだで共有される主観で、信じている者のあいだでは「事実」と同等の効果をもつ。気候正義という共同主観を人類規模に拡張できれば、人は誰しも自分のこととして環境保護に取り組む。しかし、そんなことは可能なのか。個人と人類のあいだに中間項（中間共同体、小集団）[7]が必ず存在する。《私たち》の数のオーダーは、サバンナ時代に脳に刻まれたままだ。《私―私たち―人類・地球》のスペクトラムの中間に位置する《私たち》＝中間共同体をどう設計するかで、最小ユニット《私》と、最大ユニット《人類》や《地球》との関係は変わる。いまのところ気候正義は限られた《私たち》集団内部でのみ通用する価値なのだ。

「エコ不安」という症状がある。「地球環境の問題が原因で気持ちが沈んでしまう「エコ不安」が若者を中心に広がっている」[8]。環境問題への慢性的な不安・恐怖のことで、重度になるとうつ病や不眠症に陥ることもある。医学的な診断基準はないものの、米国心理学会は症状として定義し、ＷＨＯも気候変動とメンタルヘルスに関する政策要綱をまとめている。個人で地球環境を考えると無力感で落ち込むかもしれない。では、仲間同士だとどうだろう。記事では「エコ不安の対処法」として「コミュニティーに参加するなどして、同じ関心を持つ人々とつながる。不安を共有する」と米国心理学会のウェブサイトの文言を紹介している。しかし、コミュニティで不安を共有することが、不安を亢進させないだろうか。コミュニティでのやりとりがオンライン上のソーシャルメディア中心の場合はとくに。「エコ不安」は《私―私たち―人類・地球》の尺度で、《人類・地球》に照らし合わせて《私たち》中間共同体を不安定なものと定義した結果、個人が不安に苦しむ状況である。《私たち》中間共同体を定義するのは、個々の《私》（個人の集まり）だけではない。《私》が《私たち》の向こうに見る《人類・地球》も《私たち》中間共同体の定義にかかわる。人類や地球を視野に入れながら《私―私たち》の関係を探求できるのはSF以外にないだろう。

本章では災害SFをあつかう。地球規模の災害が発生すると、人類・地球も大きな影響を受けるが、個と人類のあいだにある中間共同体も大きく変容する。人類の存亡に関わる地球規模の（複合）災害が発生し、それまでの秩序・体制は機能停止しディストピアが誕生するかもしれない。しかし、人間の歴史を見てみると、災害時にはユートピアが出現するようだ。SF作品の検討に入る前に、レベッカ・ソルニット『災害ユートピア』を見てみよう。

2 ソルニットの災害ユートピア

自然災害が起こると怯えた群衆は自分たちだけは助かりたいとパニックになる――「パニック映画」と分類される映画では、たびたび人々が混乱し秩序は容易に崩壊する。かろうじて理性を保っている一部エリートがリーダーシップを発揮し、なんとか難局を乗り切るところまでセットになって描写される。これはフィクションの話だ。現実にはどうなのだろう。ノンフィクション作家のレベッカ・ソルニットが集めた事例は正反対の事態を示す。

市井の人々は利他的に振る舞う。見ず知らずの人を気遣い、団結し、足りないものを補い、あまっているものは分け合う。下から自立的な相互扶助（クロポトキン）コミュニティができあがる。他方、権力の中枢にいる政治家、軍人、マスメディアも含むエリートたちは、市民は暴徒化し犯罪が発生し被災地区は無法地帯になる、と思ってしまう。そのため、警察・軍を派遣し被災者をまるで犯罪者のように扱う。アメリカのニューオリンズを襲ったハリケーン・カトリーナの場合、自警団が組織され多くのアフリカ系アメリカ人が「市民」の手によって殺された。災害が発生すると、権力が中央のエリートから現場の人々へと移行し、エリートはそれを認められないのだとソルニットは推測する。エリートは弱肉強食の競争を利己的に生き残り権力の座についたため、他の者たちも同様の考え方をするのではないかと思い込む。

ソルニットは、一九〇六年のサンフランシスコ大地震、一九一七年のハリファックスでの大爆発事故、一九八五年のメキシコシティの巨大地震、二〇〇一年のアメリカ同時多発テロ、二〇〇五年のニューオリンズのハリケーンを取材する。時、場所、災害の種類は異なっても、観察される人間のふるまいには共通した要素がある。それを「人間の本質」と呼んでいいのか躊躇いながら、ソルニットは大多数の利他行動と少数エリートのパニックを対比させる。エリートパニックは、少数のもののパニックであっても権力を持っているがゆえに影響力は大きい。ソルニットは、関東大震災後に起こった自警団による朝鮮人の虐殺にも言及している。「災害時でも礼儀正しい日本人」は正しくない。災害時でも利他的な行動をする人はどの国にも広く見られるし、エリートパニックの結果、権力者やその付託を受けたものの暴力も見られる。

［災害は］わたしたちを危機的状況の中に引きずり込み、職業や支持政党に関係なく、自らが生き延び、隣人を救うために行動することを、それも自己犠牲的に、勇敢に、主導的に行動することを要求する。絶望的な状況の中にポジティブな感情が生じるのは、人々が本心では社会的なつながりや意義深い仕事を望んでいて、機を得て行動し、大きなやりがいを得るからだ。（一八）

私たちの経済・社会の仕組み、イデオロギーが、このような目標の達成を妨げている。しかし、災害という非常事態の到来が、イデオロギーに亀裂をいれ利他的・自発的・相互扶助の共同体、ユートピアを出現させる。被災者の「廃墟からの蘇生」を妨げるのは「災害時にしばしば粗野な行動に出る、権力の座にある少数派の行動」と「メディアの思い込みと彼らの役割」（二〇）だ。

災害社会学者の草分けチャールズ・フリッツの見解をソルニットは引く。「日常生活はすでに一種の災害であり、実際の災害はわたしたちをそこから解放するというものだった」（一五五）。災害は私たちに生きるか死ぬかを突きつける。日常の生活は、社会・経済・イデオロギーによって複雑化され、私たちは「疎外」を感じる。災害は複雑さ・疎外から自己を取り戻す契機となりえる、とフリッツは言う（ソルニットの解説によると）。

二〇一一年三月一一日、東日本大震災が発生した。その直前まで、日本における中間共同体の崩壊が「無縁社会」や「個族」といったキーワードとともに論じられていたことを私は思い出す。震災直後は、日本人は人とのつながりの重要性とありがたみを再確認し、不思議な高揚感に包まれていた。さまざまな美談がメディアを通じ伝播・反復され日本全体に共有されていった。二〇一一年の「今年の漢字」は「絆」が選ばれた。東日本大震災からすでに十年以上経過した。あのときの絆は、日本人が失いつつあった中間共同体を再興した結果だといえるだろうか。

災害ディストピアとは何か。

ある地域、さらには人類全体が大規模で（半）永久的な災害に見舞われると、既存の秩序は停止する。シュミットに倣えば例外状態だ。これらの災害は（半）永久的で変化は不可逆的、例外状態は恒常化する。やがて新しい秩序は作られるのだが、この新しい秩序をどう評価するのか。新しい秩序・共同体は、ユートピアになる可能性もあれば、ディストピアになる可能性もある。ソルニットが懸念するように災害をテーマとするハリウッド映画は、群衆パニック／強いリーダーシップを好んでとりあげる。現実にはその反対、利他的に振る舞う多数／エリートパニックなのだが。家族・小集団から国家まで幅はあるが、中間共同体が機能不全に陥るとき、ひょっとしたら私たちは人類としての自覚が芽生えるかもしれない。あるいは、権力の空白地帯を巡って暴力とイデオロギーの闘争が始まるかもしれない。

災害に注目するのは、私たちの人間としての生活基盤を根底から覆すからだ。災害は、テクノロジーが下支えする必要物質（ニーズ）やインフラを壊す。インフラを失った人類は文化文明の維持がままならない。新しい秩序はユートピアでもありえるが、それ以上にディストピアとなる可能性が高い。フリッツ（を引くソルニット）によれば、複雑な社会を災害は一時的に単純化するが、災害ＳＦは複雑な社会を別の複雑な社会に作り替える。複雑なこの新しい世界では、たとえば食糧・資源といった生存のための必要物質（ニーズ）分配をめぐり、しばしば争いが起こる。気候正義が前提とする人権概念は、気候変動の果てに再来するかもしれない弱肉強食の世界でも「共同主観」として信じられるのだろうか。《私－私たち－地球》のスケールで、地球が甚大な変化を遂げたとき、《私たち》が唱える正義や人権は意味を持つのか。災害ＳＦは容易に、災害ディストピアＳＦになる。ユートピアの可能性はないのか。

それでは、災害ディストピアＳＦを読んでいこう。

3　新しい社会を設計する――ジョン・ウィンダム『トリフィド時代』

ジョン・ウィンダムの『トリフィド時代』は人類を襲う二つの危機に、人々がどう立ち向かうのか、そもそも立ち向かえているのかを描く。複合災害とも呼べる事態のあと人類はトリフィド時代に突入し、既存の秩序は崩壊する。では、災害ディストピアを生き残るには何が必要なのか。道徳だろうか、暴力だろうか。それとも？

一つ目の危機は夜空にながれた流星だ。流星を見たものは目が見えなくなる。流星（彗星）の正体は最後まで明かされないが、地球軌道を周回する人工衛星に搭載された放射性兵器の可能性が示唆される。「数のわからない衛星兵器が、地球をぐるぐるまわっていたんだ。[…]そのなかに、なにが入っていたんだろう？」（三六五）しかし、人類のほとんどが失明した今、原因を突き止められないし、原因がわかってもどうしようもない。語り手のウィリアムは目の怪我で入院中、流星を見ずに失明の危機を逃れた。ウィリアムのような行幸に恵まれた者もいるが、圧倒的多数は失明し、社会生活を営むのはおろか人間文明を維持できなくなる。

『トリフィド時代』
初版本カバー

単に失明だけですめば人類は助かっていたかもしれない。目の見える人が目の見えない人を助ければ、なんとかやっていけたかもしれない。もう一つの危機、トリフィドさえいなければ。トリフィドは植物である。良質な植物油がとれる。しかし、トリフィドは自分で根を引っこ抜き移動する「歩く植物」だ。音を出して近くにいる他のトリフィドと意思疎通している様子も描かれる。肉食で、昆虫だけではなく、家畜を含む動物、さらに人間の肉も摂取する。「トリフィドの茎の頂部にある渦巻きが、長さ十フィートのほっそりした棘つきの鞭としてくりだせ、もし保護していない皮膚が直撃されれば、人ひとりを死にいたらしめるだけの毒を放出できる」（六二）。

流星と同じくトリフィドの起源も不明だ。ソビエトが関係しているのではと示唆されるが、トリフィドの種子を輸送中の飛行機が撃墜され世界中にトリフィドが広がってしまったあとでは、起源を突き止めたところで、トリフィドの脅威が減じるわけではない。流星以前の世界で、ときおりトリフィドに傷つけられる事故はあるものの、人々は概ねトリフィドを管理できていた。ウィリアムもトリフィド研究者としてトリフィドの管理業務を請け負っていた。業務中にトリフィドの攻撃を受けウィリアムは入院し、結果として失明を逃れた。

トリフィドが危険であるのはトリフィドの近くで関係する仕事をしている者たちの話であり、彼らはトリフィドの危険性を「自然の一部」とみなし、よく手懐けていた。トリフィドの攻撃器官たる刺毛は危なくないように取り除けるのだ。

他方、「自然の一部」にトリフィドは収まらないと気がつくものもいる。ウィリアムの同僚ウォルターはトリフィドの性質を熟知しているが、その彼にして「トリフィドと盲人のどちらが生き残るかということになれば、どっちに金を賭ければいいかはわかりきっている」（七〇）とさえ言わしめる。ウォルターの「賭け」は最悪の形で実現してしまう。勝ち負けは、まだついていないが。

トリフィドはたんなるモンスター／ゾンビ的な存在ではない。夢のエネルギー源として人工的に作られた植物で、自然の一部でありながら自然／人工の二項対立を押し潰す。人間の手を離れて自走するテクノロジーであり、SFがメアリー・シェリー『フランケンシュタイン』以来、取り憑かれてきたテーマである。核エネルギーの平和／戦争利用という人類史に照らし合わせてみると、トリフィドが含意するものがより見える。自走するテクノロジーとはよく言ったもので、なぜならトリフィドには足があり、走るとまではいわないが自力歩行するからだ。ひょこひょこと移動するトリフィドの姿に、レトリックを字義どおりに実現させてしまうSF固有の修辞学を見出すこともできよう。[9]

ともあれ、人類は未曾有の災害に見舞われた。トリフィド以前の時代をウィリアムは回顧する。「そのころわたしたちの住んでいた世界は広大であり、その大部分は、たいした苦労もなく自由に行き来できた。[…]どこへでも行きたいところへ行けたし、それを阻むものもなかった[…]。これほど管理の行き届いた世界は、いまではユートピアのように聞こえる」(三九)。

トリフィド以前をユートピアとするならば、トリフィド時代をなんと呼べばよいのか。おそらく人工的に引き起こされた災害で、ユートピアとも呼べる現代文明が音を立てて引き裂かれ、その隙間からディストピアが出現した。これが災害ディストピアだ。一時的ではなく半永久的で、既存の社会秩序は崩壊しつつある。変化は不可逆的で、新しい秩序を作るのは急務だ。しかし、文明の基盤たるテクノロジーも失われている。どうすればよいのか。

病院から抜け出し街中の異変に気がついたウィリアムは、目の見えるジョゼラと出会う。彼女は目の見えない男に捕まり、暴力をふるわれ「目」の役目をやらされていた。ウィリアムとジョゼラは行動を共にする。途中、二人は離れてしまうものの、ウィリアムはジョゼラを探し求める。

ウィリアムやジョゼラはいくつかの生存者集団、小規模なコミュニティ(小集団)を発見しては合流する。最初に遭遇したのは大学を拠点とする集団で、マイクル・ビードリーが率いる。

科学博士ヴォーレスは、集会に集まった人々の前で「新しい世界」の在り方、新世界の道徳を説く。そもそも「異なる環境が異なる基準を生む」(一七六)ので、「ある共同体の美徳が、別の共同体の犯罪であっても不思議がない」(一七四)。今までの道徳には「自己保存という基本的な感覚に逆らい、理想のために進んで死の危険を冒す人間を生みだすことが可能になってきました」(一七六)というものさえあった。個体レベルで「死の危険を冒す人間」がいても共同体全体では繁栄する共同体規範・道徳が作られ、維持されてきたことを指している。しかし、もう状況は変わった。トリフィド時代に突入し、個人の生存と種の生存は、かぎりなく近接する。「これは種族の存続に役立つだろうか——それとも、妨げになるだろうか?」(一七七)と問いなおしながら、新時代道徳を構築しなければならない。「われわれの知っていた法律は、この状況によって廃止されました。現状にふさわしい法を定め、必要とあらば、それを執行するのが、われわれの急務です」(一八〇)。複合災害後に例外状態化した社会で、限られた人的・物的資源を使い人類の生存を達成するには、どうしたらよいのか。「われわれは、あるかぎられた人数ならば、目の見えない女性を養う余裕があります。なぜなら、彼女らは目の見える子供を産めるからです。目の見えない男性を養う余裕はありません」(一七八)がヴォーレスと、彼の背後にいるビードリーの提案だ。

この提案の直後、反発したコーカーは火事を偽装し目の見えるものたちを強引に連れ去る。コーカーは、ビードリー/ヴォーレスの新時代道徳、計算合理主義的に人的・物的資源を再分配し、合理性がないと判断した場合、容赦なく切り捨てる新時代道徳に異を唱える。

では、コーカーの考える道徳とは何か。目の見える人間一人に、目の見えない見張りをつけ、割り当てた区域内でまだ生きている目の見えない人の面倒を見る、というものだ。「明日の朝、きみときみの班をトラックに乗せてそこまで運んでいく。そのあとは、だれかがやってきて、この混乱をおさめてくれるまで、連中を生かしつづけるのがきみの仕事だ」(一九六)とコーカーはウィリアムに言う。ウィリアムは割り当て地区で奮闘するものの、他の集団との競合、トリフィドの攻撃、謎の感染症により、無惨にも班は壊滅する。

マイクル・ビードリーとその一党のことをまた考えていた。彼らが論理的であることは、あのときもわかっていたが、ひょっとしたら本当の人間らしさも兼ねそろえているのかもしれない、といまになって思えてきた。ほんのひと握りの人間以外を助けようとしても望みはないのだ、ということを彼らは見抜いていた。残りの者にむなしい希望をあたえるのは残酷さと変わらないのだ、と。

（二一六―二一七）

ウィリアムの言う「人間らしさ」とは何か。コーカーは「人間らしさ」を相互扶助に見る。目の見える人はできるだけ目の見えない人を助けるべきだとコーカーは考える。人間は、本質的に困っている仲間を助けたいと思うのが「人間らしさ」だ。災害直後に人々が支え合うユートピアが自発的に生じるように。コーカーは人間のユートピア性を信じたかったのだろう。しかしソルニット的災害ユートピアと異なり「だれかがやってきて、この混乱をおさめてくれる」ことはない。また、人的・物質的資源は減っていく一方であり、人々の間には目が見える／目が見えない断絶も生じる。トリフィド時代とは新しい時代の名前だ。以前／以後で社会が変わり、以後から以前に戻ることはない。退化はあり得るが、秩序の回復は見込めない。ひょっとしたら事態はもっと深刻だ。一歩間違えば、人類は滅亡する。

私が読んだのは創元SF文庫の『トリフィド時代』であるが、登場人物の紹介に「マイクル・ビードリー　新しい道徳による世界をつくろうとする男」「ウィルフレッド・コーカー　旧道徳によって世界を救おうとする男」とある。ビードリーとコーカーの道徳観を新vs旧で図式化するのは面白い。ビードリーの新道徳は明確に功利主義的発想で、功利主義を生物としての人間にビルトインされていない道徳とするなら、なるほど新道徳と呼べる。他方、種としての人間生存にプライオリティを置き、個人ではなく集団が存続することを目標とする姿勢は、人間の社会性、いや社会的動物としての人間性に根づいているともいえる。

ウィリアムとジョゼラが種としてのトリフィドの振る舞いを見て「個別に見ると、あいつらは知性にちょっと似ているものしか持っていない。それが集まると、知性と寸分ちがわないものになる」（三六〇）。「蟻やトリフィドには、社会組織を作る遺伝子みたいなものがあるのかしら」（三六一）と述べているが、人間対トリフィドは社会性動物同士の生存闘争ともいえる。個人より集団の生存を優先する発想は、果たして新道徳なのか。じつは、人間本来の姿に回帰する本当の旧道徳といえるのではないか。

いずれにせよ、二人の人物と彼らが率いる小集団、それぞれの行動理念である新・旧道徳が登場している。この二つに加えて、キリスト教的共同体と封建主義も出てくる。

ミス・デュラントはこう言い放つ。

「ここは清らかで、節度ある共同体で、規範——キリスト教の規範——にのっとっていて、それを堅持するつもりです。ふしだらな見方をする人々をここに置いておくわけにはいきません。頽廃と不道徳と信仰の欠如が、世界の不幸の大半の原因なのです。こんなことが二度と起こらない社会を建設するように努力するのが、わたしたち救われた者の務めです。冷笑的な者や利口ぶった者たちは、ここでは歓迎されないとすぐに気づくでしょう。自分たちの放埓な考えや物質主義をごまかすために、どんなすばらしい理論を唱えようと問題ではありません。わたしたちはキリスト教徒の共同体であり、そうありつづけるつもりです」（二五三）

デュラントの考えるキリスト教的世界では、失明とトリフィドも含まれる「世界の不幸の大半」が頽廃・不道徳・信仰の欠如の結果であり、視力を失っていない自分や目が見えなくなっても命を失っていない仲間たちは、存在自体が信仰の証明となる。新しい社会を建設する「努力」は、テクノロジーを駆使してトリフィドを駆逐することでもないし、功利主義・合理的な計算をして共同体を設計し直すことでもない。信仰をもち続けるという内面的な問題とされる。人類が持っていた「力」を失った結果、人間以上の存在に「意味」を求めるようになる。(10)

はぐれたジョゼラを探す道中で、ウィリアムとコーカーはデュラントらのキリスト教徒集団に出会うが、発電機があってもスイッチを入れる発想すら持たないこと、とりわけ女性たちが無知・受動的であることにいらだつ。「いまじゃもう、無知と無邪気を混同するほどまぬけではいられない――ことが大きすぎるんだ。それに無知でいることは、もうかわいくもおかしくもない」(二六四)とコーカーは言う。うまく組織化さえすればトリフィドに対して有利に立てる環境にいるのに、組織化の発想をもたず、提案しようにも突っぱねられる。ウィリアムとコーカーはデュラントの館を去る。

ウィリアムはコーカーと別れ、ついにジョゼラと再会する。農場で、目の見える子どもや、数人の仲間と数年、生活を営むが、徐々にトリフィドの侵入に頭を悩ませる。燃やしたり電気柵を作ったりするが、燃料は有限で、使いたいだけ使うわけにはいかない。そこに、評議会の代表を名乗るトレンスが武器を手にやってくる。評議会は立法権と軍隊をもち、各地に残された生存者集団を自分たちの支配下に置こうとする。ウィリアムたちに「われわれのやり方なら、あなたは自分のために働く一族の長となり、しかも子孫に遺す財産を作れるのです」（三九二、強調原文）と言う。トレンスの提案をウィリアムは「封建領主の地位」と理解する。しかし、トレンスの言う最小単位の人数でも、トリフィドの脅威から身を守りつつ養うことはとてもできないと判断したウィリアムは、トレンスを出し抜き、ビードリーが島に建設した共同体へ仲間とともに移り住む。こうしてウィリアムの「手記」は終わる。

ある程度、トリフィドを抑えることができるようになるとウィリアムは失われつつある人類の知識を、なんとかして取り戻す、取り戻せなくても維持することはできないかと考える。トリフィドを駆逐するには文明の力が必須。火炎放射器で焼き払ってもトリフィドは次々に増殖する。火炎放射器は壊れるし、壊れなくても燃料はいつか底をつく。インフラは崩壊していく。かろうじて動かすことができる車も、メンテナンスされなくなった道路が崩壊することで、使い物にならなくなる。修繕されない建物も外壁から崩れていく。インフラの物理的脆弱さはトリフィドの侵襲につながり、生命の危機をもたらす。そうだとしても、インフラを再建する技術も人もいない。農地を耕し食糧を準備することも容易ではない。文明の時計は逆向きに、それも急速に巻き戻る。

> 知識を使うために持たなければならないのが余暇だ。だれもが生きるためだけに重労働をしなけりゃいけなくて、考えるための余暇がないところでは、知識は停滞して、人々もそうなる。考える仕事は、もっぱら生産には直接たずさわらない人々が担う必要がある（三〇四、強調原文）

単純な方法はかならずある。問題は、その単純な方法が、恐ろしく複雑な研究から生まれるってこ

とだ。それに資源もない（三五九）

と、ウィリアムはトリフィド時代の窮状を分析する。知識階級は、単純労働では到達できない複雑な社会を作り上げたが、知識階級は単純労働の蓄積の上、生産にたずさわる人々の労働の上にしか成立しない。集団的失明により、文明の土台たる生産労働が脅かされ、余暇どころではなく、生存すら危うい現状で、ジリジリとトリフィドに蓄えを削り取られていくしかないようにウィリアムには見える。

失明＋トリフィドという複合災害のあと秩序は崩壊し、複数の中間共同体が勃興し、それぞれの道徳を掲げて生存競争が始まる。災害ディストピアだ。中間共同体を転々としながらウィリアムが見たのは、生産労働と知的労働の乖離である。知識と知的階級が維持されないと、食糧のみならず文明を維持するためのインフラも維持・管理できず、やがて朽ちる。生産力が落ち、必要物資（ニーズ）の分配もままならない。災害が恒久的かつ不可逆的で「助けを待ってもいつまでも来ない」場合、有限のニーズを分配するための新旧の道徳・規範は必要とされるし、統治機構と暴力装置も復活してくる。とはいえ、供給できるニーズを増やせれば道徳規範は寛容になるし、暴力が伴う奪い合いも減るだろう。そもそも奪う必要がなくなるから。

トリフィド時代という災害ディストピアを人類が生き抜くには知識が必要なのだ。知識の重要さを説く道徳と、知識と知識階級を守る力（武力・暴力）もあわせて。では、どんな知識なのか。人文知や理学（サイエンス）というよりも、工学（エンジニアリング）や科学技術（テクノロジー）の知識が求められる。これは『華氏451度』の本人間とは対照的だ(11)。しかし工学・科学技術の知識は、一人の科学者が実験室にこもって得られるものではない。実験装置、薬品や物資、それにチームが必要だ。生化学者・ウィリアムはトリフィドだけを選択的に殺す薬剤など「単純な方法はかならずある」といいながら「その単純な方法が、恐ろしく複雑な研究から生まれる」(三五九)というテクノロジカルな問題を自覚している。災害ディストピアにおけるサバイバルは単発的スキル(技術)ではなく体系的知識が求められるが、テクノロジーの維持が困難な事態と表裏一体だ。

4 猿の惑星〈新三部作〉

『猿の惑星:創世記』(以下、『創世記』と記述)、『猿の惑星:新世紀』(『新世紀』と記述)、『猿の惑星:聖戦記』(『聖戦記』と記述)、猿の惑星〈新三部作〉をこの節ではとりあげる。

『創世記』ではアルツハイマー病の画期的な治療薬として期待された新薬ALZが、チンパンジーをはじめとする類人猿の知能を飛躍的に高めた一方、人間に毒性を発揮し、新型の感染症が世界に伝播して終わる。原題は *The Rise of the Planet of Apes* で地球が「人類の惑星」から「猿の惑星」へと置き換わる(replacement)端緒を描く。チンパンジーを「猿」と呼ぶのは正確ではないが、ここでは「猿の惑星」というタイトル/慣習にのっとり彼らを「猿」と呼ぼう。高い知能を得た猿たちは、最初は人間社会から離れて集団で生活するが、新型感染症が猛威をふるい人口が激減し生活圏がせばめられた人間たちは、猿と衝突する。衰退していく人類を横目に、猿は地球の次世代の支配者になっていく。〈新三部作〉は、人類が猿から覇権を取り戻す話にはならない。たとえるなら、トリフィドが人類に勝利をした仮想の『トリフィド時代』のようなものだ。トリフィドは植物なので人間の読者はトリフィドを「駆除すべき植物」（雑草？　害樹？）としか見れないが、『猿の惑星』では人類の敵対者が類人猿であり、人類と共通の祖先をもち、言葉を操るだけではなく文化すらもっているので、人間的感情移入の対象になる。『猿の惑星』は去りゆく人類からも、文明を構築中の猿からも、災害後の世界を見ることができる。人類にとってのディストピアは別の種にとってはユートピアになり得る。災害がユートピアもディストピアも生み出し、両者は交錯する。

◉4-1　『猿の惑星：創世記』

旧『猿の惑星』と〈新三部作〉の特筆すべき違いは、文明が滅びる原因を前者は核戦争、後者は人為的に作られたウイルスに設定してる点だ。

『創世記』では製薬会社ジェネシスの研究員ウィルが、アルツハイマー治療薬の開発に取り組む。社長は金銭的プレッシャーをかけるが、ウィル本人は同居している父親のアルツハイマー病をなんとか治療しようとする。開発は打ち切りになるが、高い知能をもったチンパンジー、ブライトアイズの子どもシーザーを自宅で育て、父には治験が認められていない開発途中のALZを投与する。父親の症状は劇的に改善するが、時間が経つにつれ元の状態に戻ってしまう。食卓でフォークを使えなくなった父にシーザーが持ち方を教えるシーンは物悲しい。焦ったウィルはもっと強い薬を作るが、実験中に同僚の研究員がウイルスに晒され体調を悪くする。やがて血を流し死ぬが、その前にウィルの隣人である飛行機のパイロットに血の混じったくしゃみの飛沫を浴びせる。エンドクレジットでは、パイロットが空港で鼻血を出し、世界地図の空港を線で結んでいく映像が流れる。こうして人工的・新型感染症が世界中に広がっていくのだ。

果たして、知性化した猿と人間はどちらが強いのだろうか。「強さ」の定義が答えに関わる。『創世記』で繰り返し描かれるのは、猿たちが木に登り、木から木へ飛び移り、橋やらビルやらも縦横に登ったり降りたりする様子だ。人間を圧倒する身体能力が猿たちの特徴だ。麻酔銃やスタン棒、鍵のかかった檻など、猿を支配するテクノロジーを人間はもっているが、動物管理局の監視員のようにテクノロジーを使いこなせない場合や、そもそもテクノロジーがない場合、猿の身体能力、環境適応能力は、人間を凌駕する。

猿が単に知性化しただけであれば、人間たちは猿を駆逐できたかもしれない。『創世記』では管理局から抜け出した猿は製薬会社を襲い他の実験動物を救出し、さらには動物園からも仲間を解き放つ。人間は武装した警察官を大量に投入し、はてはヘリコプターからマシンガンで猿の集団を銃撃する。それでも、猿たちは優勢で、国立公園に逃げ込むことに成功する。これは仮定の話だが、もしALZが人間に対して毒性を持たなければ、いずれ人間は知性化した猿を制圧できた可能性もあっただろう。『創世記』での猿vs人間は、ひとまず猿に軍配があがったが、長い時間とテクノロジーを使えば人間は勝てるだろう。しかし、猿の知性化と同時進行で新型感染症が広がり、人類は二つの敵と戦う羽目になる。失明がなければトリフィドを有用な資源として管理できていた『トリフィド時代』とパラレルだ。

知性化した猿の強さは、身体能力、自然環境への適応能力、テクノロジーなしでやっていける生存能力が源泉になる。人間の知性とは、精神的なものにみえるがじつは抽象的に存在できず、つねにすでに状況に置かれている(situated knowledge)。[12] 何かに具体化され、何かに埋め込まれている。[13] 埋め込まれている状況が変化し、知性を具体化しているモノそれ自体がなくなると、知性は少なくとも変容するし、ときには失われる。知性は永続的なものではない。『トリフィド時代』のウィリアムが「余暇」がなければ知識(階級)は存在しないというとおりだ。

動物管理局に囚われた猿を率いて一斉蜂起したシーザー。監視員が支配の象徴として手にしていたスタン棒を落とし、それを拾い上げるシーザーの姿は『2001年宇宙の旅』で骨を攻撃的な道具に転用する人類の始祖の姿を連想させる。[14] スタン棒は単に暴力だけではなく、電気テクノロジーも象徴する。猿たちはテクノロジーを流用するのがせいぜいで、作り出すことはできないにしても。スタン棒を振りかざしながら、虐待を繰り返してきた監視員に「ノー!」と絶叫するシーザーは、言語的秩序=象徴界に参入する。否定とは目の前にある現状(現前性)の否定であり、過去や未来、可能性へと思考を広げる。否定を表現できる絵はないが、言語であれば可能だ。

『創世記』では、猿の知性化が描かれるが、単に認知能力が高まり記号操作ができるようになっただけではない。研究室から街へ飛び出した猿は驚異的な身体能力を見せ、他方、人間たちは新型感染症の流行によりテクノロジーを失い始める。知性が研究室で測定される抽象的な数字ではなく、状況に置かれた関係的なものであることが明らかになる。

◉4-2 『猿の惑星:新世紀』

『創世記』に続く『新世紀』はALZを発端とする新型感染症(猿インフルエンザ)が世界中で猛威を振るっ

てから一〇年後が舞台だ。

サンフランシスコ山に集落を築いたシーザーたち。馬を乗りこなし、木製の槍を使って、組織的な狩りをする。集落には主に木で作った家と、火と、オスもメスも体をペインティングしたり装飾品をつけたり、独自の文化を発展させる。『創世記』からシーザーと行動をともにするオランウータンのモーリスは「学校」を開き、猿の子どもたちに文字を教えている。戒律に掲げられているのは「猿は猿を殺さない」だ。

パンデミック発生から一〇年、ここ二年、姿を見ていない人間は滅びたのだろうか、とモーリスとシーザーは話す。パンデミックを生き残り免疫を獲得した人間たちは、崩れかけた建物に身を寄せて、なんとか生活をしていた。混沌から彼らを救ったのは電気であるが、発電機を動かす燃料がもう尽きる。ダムにある水力発電所を再稼働しようと森に入っていくが、そこは猿のテリトリーであり、人間と猿は対峙する。

猿たちも人間たちも一枚岩ではない。穏健派と好戦派にそれぞれ分かれる。猿のボス・シーザーはかつて自分を世話してくれたウィルが忘れられず、また人間を追い詰めるとしっぺ返しをくらうと懸念し、互いのテリトリーを侵さないように忠告する。水力発電の再稼働も協力するが、あくまで猿と人間の分離共存が前提だ。好戦派の代表格はコバだ。コバは研究室で人間に切り刻まれた過去があり、人間の残酷さを知っている。シーザーは「コバは人間から憎しみだけを学んだ」と言うが、人間のもつ二側面がシーザーとコバに分かれて表現されている。

人間の穏健派は発電所の修理にきたマルコムだ。猿に知性を認めコミュニケーションをとることで、彼らの存在を受けいれていく。好戦派はドレイファスで、住み家にしている建物から少し離れたところにある武器庫で武器を調達し、猿たちへの攻撃を準備する。猿の好戦派と人間の好戦派がぶつかり、結果として猿対人間の全面的な戦争が始まり、物語は終わる。

『創世記』で言語を獲得し象徴界に参入したシーザーは、『新世紀』で何を獲得したのか。暴力を根拠とする規律である。言語から社会へと秩序の規模を拡大させる。当初、シーザーは「猿は猿を殺さない」を掲げ、同族殺しを禁ずる。人間は同族殺しをするが、自分たち猿は人間のような愚かな行為はしない。人間と猿の違いを同族殺しの有無に求める。しかし、人間と猿の関係をめぐってシーザーとコバの権力闘争が激しくなると、コバはシーザーを人間の銃で撃ち、最後にはシーザーは「お前は猿ではない」と言い放って、コバをタワーから落とし粛清する。シーザーが禁忌としていた同族殺しは破られ、暴力性を集団規範の根底に構造化した猿の集団は、人間との全面戦争に突入する。ドレイファスが無線で呼びかけた軍隊がじきにやってくるのだ。シーザーは「戦争はすでに始まっている」といい、穏健派・好戦派という区分が無効になったと理解する。

猿が独自の文化・文明を築くために共同体に内包した暴力は、コバがシーザーの息子であるブルーアイズに渡した銃に象徴される。ハリウッド映画で『ダイハード』から『バトルシップ』まで繰り返し表象される銃を撃つことで成熟する男の姿が、コバ–ブルーアイズに見て取れる。最後にコバは反転した暴力性によってシーザーから引導を渡されるのだが。

人間たちはどのように暮らしているのか。『新世紀』冒頭、猿インフルエンザが広がり地球規模のパンデミックをニュース映像のコラージュで伝える様子は、コロナ禍でウイルスの起源や対策の報道と重なる。ポストコロナ時代に突入した私たちから見ると、既視感ある表現だ。生存率は五百分の一、半年足らずで死者は最大、一・五億人ともいわれる。とはいえ正確な数はわからない。暴動がおこり、原子力発電所はメルトダウンを起こす。電気の供給はとまり、マルコムやドレイファスが「混沌だった」という停電が長く続く。生存者たちは誰かしら家族を失っている。猿インフルエンザによるものか、パンデミックが引き起こしたインフラ崩壊によるものか。いずれにせにせよ『創世記』から『新世紀』にかけて、人類にとっての脅威は知性化した猿それ自体ではない。新型ウイルスと、インフラを含む文明崩壊、人類同志の奪い合い／殺し合いなのだ。

安定的な電力供給を失った人類文明は風前のともしびである。燃料を使った発電はできても、燃料が尽きればどうしようもない。新しい燃料を確保することもできない。使い切ったら終わりだ。自然環境への適応度を考えたときに、人間よりもはるかに身体的に強靭な猿に対して、人間が唯一、アドバンテージをとれるとしたら銃器・兵器をもっていることだろう。ただし、銃もある分だけ使ってしまったら終わりだ。装甲車も登場するが、これも燃料が尽きたら動かない。それに、猿に奪われたら銃は人間にとっての脅威ともなる。事実、猿たちは器用に銃を使う。銃があったところで、新しい銃を生産できなければ、人間と猿の戦力的な違いは、ほとんどなくなる。

『新世紀』の原題は *Dawn of the Planet of the Apes* だ。直訳すれば「猿の惑星の夜明け」となる。猿たちの文化・文明の始まり＝夜明けだが、猿の「文明の夜明け」は、「灯り＝電気」を求める人間と衝突する。猿は暗くても生きていけるが、人間は灯り＝電気がないと生きていくのが難しい。本人も自覚しているとおりドレイファスが生存者たちを束ねていられるのも、電気を使う拡声器があるからだ。拡声器という文明の利器ひとつなければ、人間はたちまち烏合の衆になり統率がとれなくなる。自然環境に放たれてしまうと、少人数では人間は生き残ることはできない。

『新世紀』の人間社会、ドレイファスの共同体を見てみよう。電気は燃料を使った発電機で供給している。上下水道はどうなっているかわからないが、自然の水源を利用している可能性が高い。水力発電所が再稼働し建物に電気が通じると無線機やタブレットが使えるようになる。食糧は特に不足している様子は見えないが、自給自足している様子も見られない。農場や牧場があるようには見えない。パンデミック後一〇年なので、ギリギリ備蓄品でまなかっているのではないか。銃があれば猿たちがしているように、森で動物を狩れる。『トリフィド時代』では一〇年もせずに、自給自足を目指していたが、街(建物)の人口規模を考えると、備蓄だけでは燃料同様に限界だろう。束の間の平穏だ。ニーズの何か一つでも不足しようものなら、とたんに「混沌」へ逆戻りだ。そして電力をめぐりシーザーたちと衝突、共同体は崩壊する。災害ディストピアでテクノロジーを失う人間とは対照的に、猿は言語につづき根源的暴力を内包した規律を得て、新秩序を構築しつつある。猿たちの新秩序はディストピア化する人間たちの共同体に対するオルタナティブなユートピアになるだろうか。〈新三部作〉最後の作品では、猿のユートピアと人間のディストピアが交錯し、混じりあう。

◉4-3 『猿の惑星：聖戦記』

猿の惑星〈新三部作〉の最後となる『聖戦記』(原題 *War for the Planet of the Apes*)は、『新世紀』から二年後が舞台だ。

猿インフルエンザのパンデミック開始から一〇年後の『新世紀』で、ドレイファスは復活した無線で軍に連絡をとった。そうして始まった人類vs猿の全面戦争はすでに二年に及ぶ。人類軍を率いる大佐は猿のリーダーたるシーザーを探すが、シーザーは身を隠しながら猿を指揮する。人類軍はシーザーの移住先を見つけ、大佐自ら暗殺任務につく。大佐が殺したのはシーザーの妻と、シーザーの息子・ブルーアイズだった。大佐への復讐心を燃やすシーザーは、群れには安全な移住先へ向かうように命令し、自分は勝手についてきた三頭の仲間と一緒に人類軍を追跡する。途中、話すことのできない人間の少女を見つけ、彼女はシーザーたちと行動を共にする。また、人類軍が仲間に銃を向け殺す不可解な現場を見る（聞く）。こうしてたどり着いた人類軍の軍事拠点で、別れたはずの猿の仲間たちが捕虜として「壁」を作る強制労働に従事させられているのを目撃する。シーザーも捕まり、大佐とも話をするが、大佐が恐れているのは猿ではなく新しい型に変異した猿インフルエンザだった。新型ウイルスに感染すると、人間は言語と思考、「人間らしさ」を失い、やがて死に至る。シーザーが助けた少女・ノヴァ（とノーリスが命名する）が話せないのも、新型に罹患していたためだ。大佐の息子は新型に感染し、大佐自ら殺してしまう。

「人間を超越している」と形容される大佐が、人間を超えたのは息子に手をかけてからだ。種としての人類が感染症により滅亡の危機に陥ったと判断し、家族への愛情という私的感情よりも、種の生存のための合理的計算を優先させた瞬間に、大佐は一個人から種としての人間になった。残存する軍人を組織し、AΩの文字を上書きしたアメリカ国旗を部隊旗にかかげる。毎日の朝礼で、大佐が居住する建物の前に整列した軍人たちはスローガンを唱和する。悠々とバルコニーに登場した大佐は、眼下に整然と並ぶ部下たちを一瞥する。

大佐というキャラクターは『地獄の黙示録』のカーツ大佐を連想させる。猿が発見した施設の地下に伸びる脱走用トンネルには「猿の黙示録（ape-calypse）」と書かれている。大佐がいう「聖戦」は人類vs猿の戦争ではない。変異猿インフルエンザへの対応をめぐって分裂した大佐の軍隊vs本部の軍隊、人類同志の戦いなのだ。大佐は変異猿インフルエンザの脅威を本部に伝えるものの、本部は「医療技術で克服可能」と応答する。「過去から何も学んでいない」と大佐は本部の対応に反発し、自分たちのやり方が気に入らないならば武力を使えばよいとさえ言う。こうして本部は大規模な部隊を大佐の基地に送り込む。

シーザーと仲間の手引きによって捕囚の猿たちは無事、脱出。大佐軍は本部軍によって壊滅するが、戦闘がひきがねとなって雪崩がおき本部軍も飲み込まれてしまう。木に登り雪崩から逃れたシーザーたちは、新天地へと移動する。到達した先でシーザーはこと切れるが、猿たちの文明は続いていくことが示唆され、物語は終わる。

知性化した猿（類人猿apes）と人間の境界はあいまいだ。コバの派閥に属していたがコバが粛清されたことで集団から放逐された猿の一部は人間側につく。ドンキーやウィンターといったゴリラも人間側についた。ドンキーは大佐／人間の指示に従い、仲間であった猿たちに鞭をふるう。大佐の収容施設は、支配者が、植民地の住民を支配層と被支配層に分割し現地での支配・被支配関係を構築する、さながら植民地だ。ドンキーは施設から集団脱走する猿たちがマシンガンで銃弾を浴びせられるのを見て、そしてシーザーがたった一人で人間に挑む姿を見て、人間にむけてグレネードを投げる。ドンキーの造反に気づいた横の兵士はドンキーの頭を銃で撃ち抜く。

人間の少女ノヴァは、変異型に感染し言葉を失う。思考までは奪われていないが、いずれにせよ「人間性」を失った者として、大佐の命令で施設とは離れた小屋に住んでいた。世話をする父親と思われる人間もいたが、シーザーたちに遭遇し猿に銃を向けたところ、逆にシーザーに殺される。話せないノヴァは、モーリスに「わたしもエイプ?」と手話で聞き、お前は「ノヴァだ」と拾ったキーホルダーの文字を「名前」として渡す。病気により少なくとも一部の「人間性」(言語)を失いながらも、猿と行動をともにし猿に共感する。彼女は失った名前を再獲得する。ノヴァは最後まで猿と行動を共にし、シーザーが移住した新天地までついていく。ノヴァが変異型への耐性・免疫をもっているのかどうかまではわからないが、彼女もドンキーと同じく、人間と猿のあいまいな境界を行き来する存在である。

大佐の基地は元武器庫であり、感染者の隔離施設である。大佐を探す道中、シーザーたちの仲間となった元動物園のチンパンジー・バッドエイプは大佐の施設を「人間動物園」と呼び、悪い場所だから近づきたくないし、近づくべきではないとシーザーに警告する。動物園出身のチンパンジーが人間が作った人間の収容施設を人間動物園と名づける倒錯的事態が生じている。「人間は絶滅危惧種だ」は大佐の軍隊AΩ部隊のヘルメットに書かれていた文句だ。大佐は置き換わる(replacement)という単語で、人類の置かれている状況を述べるが、二一世紀の現代で replacement といえば「大置換理論(The Great Replacement Theory)[15]」を連想させる。そもそも『猿の惑星』という物語それ自体が「人種」的恐怖を「種」の恐怖へとずらす(displacement)物語であった。

シーザーの群れは、息子ブルーアイズが見つけた新天地(約束の地)を目指していた。猿たちのユートピア探求に、大佐の軍事的ディストピアが交錯する。知性化した猿と人間の境界があいまいになるだけでなく、災害後の新秩序建設をめぐり、ユートピア（知性化した猿）とディストピア（大佐の軍事・戦争共同体）が混濁する。ユートピア／ディストピアの混濁は、「人間を超えた」大佐にも見られる。

大佐は、小さな人形をシーザーの檻で拾う。この人形は、とらえられたシーザーに水と食料をこっそり与えるために忍び込んだノヴァが、シーザーを元気づけるために置いていった。この人形には血が付着し、血には変異型ウイルスが潜んでいた。人形を拾った大佐は、それを処分することなく自室に持ち帰る。結果、大佐も変異型ウイルスに感染し発病する。檻から脱出したシーザーが大佐の部屋に行くと、すでに言葉と思考を失った大佐が血を流して横たわっていた。シーザーは銃を向けて大佐を殺そうとするが、思いとどまる。大佐は自分で銃をとって自死する。大佐がノヴァの人形を自室に持ち込んだのは、自分の子どもを思い出したからだろう。大佐は「人間を超えて」おらず、人間性を捨て去ったかに見えただけであった。場違いな場所で見つけた人形が、自分で手にかけて殺した息子の記憶を媒介として、大佐のなかの人間性を呼び起こした。それが命取りになったが。言語と思考という「人間らしさ」を奪う変異型ウイルスが、大佐の人間らしさを取り戻したのは、なんとも皮肉な事態だ。また、シーザーは発症し先が長くないと思われる大佐を、撃つことをやめた。殺さなくても、じきに死んでしまうという判断はあっただろうが、大佐のなかに人間的なものを見たシーザーは自分の子どもを殺した大佐にとどめをささない。

『聖戦記』の人類は災害ディストピアを生きている。大佐が率いるＡΩだけではなく、人類軍の本部も、それが「軍事・戦争共同体」（「第1章」で言及したグレゴリー・クレイズのディストピア分類の一つ）であるかぎりディストピアだ。テクノロジーを喪失しつつある人間は、武力を用い敵に対して内部の団結を図るしか共同体を維持する術をもたない。一方、約束の地＝ユートピアを目指すシーザー一行は言語と根源的暴力で共同体秩序を形成した。大佐のディストピアと交錯したが、今後、シーザーたちの新秩序が人間的ディストピアになるのか未知数である。

◉4-4 ユートピア／ディストピアの置換

猿の惑星〈新三部作〉は知性化した猿たちと人間に猛威を振るう猿インフルエンザの二重禍で、人類が文明を失い地球の支配者の座を猿に明け渡す（replacement）過程を詳らかにする。シーザーを代表とする知性化した猿たちは、『創世記』で否定語句を使い象徴的言語的秩序に参入し、『新世紀』では根源的暴力による社会的秩序を構築した。そして『聖戦記』では人間と猿の立場（place）を置き換え／ずらしながら（replace）、人類共同体のディストピア化と猿のユートピア建設を交錯させた。

猿インフルエンザの生存者には免疫ができる。しかしあまりに多くの命が失われたために、文明・テクノロジーの維持は不可能となる。基本的に、いままで蓄積したものを使うほかない。発電機が使えるのも、燃料が残っているあいだだけだ。水力発電所が再稼働できても、メンテナンスに必要な部品は生産できないだろうから、壊れてしまうとどうしようもない。人々が農業生産に従事している姿は見えない。人が減ればその分、ニーズも減るため備蓄で賄えるのだろう。問題は電気＝文明の灯をいかに保つか、になる。人間の身体能力ではテクノロジーなしで自然環境を生き残ることはいちじるしく困難だ。生存に全エネルギーを割り当てれば、多少の数は生き残れるかもしれないが、文明を後世に残すことは不可能である。テクノロジーを支える知識を保存・伝達するには知識階級と教育が必要だ。そのために、生産と分離した学生を含む非生産階級をまかなう確かな生産力が必須。備蓄を食いつぶすだけでは、いずれ限界がくる。生存を優先すると文明は崩壊する（『トリフィド時代』）。文明を維持しようとすると生存できなくなる（『華氏451度』の本人間）。生存か文明かのトレードオフが生じる。災害が長期化すると災害ユートピアは裂け、大佐が築いたような軍事・戦争共同体ディストピアが露出する。

『猿の惑星』（一九六八年版）では宇宙飛行の果てに未来の地球にたどり着いた宇宙飛行士たちが、支配者となった猿と、原始人へと文明的に退化した人類を目の当たりにする。〈新三部作〉が前日譚として『猿の惑星』に続くなら、ノヴァが鍵となる。変異型猿インフルエンザの影響で言葉は失ったものの、免疫があるのか命までは奪われず、猿たちと行動を共にする。ディストピアからユートピアへ移住した彼女は、人種的置換ではなく混淆の可能性＝希望となる。

5　石油の枯渇した社会で――パオロ・バチガルピ『ねじまき少女』

パオロ・バチガルピ『ねじまき少女』は石油が枯渇した近未来を舞台とする。石油資源が潤沢にあり、人々が世界中で経済活動を活発に行なっていた時代を拡張時代、それに対して、資源枯渇により経済活動を縮小していかなければならない時代を収縮時代と呼ぶ。時代は収縮時代から再拡張時代へとゆっくりとだが転換しつつある。

収縮時代の危機は複合的だ。石油が使えないだけではない。地球温暖化による海面上昇で、沿岸部の都市は水没した。物語の舞台となるタイは防潮堤を築き、かろうじて海水の侵入を防いでいるが、エネルギーを使ってポンプを稼働させなければならない。さらに、疫病も脅威となる。疫病は人の命を奪うだけではなく、穀物もダメにする。欧米のバイオテック企業は遺伝子改造した穀物を市場に出すが、新型疫病の出現とイタチごっこだ。石油が手に入らず、石炭を使うとしても炭素税やら規制やらがかかり、化石燃料は安定したエネルギー供給源になりえない。そこで人は、象を遺伝子改造した動物・メゴドントを使役し、エネルギーを作る。ゼンマイを巻き、カロリーをジュールに変換する。メゴドントのカロリーは穀物で賄う。よほどのことがないと、街に車は走らない。車の代わりに、自転車と人力車（リキシャ）が往来する。ビルのエレベーターも基本的に人力だ。

収縮時代は複合災害ディストピアと呼べる。災害は一過性ではなく長期的に影響を与え、エネルギーの枯渇のみならず、人間の食糧の危機、水・土地の喪失など、生命維持に必要な必要物資（ニーズ）がとにかく足りない。ニーズの供給不足は、持てる者／持たざる者のあいだに権力勾配を発生させる。権力の布置は旧秩序での布置と一致せず権力の再配置が起こる。ジュール（エネルギー）を生み出すカロリーを所有するものが、権力を持てる。

『ねじまき少女』カバー

物語は五人の視点人物を通じて進んでいく。スプリングライフ社から派遣された西洋人（ファラン）のアンダースン。アンダースンが出会った遺伝子を加工して作られた非人間「ねじまき少女」エミコ。アンダースンが監督する改良型ゼンマイ工場の現場監督、ホク・セン。環境省[16]の取り締まり部隊、通称・白シャツ隊の隊長・ジェイディー。その部下で副官のカニヤ。

この五人がそれぞれの立場・利害から、エネルギー分配をめぐる権力闘争に参加する。

化石燃料は手に入らず、手に入る石炭は課税され、ごく一部の権力者しか自由に使えない状況では、エネルギーを生産する人間・動物のカロリーが、天然資源となる。いくら西洋人がタイに介入し、札束で自国の利益をゴリ押ししようとしても、ジュール＝カロリー源たるメゴドントと調教師を管理している組合長には逆らえない。


遺伝子操作によって生まれたメゴドントは工場の駆動システムの生ける心臓部であり、ベルトコンベア、換気ファン、そして製造機械にエネルギーを供給しているのだ。メゴドントたちが前進すると、ハーネスがリズミカルにカチャカチャと音を立てる。赤と金色の服を着た組合の調教師たちが担当のメゴドントに寄り添って歩きながら、ときどき声をかけて指示を与え、この象由来の動物たちをより働かせる。（上一二三）

一・二章で、アンダースンの工場でメゴドントがスピンドルを破壊し、暴れ、工員を殺し、アンダースンにゼンマイ銃で殺される。ホク・センはメゴドント組合との交渉、メゴドント組合に独占権を与えている環境省＝白シャツ隊への配慮も必要だとアンダースンに言う。エネルギーは自然から人間が取り出すのではなく、人間自身や人間が遺伝子改変によって生み出した使役動物・メゴドントを資源化することで生み出される。この事態を〈資源化する生物〉と呼びたい。

資源と化した生き物（人間、メゴドント）をめぐって熾烈な権力闘争が繰り広げられる。タイは子ども女王を王座にすえる王国だ。女王は子どもであるため、摂政ソムデット・チャオプラヤがつく。政府内部では外国、西洋人との交流を増やしたい開国派・通産省と、鎖国政策を継続し国内の安定を目指す環境省が対立関係にある。環境省・白シャツ部隊が、空港の取り締まりを強化した結果、西洋人からの圧力を受け隊長ジェイディーは詰腹を切らされる。ジェイディーは通産省に物理的報復を仕掛けるが、返り討ちに合い、環境省・白シャツ部隊は国民的英雄の死亡をきっかけに蜂起する。しかし、今度は摂政チャオプラヤがねじまき少女エミコの超人間的能力により殺され、軍が出動する始末となる。国内は騒乱状態に陥る。

バチガルピが後に著した長編『神の水』では、アメリカの水利権を奪い合うが、いずれの物語においても、エネルギーやニーズ分配をめぐる権力闘争と権力の再配置が、実力部隊（オフィシャルな軍隊、私設部隊、白シャツ隊など）を展開して行われる。

しかし、自然とは何か。『ねじまき少女』の世界では、手つかずの自然などどこにも存在しないように思える。そもそも、自然は手つかずのものとして始原からありのままに「そこ」にあるのではなく、人間の働きかけで「再発見」される。[17]『ねじまき少女』の自然は、もっと積極的に人間によって介入され、改変され、破壊される。人間が手を加えた自然も、やはり自然であり、人間とその文明を取り囲む。環境破壊も含めて人間の活動は自然の一部となる。これを〈自然化する文明〉と呼びたい。

複合災害後の『ねじまき少女』の世界で、人間文明はディストピアに、自然はユートピアに自然に（naturally）再配置されるわけではない。今まで以上に人間と自然は融合し、ユートピアとディストピアが混然一体に溶け合う。旧秩序で人間は自然を自然として再発見し、資源を搾取するため対象化してきた。人間の文明は自然と距離をとることで発展してきた。自然と同一化していたり、自然の一部に人間が位置づけられている限り、自然の対象化は不十分だ。「母なる自然」から生まれたはずの人間は、起源を喪失し、自分たちは自然ではないと強弁する。人間と自然のあいだに距離を作るのは、エネルギーであり、エネルギーを動力とするテクノロジーだ。自然の一部として生まれ、自然の一部を使い、自然から自分を切り出し距離をとる。人間対自然という旧秩序はいまや崩壊した。人間のはかない夢は潰え〈資源化する生物〉と〈自然化する文明〉の巨大な歯車でねじが巻かれる。

ねじまき少女エミコは人間が遺伝子から作った人造人間・アンドロイドである。日本で作られた彼女は秘書として日本人とともにタイにやってきた。ところが所有者が日本に帰るときに、タイに置き去りにされる。「自然に対立する人工物」を認めないタイでは、ねじまき少女の居場所はない。彼女はファランのローリー老人が経営するナイトクラブで、暴力的な性衝動の捌け口として安い金額で客に供される。心身への負荷が耐えられなくなった彼女は摂政チャオプラヤとその護衛を鮮やかに殺す。そのやり口があまりにも洗練され、殺人者めいていたので、政治目的をもって放たれた軍用ねじまきかと疑われ、環境省と通産省のあいだの緊張が高まる。エミコは、アンダースンから聞いた北にあるねじまきの村へ行きそこで自由に暮らしたいだけだが、彼女の雇用者たるローリー老人が決して許さない。殺すしかないと彼女は考え、まずローリーを殺し、それから「VIPルームのなかの」「自分が相手にあたえる苦痛のことなどなんとも思っていない男」、チャオプラヤに「突進する」（下 一七五）。

ねじまき少女エミコは自然なのか人工なのか。彼女の位置は、最初から最後まで安定しない。物語の最後、水没したバンコクでエミコは遺伝子リッパー・ギボンズに拾われる。ギボンズは、タイが秘匿する種子を使い新しい食物を生み出している。ギボンズはファランだが「競争が物足りなくなったのでサイドを替え、刺激を求めてタイ王国側に加わった男」（下 一五二）。人間を殺す新種の疫病が発生したのではと疑うカニヤは、ギボンズに助言を求める。ギボンズは、カニヤにこう答える。

「彼ら［人為的に作られた獣と疫病］は必然的に突然変異し、適応するから、きみたちにとってわたしが用済みになることはないんだよ。わたしが死んだら、きみたちはどうするんだね？ わたしたちは魔物を世界に解放した。そしてきみたちにとって、壁はわたしの知性しかないんだ。自然はすっかり新しくなっている。いまや、真にわたしたちのものになっている。わたしたちがわたしたちの創造物に食われるとしたら、じつに詩的だと思わないか？」（下 一四七）

「壁」とは自然と人間のあいだに科学とテクノロジーでもうけられたものだ。しかし、十分に厚く頑丈なわけでも、不動のものでもない。流動的なのだ。ギボンズはねじまきに妊娠能力をもたせることができるとエミコに言い、エミコは自分が妊娠できるようになるのかと尋ねる。

「すでにきみが持っている機能を変更することはできない。［…］きみを変えることはできなくても、きみの子供たちなら――肉体的な意味じゃなくて遺伝子的な意味でね――妊娠できるように変えられる。自然界の一部としてね［…］きみのためにやってあげよう。そのほかにももっとたくさん変えてあげるさ」（下 三七五―三七六）

ギボンズは、テクノロジーによる積極的自然介入主義者だ。テクノロジーを駆使し、アンドロイドを作ることも、作ったアンドロイドの髪の毛から複製を作ることも、さらにその複製アンドロイドに妊娠能力を与えることも、造作もなくできる。では、ギボンズにとって自然は人間が支配・管理できる対象かというと、そういうわけでもない。自然も生き物であり、突然変異をし、放った魔物は造物主たる人間への脅威となる。改変できるが、改変後のことまで責任はもてないという思想／態度を貫く。もはやテクノロジーは人間と自然のあいだにある壁＝文明の役割を果たさない。複合災害ディストピアにおいてテクノロジーは、ユートピアとディストピアの区分そのものを失効させる。文明の産物であるねじまき少女エミコがギボンズの手により「自然の一部」にされるように。

ファランたちは、タイ王国が切り札として隠す植物の種子を欲しがる。遺伝子が改変されていない自然＝始原の種子だ。遺伝子改良の資源として利用したい。タイ国内の権力闘争に乗じ、支配を強めたファランたちは、念願の「おびただしい数の種子をおさめた真空容器」を一度は手にする。しかし、白シャツ隊隊長の遺志をつぐカニヤはファランたちを殺害し、種子とともに姿を消す。手つかずの種子バンクは、テクノロジーが決して届かない空虚の中心（真空）として自然の中に消える。種子バンク以外の自然が文明と溶けあうのを尻目に。

災害ディストピアで『ねじまき少女』が出現させた〈資源化する生物〉と〈自然化する文明〉。資源とは人間が自然環境を対象化し、人為的に搾取したエネルギーである。しかし、そのエネルギーが枯渇した今、人間と自然のあいだにあったはずの距離＝壁は融解し人間は資源の一部となる。人間が作り出した数々の人工物、遺伝子組み換え動物や植物、人造人間でさえも、自然の一部へと吸収される。人間は自然から切り離された特別な存在だと人間が錯覚できたのは、自然資源を火や電気に変換し、テクノロジーを発展・維持してきたからだ。火を生産する資源が不足すると、人間は自然の一部であることを今さらながらに思い出す。しかし、自然は、無垢な原始の状態にとどまっているわけではない。人間がテクノロジーによって絶えず働きかけ、作り変えてきたものだ。ねじまき少女・エミコは、人間が生み出した人工物だが遺伝子リッパーの手により、自然化される。自然と文明は循環する。中心にはドーナツの穴のように、真空容器にしまわれた手つかずの種子バンクがある。災害後、崩壊しつつある文明社会はディストピアに思える。しかし、自然との融合によりユートピア的要素も混在する。ユートピア（どこにもない手付かずの自然＝始原）／ディストピア（崩壊しつつある人間の文明）の区分自体を問い直す。図らずもギボンズが看破するように。

「生態系は、人が初めて舟で海に出た時点でずたずたになってるさ。アフリカの広大なサバンナで初めて火を起こしたときに。［…］わたしたちが自然だ。わたしたちの手を加えることが、生物学的な努力が自然だ。」（下　一三八、強調原文）

6　『日本沈没―希望のひと―』

二〇二一年に放映されたテレビドラマ『日本沈没―希望のひと―』（以下『希望のひと』）は、小松左京が原作小説を一九七三年に発表して以来、何度目かの映像化である。小松左京が『日本沈没』に込めた思いは、映像化されるたびに、その時代／社会の様子を反映する。日本を沈没させるという発想は、戦後の廃墟から高度経済成長を経て奇跡的な復活を遂げた日本（rising）が「もし沈んだら（sinking）」というSF的な仮定に基づく。『日本沈没』をめぐる議論は、沈む日本とは対照的に何が上昇するのかに必然的に注目する。奇妙なことに『希望のひと』では日本は完全に沈没しない。沈まなかった日本に代わり、本来あるべき何かが沈み、不可視化されたのだと私は考えている。この節では『希望のひと』を原作『日本沈没』と対比させつつ、「見えなくしたもの」を再度、上昇（rising）させてみたい。

ユートピアは語源が示すとおりトポス（場所）の問題でもある。国土を物理的に喪失した日本を「どこにもない場所（ou-topos / no-place）」と再定義できる。さらに『希望のひと』の登場人物たちが、物理的領土を失いながら、それでも日本人としてのアイデンティティを保ち、未来への「希望」を抱き続ける様子は、ユートピア的でさえある。その一方、作中には「地獄」への入り口が開いているように見えるところもある。日本沈没という災害を契機としたディストピアから日本人の叡智でどこにもない場所＝ユートピアへ脱出しようとするものの、目指すユートピアの裏側にディストピアが隠れているのではないか。この節では『希望のひと』のユートピアとディストピアの接合面をたどっていきたい。

◉6-1 科学的態度

『希望のひと』から三つの論点を取り出したい。

『希望のひと』の主人公は環境省の若手官僚の天海だ。彼は首相直属の省庁横断的な諮問機関・未来推進会議の一員である。首相が推進するCOMS（新エネルギー）の安全性を伝える天海は、COMSが引き金となる関東沈没を訴える田所教授の存在を無視できない。田所と真っ向からぶつかるのが、政府も信頼を置く学者・世良教授。『希望のひと』の最初の論点は、関東沈没説をどう評価するか、物語内での科学的態度にある。

田所は「スロースリップ」による関東沈没を唱える。この物語内仮説は「どこまで」科学的なのか。原作『日本沈没』は当時、最新理論であったプレートテクトニクスを下敷きにした小松左京の創作だ。小松はSF的想像力を駆使し日本を沈没させた。原作小説も『希望のひと』も、日本を沈没させる自然科学的現象はフィクションであり、たとえば大江健三郎が批判するように[18]「核戦争が起こるかもしれない」可能性と比べても、非現実的な想定である。非現実的な想定は、すなわち非科学的な想定であると一蹴することもできるが、現実と比べて非科学的な想定だとしても、フィクション内部においては科学的な想定とされている物語的現実はある。SF批評はフィクション内部で築かれる人々と科学の関係を射程に入れる。『希望のひと』の田所理論では、地球温暖化による海面上昇とCOMSによる掘削で、海底面が沈下し、あわせて海の上の陸地も沈没するという。国外脱出が本格化したときに、ルビー感染症の変異株が世界中で確認されるが、これも温暖化が原因とされる。『希望のひと』の地球観は、おおざっぱにいうと「人類の活動により地球は温暖化し、日本沈没や新型感染症など危機が訪れる」というものだ。地球のことはわからないと言いつつ、人間の地球への影響力を大きく見積もっている。「人新世」の『日本沈没』ともいえる[19]。

原作『日本沈没』と『希望のひと』を比べて「科学っぽさ」に優劣をつけたいわけではない。それぞれの物語世界内部で、果たして科学はどう扱われているのか、科学への態度を見たいのだ。

田所vs世良は未来推進会議が行われる会議室で対決する。田所は当たりをつけた地点での測定データからスロースリップを観測したと言うが、世良はノイズだと断じてデータを認めない。確固とした根拠はあるのかと電話でたずねる天海に、田所は「私の直感とイマジネーションがそう言ってるんだ」と答える[20]。田所を信じる天海は、世良と田所と一緒に潜水艇に乗り、COMS付近の海底調査をする。正確なデータを得るために潜水艇を使ったものの、潜水艇内での妨害工作、さらに得られたデータの隠蔽が世良教授の指示によって行われており、それを天海は会議室で明らかにする。こうして田所vs世良の戦いは田所に軍配があがる。世良も、手に入るデータを見る限り関東沈没の可能性があると認める。ただし「一割」であり、そのために政治的リソースを割くことはナンセンスだと言う。科学的真実は、確かなデータと田所の教授の直感&イマジネーション、政治的利害に汚染されない天海の強い意志によって到達される。いずれも属人的なものだ。

田所が科学界から「異端」扱いされているのはなぜか。世良によれば、田所は研究費の不正利用によって学会から追われている。田所の主張が極端だから受け入れられない、というわけでもないようだ。ただ、彼は自分の説が「暴論」だと認めている。また、自分以外の誰もシステムを使いこなせないので、データがあったところで正確な予想は出せないと豪語する。事実、田所がインサイダー疑惑によって拘留され研究がストップしたときに、天海はデータを専門家に見せるが「わからない」と言われる。集めたデータから田所と同じ結論に辿り着けるのは、田所のほかに登場している限りでは世界で二人だけ、世良とジェンキンス博士だ。関東沈没後、日本沈没の可能性が出てくるが、それを認めたがらない政治家、具体的には里城副総理に切迫した事態を理解させるのは、この二人だ。ここにも属人的要素が見いだせる。

のちに世良は「自分は科学を政治の手段にしてしまった」と後悔を口にする。となると、田所と世良の対立は、データを解釈する科学者同士の仮説の対立ではなく、科学的真実をどう扱うか、科学と人間が結んだ利害関係から生じている。世良の「一割の可能性のために騒ぐのはナンセンスだ」という発想は、典型的なパターナリズムだ。パターナリズムについては次の論点として検討するが、ここでは科学的データの普遍性と仮説の属人性の対立が作中に見られることを指摘したい。田所にしろ世良にしろ、その人にしか使いこなせないシステムというのは科学理論の普遍性と相容れない。田所や世良の人物造形に『フランケンシュタイン』以来の職人的「科学の人(man of science)」、孤高の科学者(マッドサイエンティスト)というロマン主義が入っている。属人的な科学への態度は、それを使う人の良い意志/悪い意志に収斂する。

◉6-2 パターナリズムと報道の自由

世良の懸念どおり、関東沈没・日本沈没の「可能性○%」が現実の社会でどのような意味を持つか、解釈するのは極めて難しい。専門家は「可能性」の意味を正しく理解できても、一般人は専門家同様に理解できずに混乱するだろう、だから伝える必要はないと考えるのはパターナリズムだ。3・11後、放射線への人体の影響は%で示されていたが私はそれをどう解釈してよいかわからなかった。コロナ禍においても、専門家会議の提言をどの程度、政府や国民が理解でき、行動にうつせていたのか。専門知と大衆理解の乖離を見れば、世良のパターナリズムも一理あると思える。[21]

科学的事実にもとづいた理性的な討議を、人々にどの程度、期待できるのだろうか。天海の判断は明確だ。関東沈没なら伝えて良いが、日本沈没は（まだ）伝えられない。関東沈没説は国民の生命に関わるため国民に知らせるべきだと主張する天海も、日本沈没が現実味を帯びてくると躊躇する。関東沈没なら関東から避難できるが、日本沈没の場合、日本脱出民を受け入れる国の目処が立たないうちは、伝えるべきでない。逃げ場のない危機を伝えるのは、人々を不安にさせ社会を混乱させるだけだ。

コロナ禍はインフォメーション（情報）＋パンデミック（感染爆発）＝インフォデミックとも呼ばれている。日々、感染症に関係するさまざまな数字が私たちのもとに届く。専門家の見解も添えられるが、素人の私たちは膨大な数字の前に途方に暮れる。何をどう解釈して良いのかわからない。ワクチンについても、個々人の科学への態度が接種する／しないという行為で表明される。ワクチンに賛成でも反対でも、根拠となるデータをどこで調達するのか、手にしたデータをどう評価すればよいのか。SNSには誤情報・フェイクニュースも含めじつにさまざまな情報があふれる。量が質を劣化させ、質を高めるためにさらに増量せざるをえず、結果、質は高まるどころかますます劣化する。SNS時代に突入した私たちが抱える構造的な問題だ。日本沈没が科学者や政府から正式に発表されても、SNSではさまざまな情報が飛び交い、混乱は激しくなっていくだろう。もっとも、『希望のひと』では街頭デモや居酒屋でのケンカは描かれるものの、SNSでの誤情報や陰謀論の拡散という現代的事象はほとんど見られない。インフラは沈没直前まででしっかり残っているので異様な静けさだ。

『希望のひと』では、テレビや新聞、週刊誌といった従来のマスメディアは「きちんと」仕事をしている。なんなら政治家の権力闘争の手段でもある。追い落としたい政敵のスキャンダルを積極的にマスメディア

（おもに週刊誌）に流す。他方、週刊誌の志高い記者・椎名は天海から得た関東沈没の可能性を編集サイドの政治的圧力に屈せず、公にする。政治家が圧力をかけるのも、記者が報道の自由を盾に生命の危機を伝えるのも、ベクトルが異なるだけでメディア現象としては同じ。両方の立場とも、目的を達成するための手段としてメディアを位置づけ、情報の受け取り手、すなわち一般の人々は、情報を正しく理解できると考える。ここでも、大衆の情動的欲望が具現化するSNSのような場とメディアをとらえていない。メディアはどこまでも透明な媒体、歪みなく何かを伝える手段にとどまる。

日本沈没が確定事項として国民に知らされた後、人々は粛々と日々を過ごす。移民申請し、割り当てられた国へと出国する。天海たちエリート官僚の服装は基本的にはパリっとしたスーツで、居酒屋では魚介が提供される。街にゴミが散乱することも、電気・ガス・水道・放送・電話・インターネットなどインフラが途切れることもない。インターネットを含むメディアは国民に情報を伝えるものであって、不透明な情報や国民の情動的反応（怒り、悲しみ、諦め、否認など）が表現される場所ではない。だからこそ、どう伝えるかだけが問題となる。反発らしい反発はない。あるとしたら「諦念」だ。田舎の港町にいる天海の母は移民をせず日本と運命を共にするというが、地域共同体ごとに移民できるように制度を見直し天海は母をなんとか説得する。パターナリズムには、伝達手段としてのメディア機能と人々の理解、聞き分けの良さが前提とされている。

◉6－3　個別的な国民と普遍的な人権

田所、世良、ジェンキンスの地球科学者・三巨頭が日本沈没を迫り来る現実と認め、日本政府は外国と交渉を始める。日本からの避難民＝移民を受け入れてもらえるか、受け入れるなら何人まで受け入れるか。日本には世界に誇る有名企業がいくつもあり、企業を従業員ごとその国に移民できないか提案する。トヨタを連想させる生島自動車は、アメリカと中国が互いに相手を牽制しながらなんとしても自国に欲しい企業だ。里城副総理が言うように「日本国民の叩き売り」が始まった。

調査が進むと田所は日本沈没の原因が地球温暖化にもあることに気がつく。オンラインで開催された世界環境サミットに参加した総理の東山は、沈没する日本国民を「地球温暖化の被災者」と規定し、世界からの人道的支援、移民受け入れを要請する。時を同じくして、温暖化のために永久凍土から溶け出たルビー菌が原因の感染症が世界で猛威をふるう。日本人移民から感染例が報告されたため、移民受け入れが一時停止される。しかし、日本移民がいないところでも感染が確認され、世界的な危機であることが明らかになる。そんななか、ルビー感染症の特効薬を日本企業が開発し、東山は特効薬の特許情報も無償で世界に公開すると言う。スピーチするのが国連総会ではなく環境サミットであり、根本は人道問題であるが、表面的には環境問題、地球温暖化による被災とされる[22]。

勤勉で誠実、世界的な企業を有する「日本人だから受け入れてもらえる」。温暖化という地球規模の人類への危機に直面している「人間だから受け入れてもらいたい」。個別性への志向と普遍性への志向が混在する。「まっているのは地獄だ」と、政府内部の情報を悪用し個人的な利益を得ようとした官房長官は天海に言い放つ。天海は「生きていれば未来は作れる」と返すし、これ以外に答えはない。ただし「地獄」が何を意味するのか、考えることは重要だ。

日本国民という属性が意味を失い、しかし人権によって包摂されないとき、「地獄」への裂け目が生じる。

自分の立場を証明し保証してくれる国家がないとき、移民先で人道的配慮が得られるかは現地国での対応次第だ。普遍的な人権概念は、普遍的にしようとする意志がないところでは制度的に普遍化されない。国土沈没から逃れた避難民は、移民になれるのか、それとも難民になるのか。天海たちは日本人として救ってもらいたいのか、それとも人間として救ってもらいたいのか。人間として救ってもらうときに、日本人だから救ってもらえるのだという評価が入り込む。「叩き売り」するにしても、買い手がつかないと売るにも売れない。

『希望のひと』では奇跡のように一億二千万人の日本国民の移民先が決まる。見事に「売り切れ」た。沈み行く国でも日本国民は人材ブランドとして国際的に評価されているのだと言わんばかりに。ここで、世界は日本人から切り離した人間概念に基づき、人道的支援としてカッコ付き日本人ではなく無印の人間を救おうとしているのであり、人材評価とは何も関係がないというのは、理念的には正しいかもしれないが、少なくとも現実的ではない。移民受け入れ交渉で受け入れ国は有力企業を名指しで欲しがるし、総理ふくめ政治家たちは売れるものはなんでも売っていく姿勢だ。文化財も例外ではない。それに、日本人というアイデンティティの究極的な危機に直面する天海たちに向かって、「君たちが助けてもらえるのは日本人だからではなく人間だからだ」と言ってもなんの慰めにもならない。

人間から国民性、ナショナル・アイデンティティを取り出し、ナショナル・アイデンティティを持たない（喪失した）人間を想像することは、できるのだろうか。この問いは、植民地支配、国境変更、移民などの世界史的経験とつながる。

原作の潜水艇乗り小野寺は、仲間の幸長から「新しいタイプ」の青年と形容される。日本人というアイデンティティに重きをおかず、国家との関係は貸し借りでしかない。強制、義務、血縁にしばられない「さわやかなドライさ」で、「彼らは自分たちを「日本人」であると感ずるより、まず「人間」であると感じており［…］地球上、どこへ行っても自分たちは生きていける、と思っている」（『日本沈没　下』一七二、強調原文）。小野寺は日本（人）を超えた、コスモポリタンな人間なのか。そうだとしても、幸長も言うように、戦後の民主主義と豊さのなかから生まれた存在だ。逆に言えば、民主主義でも豊かでもない国では小野寺的コスモポリタンは生まれない。国民性を感じさせないつるりとした「普遍人間」とでもいうべき存在だが、そんな「普遍人間」などいない。

普遍的人間に入り込む個別性をひも解くこと。『希望のひと』で優秀な人材として日本人を「売り」出し、受け入れ国は経済力を「買う」が、同時に人道的問題としても扱う。だいたい日本人すべてが労働力として売れるわけではない。そもそも子どもや高齢者、病人などの非労働力人口も多く、労働者であっても皆が国際的競争力のある企業に勤める正社員ではない。売／買の発想では売れ残りが出る。その「売れ残り」すら包摂できる「普遍人間」がユートピア的に志向されている。ただし個別的日本人の裏面に隠された状態で。

アガンベンは『ホモ・サケル』で難民が「人間と市民、出生と国籍のあいだの連続性を断つことで近代の主権の原初的虚構を危険にさらす」（一八二）と指摘している。生物学的な自然の生（ゾーエー）と政治的な生のあいだに不可逆的で不可視化された亀裂を入れたのは、ほかでもない人権概念である。この亀裂を生まれ＝国民という近代的国家の生―政治的虚構が塗り固めてきたが、難民の出現により虚構は危機にさらされてしまう。『希望のひと』の個別的な国民と普遍的な人権のねじれは、国土を喪失しつつある日本人が難民化したことで露呈した。人権の上に国籍があるのではなく、国籍が国土沈没とともに消失した結果、人間の自然の生を保障する人権があらわになったのだ。

以上の論点を整理しよう。『希望のひと』では関東沈没・日本沈没の妥当性について科学的な議論はされない。問題となるのはデータの不足や、十分なデータを得ても政治的意図から隠蔽する事態で、仮説や検証方法について異論はでてこない。この点において、科学は万人に開かれているように見える。ただし、データを正しく解釈し「システムを使いこなす」のは田所教授を含め、三人のエリート科学者に限定される。彼らの人物造形は孤高の科学者／マッドサイエンティストの系譜にある。問題となるのは科学者たちの政治的立場、それに惑わされない強い意志、つまり科学の属人性であった。

関東沈没・日本沈没が明らかになったとき、政府首脳や若手エリート官僚は、国民にどのタイミングで情報を伝えるべきか議論する。国民の生命に関わるため、関東沈没は早く伝えたほうがよいという天海も、日本沈没は退避計画の目処がついてから伝えるべきだと言う。原作小説にも見られたパターナリズムが『希望のひと』にも観察される。さらに、情報を伝える手段としてマスメディアは十分に機能し、SNSをふくめたメディア状況の混乱はほとんど見られない。国民に正しい情報を伝達する機能を、マスメディアは最後まで果たす。インフォデミックとも形容されるコロナ禍と比べると、あまりにも沈着冷静である。人々の情動的表現はほとんど見られない。

日本沈没が確定路線となると、政治家たちは移民受け入れの国際交渉を始める。国際的な有名企業ごと移民を受け入れてくれないかと「叩き売り」し、日本人という人材ブランドがギリギリ市場的価値をもっていることが示される。その一方、日本沈没の原因は地球温暖化であり、日本沈没を全人類的な問題、普遍的な人権問題だと国際会議で総理は訴えかける。経済合理性から個別的国民「日本人」を売りに出すが、非労働人口の「売れ残り」は個別的国民と表裏一体となる普遍的な人権概念で救われる。「普遍人間」はユートピア的な存在だが、裏面に不可視化されたディストピアがこびりついている。今、見つめるべきはユートピア的な「日本ではない場所」ではなく、足元で国土とともに沈みゆくユートピアの裏面に隠されたディストピアの形だ。

◉6-4 『希望のひと』が「沈めた」もの

『希望のひと』では確かに日本は沈没するが、本州・四国が沈み、北海道と九州は残る。「日本人は日本が沈む物語に耐えられない」と作り手は考えたのだろう。悲惨なドラマは見たくない。3・11やコロナ禍を連想させるシーンはあまりにも生々しく、離れていった視聴者もいると聞く。私たちが受容する物語（フィクション、エンターテインメント）は、受け入れられるかどうかギリギリの世界を創る。一九七三年の読者は日本の沈没を受容できたが、放映時二〇二一年の私たちは日本の沈没を想像し、それを受け止めることができない。そう言えないか。もちろん一九七三年の読者も日本の沈没は受け入れがたいものであっただろう。ただ、日本の沈没がどのような事態をもたらすかという想像は受け入れられたのではないか。というか、真剣に考えたのではないか。

一つ、強調しておきたいのは、小松原作では日本沈没に先立つ火山の噴火、島の沈没、京都や関東の大地震、その後の津波や火災は、一九二三年の関東大震災や第二次世界大戦の空襲と連続したものとしてとらえられている。関東大震災のときにはどうやって避難した、朝鮮人の虐殺が起こった、太平洋戦争では物資の統制があった、と市井の人たちは思い出しながら、目の前の混乱に対処する。小説が出た一九七三年は、関東大震災から半世紀後、終戦から約四半世紀後。人々の記憶は生々しい。一九七〇年代の人々は、社会の繁栄がいついかなる瞬間にも、容易にひっくり返ってしまうことを経験として理解していた。だから「日本が沈む」ことを小説のなかとはいえ丁寧に描けた。

『希望のひと』はどこまで「もし日本が沈んだら」に向き合えたのだろう。私たちは想像力の源泉たる「余裕」を失っているのではないか、そう思うようになった。

6節の冒頭で、原作『日本沈没』は日本を沈ませる＝見えなくすることで、逆説的にさまざまなものを見えるようにする構造があると指摘した。『希望のひと』は日本全土を見えなくしたわけではない。しかし他方で、意図してか意図せずしてか、ユートピア願望の裏面にこびりついたディストピアを不可視にした。そこに光を当てることで現在の日本が抱える問題が見える。

◉6-5　移民に対する想像力

日本はたくさんの移民がいる「移民国家」である。各種データを読むとそういえる。[23] 年間三万人ずつ永住権をもつ人が増えているという記事もある。[24] しかし、私たちの日常会話レベルで「移民」という言葉はほとんど口にしない。

受け入れるだけではない。日本は移民をしてきた国でもある。ハワイや南米の日系人はなぜ日系かといえば先祖に日本人移民をもつからだ。個人で家族で村落の共同体単位で外国に移り住み、仕事をし住居を構え、その場所で生活していく。子どもを産み育て、二世三世となっていく。日本を旅立っていった移民たちがどのような苦労をしてきたか、私たちは知っているようで知らない。

送り出し／受け入れ両方の点からみて、じつは日本はすでに移民国家だ。この移民国家としての日本の姿が『希望のひと』から完全に消えている。なぜか。

移民を受け入れるのも、移民として出ていくのも、簡単ではないからだ。移民先では差別されてきた。アメリカの日系移民は、太平洋戦争が始まると「敵国人」として収容所に送り込まれた。被害だけではない。日本人は日本国内にいる移民を差別してきた。たくさんいる移民を移民として認識せず、ざっくり「外人」とだけ認識する視線は、自分たちを待ち受ける海外での生活がどのようなものか想像する力を奪う。『希望のひと』の日本避難民たちは「外国へ行く」気分が抜けない。移民先は外国ではない。そこが本国になる。そして母国はまもなく沈没する。

日本に生活拠点があり、家族もいて、言語・文化的に日本に溶け込んでいる場合でも「国へ帰れ」とヘイトスピーチを投げつけられる。若い労働力として人身売買同然の契約で日本にやってきて就労ビザが切れ、しかし本国には帰れない事情がある人が難民申請をしたところで、「偽装難民」だとさえ言われる。収監先の施設では体調を崩しても詐病を疑われ、治療を受けることなく死んでしまう。

この国の人たちが、国内の移民に対して何をしてきたのか、いまいちど考えるべきだ。自分たちがひどい扱いをしてきたから自分たちもひどい扱いをされるというわけではないし、自分たちがひどい扱いをされることを正当化してよいわけでもない。しかし少なくとも、自分たちがしてきたことを自分たちもまた「されうる」と想像することはできるし、しなければならない。

現在、日本にある外国人労働者＝移民が集団で生活する地区を「外国人に乗っ取られた」と思う人は、残念ながらいる。日本版「大置換理論」(The Great Replacement Theory)は地方自治における外国人選挙権(投票権)をめぐる議論で頻繁に主張される。であればドラマ『希望のひと』で天海が遠い目をしながら理想として語る「ジャパンタウン」なんてものは、受け入れ国にとってみれば「日本人に乗っ取られた」と思われないだろうか。と、考えられないのはなぜか。

ここに圧倒的な非対称性がある。日本にやってくる外国人は、日本のすばらしさに惹かれてやってくる。その素晴らしい国＝日本から出ていく日本人は、受け入れ国で歓待される。無意識にでもそう思ってしまうのが、日本に住む日本人の特権だ。原作『日本沈没』はそういった非対称的で無意識に抱く特権的な思想をゆるがすものであったはずだが『希望のひと』はそうはならなかった。「地獄」といわれるが、何がどう地獄なのかついぞ語られることはない。

未来会議の面々が、誰を・どうやって移民させるか順番を議論したときに、病人・高齢者・犯罪者・反社会勢力には言及したものの「外国人」にはまったく言及しなかった。沈みゆく日本から日本人は脱出できても、この国に住む外国人にはその権利はないというのか。日本沈没は日本国民だけの危機ではない。日本に住むすべての人間、すべての動植物にとっての危機だ。在日外国人なら母国に帰れるからいいではないか、と考えるのも軽率だ。移民として来ている場合、帰る場所があるとは限らない。

外国人には日本人と同じ権利はないと考える人が一定数いるのが現実である。しかしそのような発想の人たちは、なぜか自分たちが外国に行くと、現地の人間と同じように自分たち＝外国人も同様に扱われるだろうと考えている。

そもそも日本避難民は移民なのか。国土喪失により移住を余儀なくされる人たちは、ときに難民と呼ばれる。ロシアによるウクライナへの軍事侵攻が始まり、日本もウクライナからの難民を受け入れ始めたが、報道や国会では「避難民」と一貫して呼ばれている。日本が難民条約による難民認定をほとんどしてこない事実はたびたび指摘されるが、根本の部分で日本人は難民を想像・理解できないのかもしれない。日本沈没の事実をメディア経由で理解できても、そもそもメディアに登場しない、メディア上で不可視化された事物には、理解はおろか想像すらできない。

◉6-6　韓国・朝鮮半島

日本にいる移民・外国人の姿が不可視化されたように、韓国・朝鮮半島もほとんど不可視化されている。最後、北海道に残った三〇〇万人が沈没直前に船で逃げ出す先は、ロシアと中国だ。船はともかく飛行機を使うのであれば、韓国も選択肢にあがってよいはずだ。それ以前にも各国が移民受け入れを表明したときに「〇〇国は何万人受け入れてくれます!」というやりとりに、韓国・北朝鮮という朝鮮半島の隣国の名前は出てこない。

この点、原作小説は、受け入れ先としての朝鮮半島だけではなく、日本沈没後の東アジア安全保障状況にまで言及する。戦後の冷戦構造下で「不沈空母」として重要な軍事・安全保障の一角を占めてきた日本が、地図上から消えるのだ。当然、考えるべきことだ。沈没しつつある日本が、必死に国内の避難民を国外に脱出させるなか、ソビエトは軍艦を派遣し、空白予定地域に自分たちの軍事的プレゼンスを主張する。[25]

中国はアメリカと並ぶ二大大国で、さすがに物語に登場させないわけにはいかなかったのだろうが、韓国が出てこなかったのはなぜだろう。韓国は日本人を「快く」受け入れてくれないと作り手は思ったのだろうか。思ったとしたら、なぜそう思ったのだろう。

私は、そもそも快く受け入れてくれる国なんてひとつもないと思っている。日本沈没という事態は人道的な問題であり、人道的な問題とはすなわち人権的な問題であり、その問題を解決するのに「快い」もなにもない。人権とはどんな人であろうとも守らなければならないものだからだ。無条件に。だから、好意的に受け入れてくれる国があると無邪気に考えること自体が妄想なのだが、その妄想のなかにも朝鮮半島は出てこない。なぜか。

朝鮮半島にジャパンタウンを作ることは、朝鮮半島の人々に植民地支配を思い出させるからではないか。また、在日朝鮮人に対して日本人がしてきた差別・暴力・ヘイトスピーチを「今度は自分たちが受けるのではないか」と切実に思うからではないか。未来会議の官僚や、居酒屋の店員は「移民先で差別されるのかなぁ」と国土消失後の自分たちの行く末をぼんやりと想像するが、ぼんやりとしか想像できないのは、はっきりと想像できる差別をしてきた加害の歴史・蓄積を無意識的に抑圧したからではないか。

一部であったとしても、移民に向かって「国へ帰れ」とヘイトスピーチをする国民が、移民先で歓待されると妄想できるのは、自分たちは国土沈没という自然災害＝不可抗力の結果、移民しているのであり、世界中がすごいとあこがれる「おもてなし」の精神をもっているから、「その他の移民」とは違うということなのだろうか。その国にたどり着いた経緯は異なるかもしれないが、移民であることには変わりはないのに。

あるいは事態はもっと深刻で、自分たちマジョリティ（日本人）はマイノリティ（在日朝鮮人）を抑圧などしていない、と非対称性に気づいていないこともありえる。差別とはつねに非対称的なものであるのだが。

◉6-7 人々の日常生活

日本列島が沈むCGはあるが、衛星写真のような地図が、ずぶずぶと沈んでいくだけで、そこには悲鳴も嗚咽も慟哭も何もない。人の感情が完全に欠落している。自然や建物が壊れる様子もない。一九七三年の映画『日本沈没』では関東大地震や沈没が特撮技術を用いて撮影される。ゴジラ的な破壊・パニックムービーでありながら、関東大震災や東京大空襲を連想させる演出になっている。

『希望のひと』は、東日本大震災の記憶を呼び覚ますので、直接的な災害描写は避けたのだろうか。だとすると『日本沈没』を映像化する意義はほとんどない。沈没する日本とは地図上の日本だけを意味しない。人々が昔から住み、自然があり、建物・人工物があり、田んぼや畑があり、文化・歴史がある場所のことだ。人々が生を営む（営んできた）場所のことだ。日本という場所に対する執着があまりに薄い。新型コロナが撮影にも影響を与えたのは確かだ。しかしそれにしても、会議室と官庁街（霞ヶ関）、マンションと研究室、行きつけの居酒屋が物語の進む主な場所というのは、あまりに貧しい。天海の実家である愛媛の漁港は、唯一ともいえる生産と消費がくっついた生の場だが、しかしそれくらいである。

日本沈没が公になり移民計画が進んでいくなかでも、日常生活は壊れない。銀行の取り付け騒ぎと閉店した店は存在するが、インフラ、食料品の流通、ゴミ収集まで滞りなく「日常」は維持される。途中、天海と椎名は避難所に立ち寄るが、あくまで震災の避難所であり、地震大国日本では「見慣れた」景色だった。未曾有の災害は日常化されている。『希望のひと』には日常化された災害はあっても、災害化された日常、すなわち日本沈没という事態に直面し混乱し、日常を営むどころではなくなった人々にそれでもやってくる日常はない。

国会前にデモ隊はいるが、ほんの十数人で、まるでチンドン屋の賑やかしである（チンドン屋さんには申し訳ないが）。大衆の蜂起すら描けない。ほんの数年前に、国会をあれだけの人が囲んだというのに。

「事件は会議室で起きてるんじゃない」というのは昔の刑事ドラマのセリフだ。この刑事ドラマには、現場と会議室を対比させる批評性があった。少なくとも現場の刑事と会議室の官僚という構造を描こうと努力した。『希望のひと』はどうか。若手官僚たちの思いつきおしゃべり井戸端会議の部屋が、日本沈没の現場だと、最後まで思っていなかったか。

最終話、デジタルに表現された画面上の日本列島がただ海に沈んでいくシーンを思い出しながら、あれは画面上の出来事なのか、それとも現実の日本沈没の様子をとらえた上空からの映像なのか、私は混乱し始めた。もちろん後者だろう。しかし、前者であったとしても、何か問題があるのか。この問いかけは反語で、「何も問題はない」が答えだ。沈没は会議室だけで起こっている。会議室がただ揺れるだけだ。それが『希望のひと』が十時間かけて描いたものだった。

以上、『希望のひと』が「沈めて」見えなくした三つのもの、不可視化されたディストピアを指摘した。

まとめよう。

祖国を喪失した自分たちを移民と呼びながら、すでに移民国家となっている歴史と国内にいる外国人を忘れた。隣国でありながら、日本が植民地支配と民族差別をしてきたために、朝鮮半島や在日朝鮮人を登場させなかった。では日本国に住む日本人ならどうかというと、そもそも災害下の市井の人の生活や、日本という国の様子すら描かなかった。

日本列島すべては沈没させず、しかし右記の三つは初めからないかのように沈ませ、描き出された日本とは、長く停滞しつつあるとはいえまだ世界で通用する経済力で世界から買い漁った移民先に、おもてなしの精神を持つ日本国民は逆おもてなし精神で歓待されるというものだ。さらに新型感染症の治療薬の開発という現実には果たせなかった夢すら織り込まれる。

『希望のひと』の希望とは何なのだろう。日本沈没を「第三の開国」とし日本人を「普遍人間」にすることが「希望」だったのかもしれない。しかし、開こうとしたものの、ますます自閉していく様子が露呈しただけだった。そもそも、日本はすでに開かれていて、ただその事実を見ていない、見たくないだけだ。データと科学、事実とメディアの関係はともに透明で、政治的利害に汚染されない「強い意志」があれば、客観的な事実は届けたい相手に届く。自分たちのナショナル・アイデンティティと引き換えに普遍人間たらんと「強い意志」を持ったところで、ユートピア願望は不可視化されたディストピア（移民の現実、植民地主義の過去、人々の日常）と表裏一体となっている。国土喪失の日本人が素晴らしい民族として受け入れてくれるユートピア的ビジョンはディストピアの隠蔽と共謀している。見たくないものは見たいものと引き換えに、国土と共に沈めたのだ。

『希望のひと』は失敗作なのか。原作がもっていた野心をどこまでも上滑りさせ、描ききれなかったことは大いなる失敗だ。ただ、失敗したという身振りそれ自体が物語るものもある、というのが私の見解だ。冒頭に述べたように、私たちが受容できるフィクションは、私たちの想像力ギリギリのところに成立する。傑作は理解不能と共感可能のあいだ、ほんの少しのスペースに無限の想像を生み出す。『希望のひと』は、二〇二一年コロナ禍の私たちが想像できる限界を露呈させた。描かなかったもの（描けなかったもの）三つは私たちが見なければならないもの。『希望のひと』は、その失敗を失敗として言語化――小松左京原作の読み直し・再評価も必然的に含まれる――さえすれば、意味を持ちうる。[26]

7 災害ディストピア 結論

災害ディストピアは《⑤》自然／人工的な（複合）災害により、環境・自然が破壊される。人間文明の土台であるインフラや、それを支えるテクノロジーが維持できなくなり、ニーズの不足と秩序の崩壊が続く。《①》国境は不明瞭になり、消失する。法は機能不全になる。日本は沈没する。《②》人々は、新／旧道徳を戦わせる。近代国家規模の共同体は分解し、生存を第一の目標にする小・中規模の共同体が立ち上がる。生産手段が原始的なものに退行するため知識階級と生産階級が分離し、知識階級を養うことはできない。《③》備蓄を消費するだけか、日々の生活物資を生産するのか。生産物として人間を含む生物が資源化されることもある。《④》災害後のパニックはメディアも関係する。透明なメディアと理性的な市民は、災害時の理想像だが、そんなものはどこにも存在しない。メディアのインフラが壊れるまでインフォデミックは続くだろう。またメディア（通信）が復旧しても、再び衝突が起こる可能性もある。大規模な人類共同体を統治するにはマスメディアとインフラが必須。バッテリーの切れかかったラウドスピーカーでは不十分だ。

補論　小松左京『日本沈没』と日本人の成熟

ここまで『希望のひと』を論じてきた。この節では、災害ディストピアから少し離れるが、引き続き『日本沈没』をとりあげ、成熟をテーマに考えたい。小松左京の原作小説、草彅剛・柴咲コウ主演の二〇〇六年の映画『日本沈没』、Netflixアニメ『日本沈没２０２０』の三作品を取り上げる。

◉補－1　「おとな民族」と地球の進化

小松左京は、明確に日本沈没を日本人が成熟する契機ととらえている。沈みゆく日本と運命を共にする渡老人は、同じく国外退避を拒否する田所に「あんた……この、日本列島に恋をしていたのじゃな」と言って、こう続ける。

「この四つの島があるかぎり……帰る〝家〟があり、ふるさとがあり、次から次へと弟妹を生み、自分と同じようにいつくしみ、あやし、育ててくれている、おふくろがいたのじゃからな。……だが、世界の中には、こんな幸福な、温かい家を持ちつづけた国民は、そう多くない。〔…〕いわばこれは、日本民族が、否応なしにおとなにならなければならないチャンスかもしれん……〔…〕海千山千の、あるいは蒙昧で何もわからん民族と立ちあって……外の世界に呑みこまれてしまい、日本民族というものは、実質的になくなってしまうか……それもええと思うよ。……それとも……未来へかけて、本当に、新しい意味での、明日の世界の〝おとな民族〟に大きく育っていけるか」(『日本沈没』下三七六―三七七、強調原文)

渡老人の語りでは、日本列島は「おふくろ」とジェンダー化される。田所の日本列島への執着を「恋」と呼ぶのもジェンダー化である。「母なる大地・自然」という表現があるが、日本列島もその例に漏れない。子どもを産み、育てる「母(おふくろ)」としての日本列島。渡老人の世話をする花枝は、渡老人のもとを去ることを嫌がる。そんな花枝に「日本の……女子じゃな……」「赤子を生め……」「おまえの体なら、大きい、丈夫な赤子が生める……。いい男を……日本人でなくともいい……。いい男を見つけて……たくさん生め……」(下三六六)と言って避難させる。

物語の最後、記憶を混濁させた小野寺に摩耶子があやすように八丈島の伝説を話す。津波で一人の娘を残して島の人間は死んでしまった。その娘は妊娠していて男の子を産む。娘は自分の息子と交わり、さらに子どもを産む。こうして島の人口は増えていく……。母は島となり、津波で削られた生命力は母の多産で補われ回復する。八丈島の伝説は、沈没した日本の伝説として語り直されるのかもしれない。そんな含みがある。

小野寺が「ゆたかな時代」の「新しい青年」とされることはすでに指摘した。日本沈没が確定事項と政府内部で共有されると、国民への公式発表前にそれとなく政府首脳は若者に世界進出を促す。キーワードは「世界雄飛」。出所をたどると「総合雑誌の中のある論文」にたどりつく。戦前、あるいは明治までの日本社会では、「家」と「世間」が社会の基本単位で、男は成人すると、「「家」を代表して「世間」とつきあうか、あるいは「家」を出て、「世間」の中にはいって行くかした」(上二三三)。戦後は、家は核家族に解体する一方、高福祉化した社会に多くの女性が進出する。結果「家庭化した社会」で男は「小アユ」のようにたくましい「成人」になることなく一生を終える。

「家庭化した社会」説の問題点はいくつもある。「おとな」を男に、「こども」を女・子どもにあらかじめ割り当て、本質化している。女性の社会進出が進んでも「女性が社会化する」のではなく「社会が女性化する」とされる。女性がいる空間では男性は成熟できないのか。「成熟」できないなら、成熟とはそもそも何を指しているのか。ホモソーシャルな空間での既得権益の分配競争を勝ち抜くことか。『日本沈没』には女性の政治家、指導者、官僚、科学者は不在だ。国土喪失という究極の国難に直面し、不利益の再分配を政治的に決定する場面から女性が閉め出されている。『希望のひと』では若手官僚や週刊誌記者に女性がいるが、政策決定する政治家は男性ばかりだ。小松左京やそれから五〇年後の現代日本のジェンダー後進性を指摘したいのではない。もちろん、現在のジェンダー平等の観点からみれば、小松の小説が舞台となる一九七〇年代の日本も、今の日本も批判できるし、少数のエリート男性による意思決定はパターナリズム(paternalは「父親らしい」という形容詞だ)以外のなにものでもない。

私がここで考えたいのは、日本と日本社会は「女性化」したのか、それとも最初から「女性化」されていたのかだ。戦後という廃墟を「新しい青年」の誕生日とするならば、小説が書かれた一九七三年に、その青年は二八歳を迎える。廃墟が奇跡的な復興をへて「ゆたかな社会」になったとき、社会の女性化により、戦後日本という二八歳の青年には「おとな」になる機会を持てなかった。だから日本沈没がショック療法となり青年の社会化・「おとな化」を促す。しかし日本は「戦後」のはるか前から、すでに女性化していたのではないか。清国の僧侶から戦中・戦後の日本政治のフィクサーとなった渡老人は「おふくろ」としての日本を長い期間でとらえている。

小松左京の日本観は、女性性が割り当てられていることを前提として、女性性の起源が無時間的に、ある種の伝説のように語られるのが特徴だ。戦後、さらにさかのぼって明治維新からの近代を日本社会が女性化を始める起源としつつ、すでに日本は女性的なものとされている。これから到来する未来が、すでに到達した過去であるような循環が見られる。

小松左京の「おとな民族」という言葉からまっさきに連想したのはアニメ映画『クレヨンしんちゃん 嵐を呼ぶ モーレツ！ オトナ帝国の逆襲』だった。イエスタディ・ワンスモアと名乗るテロリストグループにより、大人たちは過去をノスタルジックに再現したテーマパークで「永遠の子ども」になって遊ぶ。しんのすけの父・ヒロシは子ども時代に両親と一緒に行った大阪万博の思い出に浸り、過去から出てこれない。子どもの頃にヒロシが万博で見た「未来」は、二一世紀の現在から見たら「過去」だ。過去を未来として見るオトナたち、過去を未来と見せようとするイエスタディ・ワンスモアは、女性化する日本／女性化した日本という無時間的な循環構造のなかに取り込まれている。いうまでもなく、大阪万博は小松左京が積極的に関わったプロジェクトである。「おとな民族」と「オトナ帝国」が接続できる。

母なる日本列島からの暴力的な切断により世界に出て「おとな民族」として成長する――小松左京の日本民族の進歩＝成長史観は見た目ほど直線的ではない。おとな・成熟を循環的時間のなかに喪失している。他方、小松左京は田所博士に地球の進化相について語らせる。

「過去に、一回も起こったことのないようなことが、これから起こるというんですか?」[…]
「歴史というものは、そういうものだ――[…]単なるくりかえしではない。まったく新しいパターンがあらわれる。――それは諸現象の進化相というやつだ」(上三一四、強調原文)

日本沈没に比類する現象は人類史を見ても過去になかった。「新生代第四紀の地殻変動は、過去のいかなる変動の歴史の中にも書かれていない、新しいページをめくりつつあるのかもしれないのだ」(上三二六)。過去になかったからといってこれから起こらないわけではない。地球上に生命が生まれ、高度な知能をもった人類が誕生する不可逆的な進化があるように、地球もまるで生き物であるかのように地質学的な進歩をすると田所は言う。

「先生は過去のデータの延長では予測できないことを、どうやって、予測しようとなさるのですか?」
「直観とイマジネーションだ……[…]人間の直観力とイマジネーションは、厳密な意味では科学の中にはうけいれられない。科学はまだこの二つを、〝方法〟として厳密にとりいれるところまで発展していないといってもいい。にもかかわらず、近代科学を、あるいは近代数学を、飛躍させてきたのは、

じつにこの二つの力なのだ」（上三二五、強調原文）

集めたデータから仮説を帰納するようでいて、革命的な科学理論というのは、じつは科学者の「直観とイマジネーション」で導かれ、各事象へと演繹されていったと原作小説の田所は力説する。「直観とイマジネーション」や「カン」をよりどころに、田所は地球の進化、かつてない地殻変動が起こりつつあるのだという。今であればシンギュラリティとでも形容できる非連続的な地球の地質学的進化は、もちろん、日本人の「おとな民族」への成熟とパラレルになっている。

しかし、田所の態度にはどこか願望が入り込んでいる。「ひょっとしたら、地球の長い地殻変動の歴史の中で、これまで一度も起こったことのないことかもしれない。あるいは起こったのかもしれないが、それが起こったという証拠は、われわれの文明がこれまでにかき集めることのできたデータからは、まだ出てこないだけかもしれない」（上三二六、強調原文）。地球物理学は、私たち人間や寿命のある生物の時間軸とは異なるスケールで、事象をとらえると田所も言っている。データ不足だとしても、日本列島の沈没に類似する急激な地殻変動がなかったと断言はできないし、田所も「起こったのかもしれないが」と留保する。ここにも日本列島・社会の女性化と同じ構造が見られる。未来にむかって未曾有の変化が現在進行中であるとしながら、その変化はじつはすでに起こっていた可能性だ。循環的・反復的な変化を、直線的にとらえなおし、非連続的な進化を読み込むことで「成熟」の機会とする。小松左京は日本を沈没させ、「母なる日本」から物理的に日本民族を切り離し、親離れ＝成熟させようとした。前提されるのは直線的な成長・成熟観である。しかし小松の願望とは裏腹に、断絶からの成熟・進化がほんとうに達成できたのかどうか。「おとな民族」の小松左京—大阪万博が「オトナ帝国」のアトラクションに回収されてしまったように、事態はどこまでも循環的だ。小松左京もまた地球的な循環する時間の輪のなかに取り込まれているといえる。

◉補－2　草食系男子の成熟

樋口版『日本沈没』は、二〇〇六年度の Sense of Gender 賞（以下、SOG賞と表記）特別賞を受賞している。SOG賞とは「前年度の1月1日から12月31日までに刊行されたSF&ファンタジー関連作品を対象に、性的役割というテーマを探求し深めたものに与えられるもの」である。[27] じつをいうと、私も選考委員として最終選考に参加し講評も発表している。[28]

樋口版『日本沈没』を原作や原作に比較的忠実な一九七三年の映画と比べると、類似点以上に相違点が目につく。まず相違点を指摘していく。

原作小説との一番の違いは、日本が沈まないことだ。海底を掘削し爆薬を埋め込みプレートを破裂させることで、日本が海底に引きずり込まれるのを阻止する。そのために潜水艇を用いN2爆薬を設置するが、最初に結城が、次に小野寺がオペレーションの過程で命を落とす。とくに小野寺は旧式の退役艦を使用したので、そもそも帰還を念頭においていない「特攻任務」であった。

他の相違点は、SOG賞でも評価されたジェンダーだ。原作小説では、調査し仮説をたてる科学、利害の調整と意思決定をする政治から女性は排除されていた。女性登場人物は、小野寺と関係する令嬢・阿部玲子と銀座のホステス・マコ（摩耶子）、渡老人の世話係・花枝など、性別役割が強く押しつけられた典型的な存在だった。樋口版『日本沈没』では、阿部玲子はレスキュー隊の隊員となり、鷹森という有能な女性政治家が、阿蘇山の噴火で政府チャーター機が墜落し総理大臣が亡くなったあとの日本を牽引する。官房長官が総理代行となるが、とっととアメリカに退避し、国内の避難・救助を取り仕切るのは鷹森だ。彼女は田所博士の元妻でもある。

女性のプレゼンスの上昇と対比して描かれるのは男性の「草食化」である。森岡正博が『草食系男子の恋愛学』を著したのは二〇〇八年。二〇〇九年には「草食男子」が新語・流行語大賞のトップ一〇に入っている。[29] 映画が公開された二〇〇六年には男性の草食化現象は社会で観察されていただろう。草彅剛演じる小野寺を草食系男子にカテゴライズできる。迫りくる日本沈没を前に、潜水艇パイロットとしてイギリスに行くチャンスを得て、阿部に一緒に行かないかと言う。逃げ場のない家族や仲間を置いて自分たちだけ国外へは行けないと断る阿部。同じ潜水艇パイロットの結城は、妻子を外国に逃がし、自分は田所教授が発案した日本沈没阻止計画に協力する。しかし、結城の乗った潜水艇は深海に沈み結城は命を落とす。頻発する地震と噴火で破壊された日本の街をふらふらと歩き、ようやく小野寺は決心をする。阿部にはイギリスへ行くと別れを告げ、一夜を共にするが、「抱いて」と言われても「今はできない」と断る。自分が命をかけた計画に赴くことを手紙に残し、翌朝、小野寺は阿部のもとを去る。

深海で小野寺が操縦する潜水艇のマニピュレーターがつかむのは、細長い円筒状の爆弾だ。海底に設置された爆破装置の「穴」に細い「棒」を差し込む。小野寺の特攻的任務はあまりにも象徴的で、今見ると物悲しくさえある。女性から関係を求められても「今はできない」と禁欲し、パワーよりもデリケートな操作が要求されるミッション、細い棒を穴に刺す（落とす）という性的な解釈を誘発するミッションをこなす。

小野寺は自分の欲望を他者から学習する。「大事な人と外国へ逃げる」のは官房長官や、その他の要人が、恥ずかしげもなくしていること。他方「愛する人のため」に命を賭けるのは、結城や阿部がしていることだ。沈み行く日本を背景＝風景に、小野寺は自分の欲望のかたちを探る。もちろん、欲望は本質的に、つねに／すでに誰かのものであり、自分「だけ」のものであることはありえない。自分の欲望が誰かの欲望だったときに、では誰の欲望が転移したものなのかと問うことは意味がある。ふらふらとさまよう小野寺の背中を押し、「積極的ではない」と形容される草食男子に決断をさせるには、どうしたらよいのか、何を必要とするのか。樋口版『日本沈没』は、日本を沈没させることを答えとした。小松左京が登場人物や場面を変えて、繰り返し問うた日本人論・日本民族論は樋口版『日本沈没』から抜け落ちている。外からみれば小野寺は日本のために命を落とした。避難民と政府職員でいっぱいの自衛隊の船で、日本沈没が止まったと発表する鷹森は、小野寺と結城に哀悼の意を示す。しかし、彼らにしてみると自分たちの犠牲は日本という国家のためだったかというと、必ずしもそうではない。愛する人のためではあっても。結城は子どもに故郷を見せたいのだと小野寺に言う。結城にとっての守るべき日本は、郷土であって領土ではない。これは小松原作と樋口映画の相違点であるが、類似点でもある。ともに「成熟」に関わっている。ただし、小松は日本人という単位だが、樋口は個人という単位だ。樋口版『日本沈没』は、小松左京が七三年に描いた日本を沈ませることなく徹底化させた世界、つまり八〇年代、バブル経済や高度消費社会を経ている。成熟が問題になるのは、もはや国家ではなく、個人においてだ。

樋口版『日本沈没』と小松原作や一九七三年映画の類似点は、日本列島を徹底的に破壊する災害だ。CGを使い、噴火・地震・津波により日本列島が痛めつけられ、破壊され、沈んでいく様子を映す。阿部の叔母が営む下町のもんじゃ屋につどう仲間たちは一緒になって避難する。地震と降り積もる火山灰に負けずに、自衛隊の案内で高いところへと道路を上っていくが、地震と落石により道路は寸断され前にも後にも進めなくなる。彼らだけではなく、街や山や港で多くの人が避難し、なかには命を落とすものもいる。総理代理・野崎は、国外退避三千万人、死者行方不明者三千万人という数字を鷹森に見せ、これからさらに死者行方不明者が増えていくので、国外の受け入れ先を心配する必要はそんなにないのだ、と言い放つ。『希望のひと』では描かれない事態だ。

樋口版『日本沈没』は『希望のひと』同様に日本は沈まない。大阪も京都も沈むが、一部の陸地は海上に残った状態で、沈没は止まる。ただ樋口版は、その過程で、とても多くの人が行方不明になるか死亡する。樋口は、カタストロフィを映像的に演出し、創造的破壊をスペクタクルに描こうとする。創造されたものはなにかと問うことは重要だが、徹底的な破壊は『希望のひと』では慎重に排除されていた。映画より広くリーチしうるテレビドラマという媒体で、「3・11を彷彿とさせる」から配慮されたのかもしれない。ただ樋口版『日本沈没』は、発表年から当然3・11の影はないが、阪神淡路大震災の影響は強く残っている。阿部は両親を震災でなくし、東京の叔母に育ててもらったのだ。舞台となる二〇〇六年は阪神淡路大震災から一一年後であり、二〇二一年『希望のひと』は東日本大震災から一〇年後である。両者とも時間的に「前の震災」から大きく隔たっているわけではない。それでも、災害の描き方にこうも違いがでる。樋口版『日本沈没』は創造的破壊を通じ、たとえ個人であっても「成熟」を主題化した。この点は、原作と地続きであろう。他方『希望のひと』は破壊を徹底しないことを選び、結果、成熟も創造もなく「ありのまま」でも世界中に受け入れてもらえる移民ファンタジーを垂れ流した。

では、樋口版『日本沈没』は、日本列島を破壊することで、小野寺を成熟させることができたのだろうか。イエスといいたいが、ここでも原作小説同様の両義性が入り込む。事はそう簡単ではない。映画の冒頭、地震の被災現場から小野寺とみさきという少女は、レスキュー隊の阿部に救出される。阿部は小野寺の破れたジャケットを繕い、わざわざ勤務先JAMSTEC（海洋研究機構）まで届ける。阿部と再会した小野寺は、自身の海洋への思いを語る。自分にとって「深海とは母親のようなもの」と小野寺は語る。海も「母なる海」とジェンダー化される対象である。「海の中には母がいる」とうたった詩人もいた。地球上の生命の始まりをたどっていけば海に行きつく。海を母にたとえることの是非はおいておくとして、ここで注目すべきは小松原作では日本列島が「おふくろ」や「恋」の対象であったが、樋口版『日本沈没』では日本列島ではなく（深い）海（の底）が母なのだ。二人の会話で「胎内」という言葉もでるが、海から生まれた生き物が海に帰る物語ともいえる。深海＝胎内に安らぎを感じる小野寺が、地上での楽しい思いと辛い別れを経て、再び胎内に戻っていく。小野寺は確かに決断したのだが、何を決断したのか。愛する人と彼ら彼女らが住む日本を守ることを決断したのか。それとも、海に帰ることを決断したのか。前者が後者を必然化しているように思えるが、前者を隠れ蓑に後者を選んだとはいえないか。

樋口版『日本沈没』は、庵野秀明が監督し、樋口自身も絵コンテとして携わったアニメ『トップをねらえ！』の影響を感じられる。潜水艇が深海の水圧につぶされながら爆薬を点火する様子は、『トップをねらえ！』の最終話で、主人公のマシンが二つある自分たちのエンジン（縮退炉）を一つ犠牲にし、木星を改造した超巨大爆弾に点火する様子と重なる。木星爆弾が計画どおりに動かず、敵・宇宙怪獣の攻撃を止めるすべがなくなったと思ったそのとき、主人公のタカヤノリコは「奇跡はおきます！　おこしてみせます！」と叫び、爆弾を点火させに行くのだ。このセリフは小野寺が反復する。

パロディ的要素をちりばめたロボットアニメとしてスタートした『トップをねらえ！』だが、終盤になると時間というテーマがせり出してくる。光速に近い速度で宇宙を移動すると、相対性理論により宇宙船の内外で時間の流れ方が変わる「ウラシマ効果」が出る。これにより宇宙船に乗って宇宙怪獣と戦い続ける人類軍エースパイロットのタカヤノリコは、大人になり子どもを産み育てる高校時代のクラスメイトとは異なり、いつまでも高校生のままだ。彼女に成熟はおとずれない。『シン・エヴァンゲリオン』でいうならば、「エヴァの呪い」とでもなるか。ともあれ樋口版『日本沈没』を『トップをねらえ！』と比べたのは、ディティールにおける類似以上に、成熟しない／できない主人公の姿が共鳴しているからだ。

◉補-3　アニメ『日本沈没2020』

二〇二〇年に配信されたNetflixアニメ『日本沈没２０２０』(以下『２０２０』と表記)は、小松左京『日本沈没』では描かれない市井の人々からディザスターを描く。原作『日本沈没』は科学者、政治家、官僚が中心にいて、『希望のひと』も同様であった。もちろん科学者、政治家、官僚というエリートも、仕事上での役割が外れれば一人の人間にもどるわけだが、両作品が研究や政治的意思決定に関わるエリート中心に物語が進んでいくのとは対照的に『２０２０』は政治・行政の人間は徹底的に画面の外へ排除される。唯一、登場するのが国外退避を指揮する自衛隊員である。市井の人々から災害を描くという発想はよいが、物語が全編にわたり破綻していて「超展開」と「トンデモ」のオンパレードだ。それでも『2020』に注目するべき点はあると思うので、以下、指摘しよう。

◎主人公家族の出自。父親は日本人だが母親はフィリピン人。娘と息子はいわゆる「ハーフ」となる。避難の途中、「お前は日本人ではないな。この船は日本人のためのものだ」と乗船を拒否される。

◎不安になった人々がいがみあい、暴言・暴力、レイプ（未遂）が描かれる。群衆パニックというディザスターフィクションの典型かもしれないが、大規模な群衆暴動にまでは発展していない。群衆レベルというより、個人レベルで自暴自棄になっている。

◎SNSとYouTubeで情報発信・情報収集。不自然なまでに市井の人々視点なので、マスメディアもロクに機能していない。情報はウェブが中心。

◎物質が豊富に残された場所で宗教的なコミュニティ（シャンシティ）が形成される。死者の声を聞けるというマザー。障害をもっていると思しきその息子。大麻を栽培しコミュニティのメンバーに供給。日本沈没が進行し、このコミュニティは地震により崩壊。

災害を契機に、新しい共同体が生まれることは十分に考えられる。災害によって不足したニーズ（物資、エネルギー、労働力）を安定して供給することができれば、人はそこに集まるし、人が集まれば秩序が生まれる。秩序と指導者が不可分なのかは社会実験をしないことにはわからないが、シャンシティには指導者マザーが誕生した。大友克洋（漫画）『ＡＫＩＲＡ』で、アキラの発動により秩序が崩壊したあとのネオトウキョウで、ドラッグをニーズとして分配するテツオ陣営と、超能力と宗教性による秩序を保つミヤコ陣営を、足して二で割ったようなコミュニティともいえる。もっとも、日本が沈むほどの災害が現在進行形で起こっている場所で人々に平穏をもたらすには、ドラッグの力でも借りなければどうしようもないと思われる。

人々の不安や暴力（的衝動）、自生的秩序や薬物による平穏、日本の住民の民族的多様性。『希望のひと』からごっそり抜け落ちたものだけで『２０２０』は成り立っている。

以上、小松左京の原作と映像化された二作の『日本沈没』を見てきた。『希望のひと』に続きこれからも『日本沈没』を原作とした作品は、媒体を問わず作られ続けるだろう。阪神淡路大震災の約一〇年後に樋口版、東日本大震災の約一〇年後に『希望のひと』が生まれたのを振り返ると、今後、日本列島を、たとえば人為的で大規模な事故も含めた災害が襲ったとき、災害を対象化しつつ自分たちの経験として共同体に再統合する手段として新しい物語が生まれるだろう。共同体における物語の価値の一つは、災害の語り直しにあるからだ。ただし何がどう語られているのかと同時に、何が語られていないのかを慎重に読み解いていくべきだ。『日本沈没』で、何が沈み、何が沈まないのか。ディストピアの裏面に接合したユートピアを反転させるのに『日本沈没』ほどよいテクストはない。

第5章　労働解放ディストピアの製造コスト

1　生産と再生産のトレードオフ――カレル・チャペック『ロボット　RUR』

もはや普通の名詞として流通しているロボットも、最初は作家が生み出した言葉だ。正確には作家の兄のようだが。チェコの作家、カレル・チャペックが一九二〇年に発表したロッスム・ユニバーサル・ロボット社の頭文字をとった戯曲『ロボット　RUR』でロボットという語は生まれた。というのは知識として知っている人も多いと思うが、実際に戯曲を読んだ人はどれくらいいるだろう。二一世紀の現代で、ロボットという言葉から連想されるものと異なるロボット像が『ロボット』にはある。

『ロボット』の特徴を三つ、取り出そう。

①人間の労働者の代わりに生み出されたロボットは機械ではない。生化学的に作られたもので、チャペックも言うように「ゴーレム」に近い。

②ロボットの数が増える一方、人間の子どもが生まれなくなる。理由は不明。アルクイストは、ロボットの出現により人間が労働から解放され「ただ楽しむしかない」「呪われた楽園」が到来したからだという。③ロボットは自己を増やす技術を持たない。ロボットの生みの親であるロッスムの手記に秘密があるが、ヘレンに燃やされてしまう。人間はロボットと交渉する材料を失う。

私が読んだ中公文庫版の巻末に、付録としてチャペック自身のエッセイが収録されている。「機械の支配」と題された文章で、チャペックは「はじめに打ち明けなければならないが、「機械が人間から創造する能力を奪うことで、人間の支配が可能となるだろうか」という問いについては、いささか責任を感じている」（二一〇）と述べる。「〈人間〉対〈機械〉」の問題は、その大半において、「〈労働者〉対〈機械〉」という言葉で表現するほうがより正確である」（二一一）とも言っている。機械は人間文明の効率性を飛躍的に高めたが、人間的価値を同程度に高めたのかと問うチャペックは、労働力が機械化され、ロボットに代替されたとしても、機械化されない人間的価値がどこかにあると信じている。しかし、エッセイでのチャペックの主張とは裏腹に、戯曲『ロボット　ＲＵＲ』では、人間のロボット性、ロボットの人間性が入り組む。

『ロボット RUR』
初版本カバー

簡単にあらすじを追ってみよう。序幕で、ロッスム社のロボット製造の秘密が語られる。ロッスム社取締役のドミンとヘレナが出会う。ヘレナはドミンの秘書がロボットであることに気づかないし、ドミンの部下たちをロボットだと思い込む。ヘレナは人道連盟の代表としてロボットを支援するために来たという。唐突に、ドミンはヘレナに求婚する。

それから一〇年後の第一幕では、ロッスム社のロボットが世界を席巻し、十分な数に達したロボットが人間に対して革命を起こす。ヘレナはロボットの設計図を燃やす。

第二幕では、ロボット革命に対し、登場人物それぞれが反応する。自分や人類に子どもができないのは、ロボットを製造しているためだとヘレナは考え、ロボットの設計図を燃やしたと告白する。彼女の行為は残された人々から徹底抗戦以外の選択肢を奪う。結局、ロボットに人間は敗北する。

第三幕では、唯一の生き残りアルクイストがロボットに囲まれ「ロボットを増やしてくれ」と頼まれるが「人間の謎」は失われたと答える。ガル博士がロッスムのオリジナルに手を加えて作ったロボットに秘密があると考えたアルクイストは、ロボットの解剖をする。恋人で一心同体の二体のロボット、プリムスとヘレナが、パートナーではなく自分を実験台にしてくれとアルクイストに懇願する姿に愛を見たアルクイストは、プリムスをアダム、ヘレナをエバと呼ぶ。二人を外へ押し出したあと、アルクイストは次のように言い、終幕となる。

アルクイスト　自然よ、生命は絶えることはない！［…］私たちが作り、建てたものは役には立たず、街や工場、私たちの芸術や思考も無に帰すが、生命は絶えはしない！　ただ私たちだけが絶えてしまった。［…］ただ愛だけが廃墟の上に花を咲かせ、生命の種子を風に委ねるのだ。［…］生命は絶えることはない！（一九五）

プリムスとヘレナ、二人のロボットのあいだに生まれた愛は、人間的な愛のようであり、超人間的な愛のようでもある。人間とロボット、異なる種族のあいだにも共通して見られる生命の源となる愛。人間にあるがロボットにないものと、人間にはないがロボットにはあるものを交互に描き、人間とロボット、種を超えて共有できる普遍的な性質（愛）に迫る。

これはドミンが、反乱を企てるロボットを抑制しようと民族型ロボットの製造を思いつくのとは正反対である。「各地の工場で、異なる肌の色をし、異なる毛をもち、異なる言語を話すロボットができるということ。そうすれば、ロボットはそれぞれ外国人のようになり、石になったかのようによそ者になる。そして、相手を永遠に理解できなくなる」（ドミン 一〇九）。人工的にバベルの塔の神話を再現しようとするドミンの発想は、種族の滅亡の直前まで普遍性にたどりつけなかった人類の逆転の一手だ。しかし、問題を解決するのではなく別の問題へとすり替えやり過ごそうとしても、根源にある事態は変化しない。

以上、あらすじを踏まえて論点を整理すると次のようになる。労働者の代替品であるロボットは、人間を労働から解放しユートピアを作った。ところが、ロボットを生産（production）できる人間は、自分たちの再生産（reproduction）ができなくなる。ロボットは人間に自身の「生命の秘密」を要求するが、秘密じたいが設計図と共に失われる。人間もロボットも再生産できなくなる。数の多さからロボットが人間を圧倒するが、ロボットのなかに生命に連なる普遍的な愛を表現するものも現れる。チャペックの戯曲で、ロボットは生産／製造（production）の問題でありながら、それ以上に再生産（reproduction）の問題だ。『ロボット　RUR』は、単なる「新しいテクノロジーによって人間の労働が免除される／奪われる」という話ではない。

この章ではチャペックの『ロボット』を入り口にし、労働とユートピアの関係について考えていく。私たちは働かなければならない。太古の昔から、人間は生きるために働いてきた。狩猟採集社会だろうと、農耕社会だろうと、産業・情報化社会だろうと、個人と集団、種としての生存のために必要な活動は、労働としてくくれる。もちろん、それぞれの社会で労働の形は変わり、人と労働の関わり方も変わる。ジェンダー、階級、人種、身分、年齢によって、ある労働が課せられたり、別の労働から免除されたり、労働の形はさまざまだ。チャペックは、産業社会でロボットが人間の生産活動を代替するようになったらユートピアが到来するだろうかと問いかけた。チャペックは、労働（生産活動）からの解放が、再生産からも解放されてしまう皮肉な事態を描いたわけだが、それほど労働は人間の本質と結びついているのか。今日も明日も明後日も、働かなければならない一介の労働者としては労働なき世界はユートピアに思える。が、そう考えた一瞬後に、労働しなくてよいなら何をすればよいのかと不安に思う自分もいる。これは「働かざる者食うべからず」という資本主義社会における勤勉イデオロギーの産物なのか。そもそも「働かざるもの食うべからず」は労働者ではなく、資本家に向けられた言葉だ。

労働解放ディストピアには製造コストがかかる。人々が労働から解放された社会がユートピアか、それともディストピアか、まずはH・G・ウェルズ『タイムマシン』をテキストにして検討していこう。

2　もっとも人間らしいのは誰だ――H・G・ウェルズ『タイムマシン』

H・G・ウェルズの『タイムマシン』はSFのみならずタイムマシンSFというジャンル内ジャンルまで生み出した点で画期的だ。画期的であるが、ウェルズのタイムマシンの使い方は、じつはそこまで画期的ではないかもしれない。

『バック・トゥー・ザ・フューチャー』や『ターミネーター』、さらには藤子・F・不二雄の『ドラえもん』でも、タイムマシンで過去に行くと歴史が変わる。「親殺しのパラドックス」も有名だが、タイムマシンといえばパラドックスだ。そう思い込んでいた私が、初めてウェルズ『タイムマシン』を読んだときに、タイムトラヴェラーが過去ではなく未来へ向かい、自分の記憶ではなく人類の行く末に関心を向けたことは意外であった。しかし、文壇のみならず政治的活動におけるウェルズのキャリアを鑑みると、彼が本当に人類の行く末を心配していたことがわかる。

『タイムマシン』
初版本カバー

『タイムマシン』が予言した人類の未来とは、簡単に言ってしまえば、ダーウィンの進化論とマルクスの経済学を融合したものだ。産業社会で資本家と労働者階級に分離した人間は、八〇万年後には、姿形がまったく異なる別の人種、イーロイ人とモーロック人に変化する。環境に適応し種として生存することを進化と呼ぶのであれば、イーロイ人もモーロック人も資本家と労働者階級が進化したものだ。もっとも、現代の目撃者たるタイムトラヴェラーは、イーロイ人には知的荒廃を、モーロック人には野生回帰を見出し、限りなく進歩に近い意味での「進化」という言葉を使いたがらない。この点については、のちほど検討しよう。

タイムトラヴェラーがたどり着いた未来世界で、最初に接する人類はイーロイ人であり、彼らは働いているようには見えない。

未来人種は羨ましいような住環境に暮らして派手に着飾っているのだが、それでいて、労働に汗を流すことがない。苦労には縁がない。社会的であれ、経済的であれ、何かのことで人が骨を折っているところはついぞ見たことがないよ。商店、広告宣伝、運輸交通など、現代社会の根幹をなしている営みがすべて地を払ったありさまだ。（五七）

「労働」「苦労」「骨折り」がイーロイ人には欠如している。労働＝苦役からの解放といえる。イーロイ人たちは「気品」と「ひ弱」さが同居する「頽廃の美」と形容される。

気品のあるととのった顔立ちといい、流れるような身ごなしといい、実に非の打ちどころがない。それでいながら、いかんせん、見るからにひ弱なのだな。紅顔といえば、若々しく潑剌として血色がいいはずが、あれはむしろ消耗性の紅潮で、その不健康なところがまた何とも言えず悩ましい。ひところ盛んにもてはやされた頽廃の美だ。（四二―四三）

頽廃の美は、「無知蒙昧」「五歳児の知能程度」とすらタイムトラヴェラーに言われる。「体の小さい未来人は不思議なほど好奇心が欠如している。子供のように歓声をあげて寄ってきながら、すぐ興味がほかへ移って離れていくところもまるで子供だよ」（五〇）と言うタイムトラヴェラーは「私が行き合わせた未来は人類の衰退期にさしかかっていたらしい」（五五）と結論する。

やはりタイムトラヴェラーの尺度は、その瞬間の環境に適応する共時的な視点ではなく、単線的かつ進歩的に変化する通時的視点で、人類の未来を理解する。ゆえに、イーロイ人たちの知的頽廃に期待を裏切られ失望を隠せない。イーロイ人を「子供」と呼び「この未発達な文明がどこまで立派に成熟しているか」（三七）と未来に期待することから、子供―大人、未熟―成熟の直線がタイムトラヴェラーの頭の中にあるとわかる。

◉2―1　どちらに感情移入するのか

労働から解放され「頽廃の美」とはいえ平和な時を過ごすイーロイ人にも、恐れているものがある。日が落ちた後、夜の闇にイーロイ人は恐怖する。闇のなかからもう一種類の未来人類・モーロック人が現れる。白くブヨブヨした体を持ち、半人半獣の猿のようなモーロック人は、イーロイ人を捕まえては食糧として食べる。地下に張りめぐらされたトンネルを棲家とし、暗闇に適応した目をもつモーロック人は光の下では活動できない。新月の夜を待ち、モーロック人はイーロイ人を狩りに出てくる。どこかに隠されたタイムマシンを探しに、地下に潜ったタイムトラヴェラーはモーロック人と接触し、八〇万年かけて人類がたどった運命を推測する。

資本家と労働者の格差が次第に広がっていくのは確実［…］階級間の溝が広がって行きつくところまで行くと、地上は「持てる者」ばかりが暇に任せて快楽と耽美に明け暮れる世界になる。「持たざる者」である労働者は地下に埋もれて、ひたすら強いられた環境に適応するしかない。（八六―八七）

イーロイ人は資本家の、モーロック人は労働者階級の末裔なのだ。

では、タイムトラヴェラーはどちらの「子孫」に感情移入するだろうか。次の箇所を読み比べると、答えは明らかだ。

イーロイ人がどれほど知的に退化していようと、姿形はまだまだ人間に近いから、どうしても情が移るし、かといって、幼稚な頭や臆病な神経に無条件で同調するわけにもいかないのだよ。（一〇九）

モーロックが向かってきたら容赦なく脳天を叩き割ってやる気だったさ。実際、一人や二人、やっつけないことには腹の虫がおさまらない。血筋の子孫を手にかけるとは人間にあるまじきことと思われるかもしれないが、これればかりはどうにもしかたがない。だいたい、あの半獣どもに人間を感じろと言われたって、無理な話だ。（一一五―一一六）

姿形が人間にまだ近いからモーロック人よりイーロイ人に「情が移る」。事実、タイムトラヴェラーはウィーナというイーロイ人と行動を共にする。好奇心が薄いといわれるイーロイ人のなかでウィーナはタイムトラヴェラーに関心を持つ珍しい存在だ。

モーロック人よりもイーロイ人に感情移入しても、あくまで相対的なものでしかない。イーロイ人の知能や文化・生活と、二〇世紀現代人たる自分との違いは、八〇万年分ある。「常食は果物でね。遠い未来の人種は徹底した菜食主義者」（四九）で、生活スタイルは「コミュニズムか」（五二）。さらに「服装、顔貌、態度物腰と、現代社会で男女を区別しているものが意味を失って、未来人種には性差がないのだな。私が見たところ、子供は親の雛形だ。それに、こと体に関する限り、未来の子供は実に早熟でね」（五三）と、ジェンダーレスと性的未熟さを、人類種としての衰退＝幼稚化だと考える。

◉2-2　どちらか人間らしいか

次に考えたいのは、イーロイ人とモーロック人は「どちらが人間らしいか」だ。この問いは「人間とは何か」というより大きな問いと関わり、簡単に答えられない。『タイムマシン』で人間がどう描かれているのか、そしてイーロイ人とモーロック人はその描かれている人間のどちらに近いのかここでは考えてみたい。

イーロイ人に感情移入し、行動をともにするタイムトラヴェラーはモーロック人がイーロイ人を食料として飼育し、夜に狩りに行く事実を目撃し、激しい嫌悪を抱く。

> 人肉を拒否する感情は、さほど深い本能に根ざしてはいないのだよ。〔…〕しかしね、どう見たところで、モーロックは人間以下だ。三、四千年前の人食い人種とくらべてさえ、人間から遠くかけ離れ

> ている。そのありさまを苦難と受け止める知性はもはやかけらほどもない。だったら、何を思いあぐねることがあろう。イーロイ人は肥えた家畜でしかない。地中に棲むアリのようなモーロック人が、生かしておいて餌食にする肉用種だ。おそらく、そのつもりで飼育しているのだろう。(一〇八)

「モーロックは人間以下」とタイムトラヴェラーは断言する。モーロックの人肉嗜好に非人間性を見出したタイムトラヴェラーは、他方イーロイ人には環境適応能力が欠けていると言う。イーロイ人の生活空間を見てタイムトラヴェラーがまず気がつくのは、生活空間と生産空間が分離し、イーロイ人は生産能力をもっていないことだ。

> いくつか覗いた宮殿のような建物はどこも単なる生活空間で、大食堂と、大勢がかたまって寝る場所があるだけだ。しかも、機械だの、装置、道具だのの類は何もない。肌触りのいい柔らかなものも時には縫い返さなくてはならないだろうし、サンダルは飾り気こそないが、実に巧緻な針金細工だよ。どこかで誰かが職人仕事をしているはずだろう。ところが、小粒の未来人はお世辞にも手先が器用とは言い難い。だいたい、どこを見ても店屋はなし、工房と呼べる場所もない。どこか他所から品物を取り寄せているようでもないのだな。(七四)

「巧緻な針金細工」と「手先が器用」ではない様子がちぐはぐで、世界が成り立っているようには見えない。モーロック人の存在を知ったタイムトラヴェラーは、イーロイ人の生活空間を「生産」するのが、労働者の末裔たるモーロック人であると気がつく。

モーロック人は、おそらく古来の習慣でイーロイ人の衣類を仕立てたり、日用の雑事を引き受けたりと、使役される立場に甘んじているのだろうね。遠い昔に廃れた慣行が社会とその成員たる個々人の肉体に刷りこんだことで、これはつまり、馬が蹄で地べたを掻いて、貴族が娯楽の目的で猟獣を仕留めるのと変わりない。ところが、旧い秩序はわずかずつながら、明らかに逆転している。(一〇〇―一〇一)

モーロック人は「古来の習慣」でイーロイ人に「使役される立場に甘んじている」とタイムトラヴェラーは考えたが、実際にはイーロイ人はモーロック人に「飼育」されていた。「人間の知性と活力の源泉に艱難と自由がある」「危険がなければ成長はない」と考えるタイムトラヴェラーの目には、イーロイ人は好奇心、環境に適応して変化していく知性が欠けていると映る。

環境適応する知性を人間の本質(のひとつ)とタイムトラヴェラーは考えているが、これを人間性の尺度としてイーロイ人、モーロック人をそれぞれ比べると、どちらが「より人間らしいのか」は当初のイーロイ人という判断から変化する。

環境に文句なく適応している生き物は完璧な機械装置だよ。習性や本能が働いているうちは、自然は知性を喚起しない。変化、もしくは変化の要求がないところに知性は育たない。種々さまざまな必要と危険に否応もなく向き合う生き物だけが知性に覚醒する。というわけで、私が見たところ、地上のイーロイ人は容姿こそ美形ながら、幼児にも劣る知性しかないひ弱な人種に退化した。片や地底のモーロックは機械仕掛けのハタラキアリだ。それはそれで一つの達成かもしれないが、機械仕掛けの完成度が高いにしては欠けているものがあった。それは何かといえば、不変の持続だよ。

（一三三―一三四）

「環境に文句なく適応している生き物は完璧な機械装置」には註釈が必要だ。タイムトラヴェラーにとって、単に環境に適応することは機械装置になることを意味する。この場合の環境とは習慣や本能でやり過ごせてしまう「変化のない状態」だ。これに対し、人間のもつ知性が真に発揮されるのが「変化の要求」がある状態で、「さまざまな必要」「危険」に向き合う。イーロイ人もモーロック人も環境に最適化されているが、変化のない状態に陥っているので、ともに知性的には二〇世紀の人類よりも衰退したとタイムトラヴェラーは断じる。ただ、モーロック人については、奇妙な留保を付け加えている。それが「不変の持続」が欠けている、という指摘だ。「不変の持続が欠けている」とは「変化すること」だ。モーロック人は機械装置だが、完全に安定した・不変の機械装置ではない可能性が示唆されている。

その根拠に、モーロック人は人類文明が築き、かろうじて残されているテクノロジーの守護者である点を、タイムトラヴェラーはあげている。

機械と接触を絶やしたことのない地底人だが、機械はどれほど完全でも、使いこなすには習慣だけではない多少の知恵がいる。そのせいで、いきおい、モーロックは地上のイーロイ人よりはるかに切り替えがきいたのではなかろうか。（一三四）

ここでいう「切り替え」は「人肉嗜食の旧習に回帰」したことを指す。労働から解放されたイーロイ人に代わって、生産を担うモーロック人は、地下のどこかでテクノロジー（機械）との接触を持ち続ける。そのため、機械の維持・操作に「習慣だけではない多少の知恵」を要し、変化する環境、具体的には「食用の肉が枯渇した時」、環境に合わせて自分たちを変化させられたのではないか。「さまざまな必要」「危険」に立ち向かう姿勢を人間的知性と呼ぶならば、モーロック人のほうがイーロイ人よりも人間らしいといえる。

タイムトラヴェラーなら、意地の悪い私のこの主張にどう答えるだろう。「人肉嗜食の旧習」と彼が呼ぶことから、モーロック人が遂げた変化は、前に進む進歩ではなく背後へ戻る退化であり、ただ変化に対応するだけではなく「どう対応するか」までが人間的知性の要件になるのだ、と反論するかもしれない。この（仮想の）反論への反論も可能だ。タイムトラヴェラーはイーロイ人とモーロック人を別の人種とし、モーロック人をその外見、行動から徹底的に非人間化している。それがどこまで一貫した態度かは、検証したとおりだ。もはや別の種となったイーロイ人をモーロック人が食用に飼育し、食べることは「人肉嗜食（カニバリズム）」に該当するだろうか。たとえるならば、人間と祖先を共通とする類人猿を人間が食べたからといって、それをカニバリズムと非難できるのか。異なる種であれば、それは家畜化であり、非難できるのはカニバリズムとしてではなくカーニズムとしてだ。

カーニズムは、メラニー・ジョイが「人間に特定の動物を食べることを条件づける信念のシステム」（四九）と名づけたものだ。[1] 完全菜食主義は、ある信念を意識的に選択した結果と理解されるが、肉食主義はそのような理解はされない。肉食主義も、ある信念を選択した結果の行動であるが、この選択が社会・文化・歴史によって無意識化されている。意識的なヴィーガニズムと非対称的で、無意識化された肉食主義の信念体系は、それを名づけ名指ししてはじめて意識にのぼる。

マリナ・ウォーナーは「補説――タイムマシンをより知るために」（『タイムマシン』所収）で述べる。

『タイムマシン』の随所に見られる陰惨な描写のうちでもひときわ衝撃が強いのは、未来から戻ったトラヴェラーが体験を語る前に口にするひとことである。「そのマトンを一口、取っておいてくれないか。肉に餓えているもので。」食物連鎖をウェルズはついぞおろそかにしなかった。[…] ウィーナと死に別れたトラヴェラーが現代に戻ってマトンに食欲を示すのは、無垢な子羊に等しいイーロイ人を餌食とする肉食人種モーロック人と同類の正体を明かすことで、実に戦慄を禁じ得ない。（一八三―一八四）

タイムトラヴェラーがマトンを食べるのは、モーロック人がイーロイ人を食べるのと、何がどう違うのか。子羊をマトンという別の単語＝肉の名前で呼ぶのはカーニズムの産物だ。モーロック人がイーロイ人を食べるのは、変化する環境にあわせた退化ではない。逼迫する食糧事情に押されて、イーロイ人の飼育＝家畜化に成功したともいえる。タイムトラヴェラーがモーロック人の「人肉嗜食」にいくら嫌悪感を抱こうとも、進歩／退化という通時的な軸ではなく、ここにあるのはあくまで共時的な差異、つまるところ「食文化の違い」でしかない。

モーロック人は「人間らしい」。タイムトラヴェラーが「人間らしい」のと同じ程度に。

◉2-3　タイムトラヴェラーは人間らしいか

最後に考えたいのは、タイムトラヴェラーが人間らしいかどうか、だ。

未来世界でタイムトラヴェラーが手にする象徴的な道具がある。マッチだ。タイムトラヴェラーはタイムマシンという人類史上最大級の発明品を生み出せる科学者にしてエンジニアであるが、その一方、着の身着のままで放り出された未来世界では、無力極まりない。モーロック人がタイムマシンを移動し、それを取り戻すまでは未来世界にとどまらなければならなくなっても、未来世界での彼ができたのは、現代から運よく持ってきていたマッチを灯し、ついた灯りでモーロック人を追い払っただけだ。マッチがなくなりそうになっても、別の方法で灯りをつけられない。青磁宮（かつての博物館）で、まだ使えるマッチを見つけては安堵する始末だ。ダイナマイトを見つけても、それが模型だと気づいたとき失望感は計り知れない。

モーロック人を撃退するにも、武器らしい武器は持っていないし、作れもしない。青磁宮で見つけた「信号機の梃子」をもぎ取って、武器として振り回すのがせいぜいだ。梃子を梃子として使わないタイムトラヴェラーは、最新テクノロジーを用いて未来世界に来たにもかかわらず、火や武器といったテクノロジーの水準は過去に遡る。一七世紀のサバイバル・ストーリーであるダニエル・デフォー『ロビンソン・クルーソー』のほうが、よほどうまく無人島生活ができる。[2] これは現代科学が複雑になりすぎた反動ともいえる。タイムトラヴェラーが、イーロイ人にあれほど求め、イーロイ人がもっていないから退化・衰退したのだと断じた「さまざまな必要」「危険」に立ち向かう人間的な知性を当のタイムトラヴェラーは持っていない。

もう一つ、タイムトラヴェラーの振る舞いで気になる点がある。タイムトラヴェラーは、モーロック人とコミュニケーションを取れないのか。人間らしい見た目や気質の穏やかさから、出会ってすぐにタイムトラヴェラーはイーロイ人に感情移入し、コミュニケーションを取ろうとする。ウィーナを含め、何人かのイーロイ人とは音声による意思疎通も多少はできる。他方、モーロック人は、タイムトラヴェラーにとっては迫り来る恐怖以外のなにものでもない。

> 立ちつくしているところへ、闇の奥から手が伸びて、筋張った指で私の顔を探った。[…]わけのわからない相手から寄ってたかっていじくりまわされる不愉快といったらない。気がついてみれば、私はモーロック人のものの考え方を知らないし、黙っていたら何をされるかわかったものではない。[…]言葉とも獣の唸りともつかないくぐもり声でざわざわしながら、だんだん図々しくなって触ったり何かする。(九六―九七)

モーロック人も音声言語はもっているだろうが「言葉とも獣の唸りともつかないくぐもり声」と言われる。言葉より何より、モーロック人に特徴的なのは、闇の奥から伸びてくる「手」だ。これはモーロック人の目がほとんど見えないのと関係する。視覚が著しく弱体化したため、モグラのようにその他の感覚器官が発達したのだと考えられる。しかし、手の役割は感覚器官だけではない。イーロイ人が失い、モーロック人が代替している生産・テクノロジーを操作するのもこの手だ。八〇万年後の未来世界で人類文明のテクノロジーを象徴するのがモーロック人の手だ。この手を、タイムトラヴェラーは拒む。もちろん、闇の奥から伸びて顔をまさぐる手は「不愉快」でしかない。しかしそれでも、モーロック人の手とタイムトラヴェラーの手が重なり合わず、コミュニケーションは失敗する。

テクノロジーを失い、モーロック人とコミュニケーションもできなかったタイムトラヴェラーは、難題に立ち向かう「人間らしい」知性の持ち主といえるのか。

チャペック『ロボット』は生産と再生産が紐づけられ、生産しないなら再生産できなくなる人類の未来が描かれた。ウェルズ『タイムマシン』は、生産と生存が紐づけられる。チャペックのように次の世代＝再生産が脅かされるのではなく、労働が免除された／生産を放棄したイーロイ人自身の命が脅かされる。労働者でないイーロイ人は生産ラインから排除され、モーロック人の食糧生産ラインの上に再配置される。イーロイ人視点で見る限り、労働からの解放は生存が脅かされるディストピアへの入り口だが、モーロック人視点で見ると、厳しい食糧事情を淘汰圧としてイーロイ人の家畜化に成功した「人間らしい」知性の発現ともいえる。生産＝労働からの解放が、じつは別のもの、食糧としてのイーロイ人を生産していた。このディストピアの構造は、機械・人工知能によって、人間の労働がどんどん機械・人工知能に置き換わるなかで、ゆいいつ代替不可能で搾取可能なものとして残される労働者の身体を描くＳＦに続く。現代の代表作は、むろん『マトリックス』である。

3　人間から労働が疎外されたユートピア——映画『ウォーリー』

ピクサーが二〇〇八年に制作したアンドリュー・スタントン監督のアニメーション映画『ウォーリー』は人類によって汚染され、見捨てられた地球で労働するロボットと、巨大宇宙船・アクシオム号で何一つ不自由なく生活する人間たちの対比が特徴だ。

ウェルズ『タイムマシン』ではイーロイ人とモーロック人、人間の子孫は二種に分岐したが、『ウォーリー』では地球環境の浄化から宇宙船内での人間の世話までロボットが担う。イーロイ人よろしく人類は、巨大な赤ん坊のような姿に変化している。浮遊ベッドから落ちたら自力でよじ登れないし、食べ物はファーストフードのドリンクを入れるカップに流動食で用意される。ロボットは人間の世話を自らの存在目標としているので、人間が現状を維持できればよいが、もし仮にロボットがモーロック人のように、人間ではなくロボット自身が生存し続けることを目的としてもってしまったら、ロボットは人間と敵対することになるだろう。

『ロボット』や『タイムマシン』同様に、『ウォーリー』でも、労働から解放されたユートピアたるアクシオム号内で、労働と一緒に人間にとって決定的に重要な「何か」も失われたのではないか検討してみたい。

◉3−1　あらすじ

ゴミが堆積し、荒廃しきった地球。キャタピラとマニピュレータをもつ自走式ロボットが一体、ゴミを集めては自分の体でキューブ状にプレスし、出来上がったゴミキューブを積み上げていく。ゴミの量に比べて圧倒的に小さいウォーリー一台だけが地球で作業している理由は、他のロボットはすべて壊れてしまったからだ。たった一台だけのウォーリーは、友達となったゴキブリと一緒に、コンテナを我が家として黙々とミッション＝地球の掃除に精を出す。ときに、ゴミの中から人間の文化の名残り（がらくた）を見つけてはコレクションし、コンテナハウスで音楽にあわせてダンスする人間の姿を映像で見ては、いつか自分も人間のように踊れることを夢見るウォーリー。

ウォーリーの静かだが充実した生活に、闖入者がやってくる。巨大な宇宙船が地表に着陸したかと思うと、小型の浮遊型探査ロボット・イヴが放たれる。イヴは、植物が育つほどに地球環境が回復したかを調べに来たのだ。ウォーリーが掃除中に発見した一本の植物に反応し、イヴは乗ってきた宇宙船に植物をもち帰る。イヴに興味をもって接していたウォーリーも、急いで宇宙船に飛びつく。

こうして二体は、地球を離れた人類が宇宙で暮らす拠点、巨大宇宙船・アクシオム号へと到達する。そこで人類は、ロボットに身の回りのことをやらせ、浮遊ベッドに身を預けることで歩くことすらしない、ひたすらに快適＝怠惰な生活を送っていた。当初は「一時的な滞在」のつもりだったが、地球の汚染があまりにもひどく、結局七百年も宇宙生活を続けている。故郷である地球の記憶はもはやなく、さらには船を統御する人工知能・オートは人類の地球帰還を阻止しようとさえする。地球とアクシオム号の環境を比べれば、どちらが快適であるか明らかだ。しかし、ウォーリーとイヴが持ち帰った植物をきっかけに、キャプテンは地球への思いを募らせ、アクシオム号の舵を地球に向け、地球に着陸するのであった。

◉3-2　人間の労働をロボットに置き換えることは可能か

荒廃しきった地球は人間が住める場所ではない。自律型ロボットに地球の掃除をまかせ、その間、人間が宇宙で快適に過ごすのは「良い考え」に思える。実際、アクシオム号で人間たちは何不自由なく、上げ膳据え膳なんでもかんでもロボットにやってもらい「快適な生活」を送る。地球がディストピアであれば、アクシオム号はユートピアだ。

ただ、以下の点には注意が必要だ。地球を浄化するウォーリー型のロボットは、メンテナンスをしなければならない。当初、地球清掃計画には大量のロボットが投入されていた。ところが七百年経った今、稼働しているのはウォーリーのみ。他のロボットは壊れて動かない。ロボットの台数が減れば減るほど、地球環境が元どおりになるには時間がかかる。単純に考えて、ロボットの台数が半分になれば、かかる時間は倍。もし最初に一万台のロボットが投入されていたとしたら（それでもとても少ないが）、ウォーリー一台のみの現在は、当初の予定の一万倍時間がかかることになる。

台数のみの問題ではない。冒頭、ウォーリーは荒廃した地球を「サバイバル」する。清掃ミッションをルーティンとして行い、コンテナハウスへの道中、ゴミと一緒に廃棄されている他のロボットから使えそうなパーツを集める。キャタピラやカメラなど破損した部分を、自分で交換する。その作業は手なれたものだ。バッテリーは太陽光から充電している。が、当然、太陽光パネルも劣化・破損していくのでリプレイスが必要だ。

ウォーリーはかなり賢いロボットで、まるで人間のようである。しかし人間のようなウォーリーですらできないことがある。それは自分のパーツを作り出すことだ。代替部品があれば付け替えられるが、もし代替部品が見つからないなら替えようがない。材料からパーツを作る機能はない。自己メンテナンスで伸ばし続けた寿命（七百年！）も、地球上の使えるパーツがなくなれば尽きる。他のロボットもウォーリーと同時期に投入されたと考えるなら、打ち捨てられたロボットのキャタピラやカメラも七百年分劣化している。代替部品に替えても、その都度「若返る」わけではない。この「全体としての劣化」は、熱力学の第二法則のように、外部から新しいエネルギーによって新しいパーツが持ち込まれない限り不可逆的に進行する。

ひるがえってアクシオム号ではどうか。ここでもロボットが自律的に人間に奉仕している。ロボットがやるべきことは細分化され、それぞれに専用のロボットが割り当てられる。その様子は人形の中に人形が入っているマトリョーシカのようで、もちろんカリカチュアだが、ここにも地球と同様の問題がある。人間をサポートするロボットAをサポートするロボットBをサポートするロボットC……と半永久的に作業のダウンサイズをしても、最終的にたどり着いたロボットNのメンテナスを誰がするのか。もちろん、それは人間である。人間以外にメンテナンスできるものはいない。ところが、アクシオム号の人間は「快適さに最適化」していて、ロボットをメンテナンスできるほどの知識も技能も持ち合わせていない。実際に人間がロボットをメンテナンスできるかは不明だが、少なくともあらゆる種類の「労働」から無縁（疎外）であるようには見える。やらなければならなくなったら、できるのだろうか。自分の足で歩くことすらままならない人間たちに。

◉3-3　労働する手足

マルクスの資本論の教えによれば、資本主義のもとで労働者となった人間は自分の労働から不可避的に疎外される。自らの手を使い労力をかけて作ったモノは、自分の手から離れ、代わりに手にした賃金は、そのモノを買い戻すほどに十分な額にならない。自分で作ったもののはずなのに、自分で手にすることができない状態を「疎外された労働」とマルクスは呼んだわけだが、アクシオム号で人間に起こっている事態はいったいなんなのだろう。

人間はもはや自分の労働力を誰にも明け渡す必要はない。面倒くさいことはすべて機械・ロボットがやってくれる。人間は何も失うことのない完全な状態であるはずだ。ところが、アクシオム号の人間は失い続けている。一つは足、もう一つは手だ。

イヴが地球で見つけた植物は、地球で見つけたボロボロの靴に植え替えられアクシオム号に運ばれる。舞台を宇宙船内に移した後は、宇宙船のコンピュータに植物を認識させ地球に進路変更しようとするキャプテン（＋イヴとウォーリー）と、人類にとって地球より安寧な現状維持を目指すオートが対立する。そのとき、身体を支え移動する機能をほとんど使わなくなった足をもつ人々の間を、植物の入った靴があちこちにパスされる。最後には宇宙船は植物を認識し地球帰還にゴーを出す。そして、七百年ぶりに人々は地球に降り立つ。靴に入った植物が、人類に足を取り戻させる象徴的な役割＝記号となる。

手はどうか。『ウォーリー』における手の役割・表象を考えるキーワードは二つある。manipulator と manual だ。さまざまなロボットや自動化された機械が出てくるが、いずれも特徴的なマニピュレータをもっている。人間の器用な手に代わり、機械が何でもやってくれることを表現している。また、地球帰還をはばむオートは、宇宙船のハンドル（舵）型をしている。それ自体が「操作されるもの」でありながら、背後で人間、とくにキャプテンをそれとなく現状維持に誘導する「操作するもの」（マニピュレータ、操作者）。歴代のキャプテンの肖像写真にかならず映り込むオートは、操作されるものである以上に人を操る。

もう一つのキーワードmanualは、キャプテンが地球行きを進めようとしたときに渡された本だ。キャプテンは音声による指示に慣れすぎていて、マニュアル本を手にしてもどう使ってよいかわからない。手で紙をめくって読まなければならない。manipulatorとmanualは語源的にはmanu=handで共通している。自動化が進むと人間が手の機能を失っていく様子をmanipulatorが、失われた手の役割を取り戻してく過程がmanualに凝縮される。

労働から解放された人間は、しかし完全な人間でいられない。疎外された労働、労働の結果生じた労働力商品が人間から取り出せないとき、人間たちは自分たちの手と足を疎外していく。一部は機械になり、一部はまったく使わなくなる。いずれにせよ、身体から手足は疎外される。キャプテンたちが地球に戻るためにオートと戦うことで、徐々にだが手足を取り戻していくのだ。

◉3-4 道具の目的性と逸脱

ウォーリー、イヴ、仲間のロボット、オート、アクシオム号内部のさまざまな機械・ロボットはすべて、人間にとっては道具であり、何らかの目的を達成するための手段である。ウォーリーは地球上の廃棄物の処理（といってもプレスして積み上げるだけだが）、イヴは探査機（probe）だ。アクシオム号で自律移動するロボットは、床に表示される誘導線にそって移動する。誘導線は目的までの最短距離を示す。ロボットたちは線の上を進んでいる限り、他のロボットとぶつかることなく最速最短で目的（地）を達成できる。しかし物語に、目的からの逸脱がたびたび描かれる。

そもそもウォーリーからして目的から逸脱している。地球上のゴミをかき集めてはキューブ上にプレスして積み上げていくが、ゴミを集める際、自分が興味をもった人間の物はつぶすことなく集め、自分の家にコレクションする。ウォーリーはがらくた集めをしているように見える。しかし、集めているのががらくたなのか判断するのは難しい。そもそも集めたものの正しい使い方がわからない。ただ自分が惹かれたものを集め、ウォーリーなりの秩序で整理・分類している。人間文化への興味が根本にあるが、文化とは単一の目的に収斂しない過剰な意味を生み出す活動である。

アクシオム号でイブとウォーリーは故障したロボットを修理する部屋に追いやられる。故障したロボットは、作られた目的から逸脱している。たとえばメイクや整髪といった人間の世話をするために作られたのだが、故障のため過剰に振る舞う。その過剰さは、人間にたとえるなら脅迫的に同じ動作を反復する精神疾患の症状だといえるかもしれない。しかし、これらの「故障ロボット」はアクシオム号を攪乱し、ウォーリーとイヴと共に、人間たちの地球帰還を助けることになる。病院のような修理部屋に閉じ込められていたときと、アクシオム号を自由気ままに闊歩するときで、過剰な動きがもつ意味は明確に変容している。

ロボットはどんなに優れていても自分自身を複製できないと先に述べた。自分が故障したら、それを修理する別のロボットを必要とし、その修理ロボットが故障したら、修理ロボットの修理ロボットを必要とする。これはロボットの本質、道具性に関わる。ロボットが「人間に仕える」という目的を持っている限り、自己複製はしたくてもできない。チャペックがロボットに込めた「呪い」でもある。自己複製を目的とすると「人間に仕える」こととやがて衝突する。したがって、どんなに機械が高度になり人間の労働を代替しても、それでも人間に奉仕し続けなければならないのであれば、人間からその身体（の一部、手足）をとりあげてでも、人間には機械の目的であってもらわなければならない。論理的必然だ。

自律的思考は、機械では目的化できない、無目的でときに過剰な意味をもたらす文化活動と不可分だ。人間の（喪失した）文化、歌とダンスに興味を抱きイヴの手を握ってダンスに誘うウォーリーは、自律的だし極めて人間的だ。手（マニピュレータ）を脱目的的に使う。

エンドクレジットと一緒に、人間がロボットと一緒に地球／文明を再興していく様子が描かれる。しかし、たるみ切った人間が荒廃した地球を、ロボットの手を借りるとはいえ、再生させられるのか。七百年ものあいだ宇宙空間を漂っているアクシオム号はユートピアだ。快適さに最適化された人間は『マトリックス』で機械に繋がれ幸せな夢をみていた電池人間たちを連想させる。『マトリックス』ではレッドピルを飲み真実＝現実に目覚めたネオたちはマトリックスに反旗を翻すが、過酷な現実に直面した結果、マトリックスで微睡み続けたいとマトリックスに内通するものも出てくる。『ウォーリー』では地球が恋しくなった船長の人間的決断（独断）に、船に乗る人間全員がついていくが、反発を覚える者はいないのか。

もちろん反発を覚える者もいるだろう。ロボットたちの協力＝奉仕があったとしても、七百年のゆりかご生活と比べると圧倒的に過酷である。それでも、人々は地球で労働し続ける。それが文化的な営みであるからだ。労働と文化がつながる。労働は確かに辛く厳しい。しかし労働から人間を解放すると、過剰な意味を帯びた無目的な振る舞い、すなわち文化も喪失する。地球に降り立ったアクシオム号の人間たちが従事する労働は、ハンナ・アレントの区分でいう「仕事」に近い。アレントについては次節で言及する。

4 想像力の放逐――小川哲『ユートロニカのこちら側』

マイン社とサンフランシスコ市が共同で建設・運営する特別区・アガスティアリゾート。「居住する人間がマイン社に対して情報への無制限アクセス権を預ける代わりに、最高ランクの基礎保険が保証され」「マイン社は住民のあらゆる視覚や聴覚データを得る」「その報酬として、住民は働かない権利を得る」(一二)。

アガスティアリゾートは、デイヴ・エガーズ『ザ・サークル』の民間企業と、アニメ『PSYCHO-PASS』の政府・公安局を融合させた統治システムが支配する空間だ。全六章からなる本書は、一章ごとに視点人物を変え、アガスティアリゾートの拡張を物語る。最終的に辿り着いた結論は「人間は次第に無意識状態に回帰していて、なおかつそれは進化論的に正常なことだ」「いくらかの割合の人間がほぼ完全に無意識になったとき、永遠の静寂(ユートロニカ)が訪れる」(三〇六)というものだった。この説を提唱した学者は何百万人もの人から憎悪され、幾度となくテロリズムにあい、妻を殺される。

徹底的な情報収集と、データ分析に基づいた最適行動への誘導(ナッジ)が閉鎖された特別区のなかにおいてだけでも完遂され「集団内の競争に勝つための利己的な部分と、集団間の競争に勝つための利他的な部分が手を取り合って進化」(二六三)した結果生まれた意識が、もう必要なくなる。「利他的行為が驚くほどの低コストで実現できちゃう」「世界は集団の利益に資する完全な利他的行為のできる個体のみによって構成されるだろう」（二六四）。集団内競争での利己主義と集団間競争での利他主義は《私たち―あいつら》の区分と連動している。《私たち―あいつら》の境界確定は、集団内個人が意識を生成することと深く関係している。

『ユートロニカのこちら側』のビジョン、進化論的ロジックは、伊藤計劃『ハーモニー』に続くものだ。早川書房が「伊藤計劃、円城塔、冲方丁、小川一水など」に続く新世代の作家を発掘するために再開した早川SFコンテストの第三回大賞を本作で受賞し、小川哲という作家が誕生したことも確認しておく。小川『ユートロニカのこちら側』は伊藤『ハーモニー』とテーマ的に十分すぎるほど類似しているが、重要なのは両者の差異だ。『ハーモニー』は、人類の意識をなくすハーモニープログラムが作動した後の世界からハーモニーに至る過程を回顧する。他方『ユートロニカのこちら側』は、理論的可能性としてユートロニカ（意識の喪失）は示唆されるが、そこまでたどり着いていない。一民間企業が始めたアガスティアリゾートのプロジェクトはいつしか民間企業の手に負えなくなり、人類全体の未来として止めようがないものになる。しかし、それでも語りの軸足は「こちら側」に留まる。

この節ではアガスティアリゾートを「人が労働から解放されたユートピア」とみなすことから始める。しかし、人が労働しなくてよい世界がすなわちユートピアなのかは、これまで『ロボット』『タイムマシン』『ウォーリー』でみてきたとおり。これらの作品では、労働とともに、それぞれ再生産、生存、身体が人間から喪失／疎外されたのだった。だとしたら「労働しなくてよいアガスティアリゾートで、人は何を喪失したのか」と考えると、話が早い。もちろん、意識はやがて失うのだろう。だが、意識を失う前に、ほかに失うものはないのか。章を追って見ていこう。

第一章では、アガスティアリゾートに移住したジョンとジェシカの若い夫婦が、ジェシカはアガスティアの環境にすぐに適応するものの、ジョンはうまく適応できず「無気力性症候群」「具体的には性的不能、社交性やコミュニケーション能力の低下、食欲の低下、慢性的な頭痛、幻聴や幻覚などの症状」(三〇)を見せる。ひきこもりのようになり夫婦の会話もほとんどなくなり、不安になったジェシカはアガスティア区内のクリニックに相談する。ボブソン医師はジョンに「この街で、何事もなかったかのように生活しているすべての人々が、ある種の能力に恵まれているだけなんだ」(三七)と言う。確かに、ジェシカは「ある種の能力」を持っている。ジェシカは自分を客観視するメタな視線を持たないように、とにかく自分で自分を忙しくする。「ネガティブになると等級が下がる。等級が下がれば収入が下がる。収入が下がれば自由な時間が奪われる。本当のことを言えば、心を空っぽにすることなどできない。ジェシカにできるのは、余計な考えが生まれないように、他の何か興味深いもので心をいっぱいにすることだけだ」(二九)。

エドガー・カバナス、エヴァ・イルーズ『ハッピークラシー』に倣えば、アガスティアは「ハッピークラシー」と呼べる。人の感情は良いものと悪いものに二分され、良いと分類された幸せを増やすのが人生の目的になる。幸せかどうかは、徹底的に個人化され、社会・文化的な属性は捨象される。幸せは数値化され、アプリ化され、(疑似的な)科学の対象にされる。「幸せの追求が習性となった顧客」=サイチズンたる私たちは、セラピーやコーチングなどのサービス、幸福度を上げると宣伝する品物など多種多様な感情商品=エモディティを購入し、幸福度の上昇を目指す。ハッピークラシーでは、幸せは原理的に訪れない。幸福を希求する運動は、不完全な自己を起点とするからだ。今の自分を超えた向こうに幸福があるが、決してたどり着かない。留まることは許されない無限運動だ。アガスティアでは「心を空っぽにする」ことが暗に推奨され、そのための各種サービスが充実している。幸せになろうとする自分を自覚すると、ジョンのようにストレスを感じる。

アガスティア内部はトイレと寝室以外は、ほぼすべての場所が監視下にありプライバシーはない。ジョンは自分がつねに見られているという疑念を追い払うことはできないし、入院先で再開した旧友デレクには人工知能（サーヴァント）の言いなりになる人たちは「ラジコンだ」と言う。デレクは窓から飛び降りる（命は助かる）。

第二章では、アガスティアの外で、データ収集に協力していたテスターの村で育った男・リードが、自然災害で村とそこに住む両親を亡くした後、その事実を知る。「あなたのご両親は、十三年にわたってテスターとしてマイン社で働いていたのです。常時、生体コンタクトレンズ式のカメラと立体集音機能のあるマイクを装着し、視覚データ、聴覚データ、位置情報データ、購入履歴、ネットワーク閲覧履歴等、生活情報のすべてをマイン社に提供していました」（七九）。こうして蓄積されたデータから、過去再体験サービス「ユアーズ」を通じ再現された自分の過去を経験する。

自分と不仲となりやがて絶縁状態になった両親が、自分が記憶する以上に、自分のことを心配し、信頼していたとユアーズでわかったが「家族を売り渡しているという秘密を背負いながら円満な家庭を築こうなんて、そもそも無理な話だったのだ」（九九）。

村の外に出ると情報等級が下がるというのは、アガスティアリゾートでも採用されているルールだった。あの日——フロリダに行くはずだった日——もしかしたら父はマイン社から警告を受けていたのかもしれない。[…]恒久的な収入と一時的な家族サービスを天秤にかけて、父はルゼンブルに帰るという選択をした——(九八)

リードの両親は、閉鎖的な村にいる「暇そうにしている大人」同様に、自分たち一家のプライバシーや休日に家族で遊園地に行く行動の自由と引き換えに、金銭を得ていたのだと推測される。

第三章では、アガスティアの外で起こった殺人事件にアガスティア住民が容疑者として上げられ、それを捜査する外の刑事スティーヴンソンと、アガスティア内部の警察機関・ABMの刑事が登場する。アガスティアは労働だけではなく、犯罪とも無縁な空間を目指す。FBIと共同で開発されたBAP(行動分析ポリグラフ)は、行動予測システムだ。予備殺人者をリストアップする。「脈拍、情報履歴や購入履歴、視覚・聴覚のデータから、ストレス値や暴力傾向を割り出」して「極度に暴力的な傾向のある人間は、リゾート内に入れ」(一四〇)ないようにする。アガスティア内部に限定されているとはいえ、人々の「意図」が犯罪係数として数値化され、閾値を超えると処罰されるアニメ『PSYCHO-PASS』の世界だ。あるいは本作中にも言及があるフィリップ・K・ディック原作、スティーヴン・スピルバーグ監督の映画『マイノリティ・リポート』でもある。

ABMの人間はスティーヴンソンに、こう言う。「ここでは『容疑者』という概念が存在しません。その人物が犯行に及んだかどうかは、カメラの映像を見ればわかりますから。僕たちが習うのは、すでに捕まえた人間と、これから犯罪に及ぼうとしている人間への対処の仕方だけです」(一三九)「これは決して差別ではありません。契約です」(一四〇)。

対して、スティーヴンソンの刑事哲学はこうだ。「機械に任せて事件を解決するようになったら人間として終わりだ。誰かの逮捕は、過程はどうあれ最終的に人間の決断で行うべきだ。責任を取ることは、人間に残された美点の最後の砦だからな」(一一六—一一七)。スティーヴンソンにとっては、犯罪も含め人間が何かを意図すれば「責任」が発生し、責任は機械に代替できない。

第四章ではBAPの設計者ドーフマンが出てくる。リゾート内で「隔離されている人々は、そこまでの手順も含め、自分たちが隔離されているとは気づかないような仕組みになっています。彼らは形式的には自らの意思で診療所を訪れ、自らの意思で社会に復帰していきます」(一四二)とABMの刑事はスティーヴンソンに言っていたが、「形式的には自らの意思で診療所を訪れ」るように「ナッジする」のがドーフマンの管轄だ。ところが、なんとか診療所まで誘導したものの自身の破壊的な妄想が一向に改善しない男が、「人権活動家」の介入により区外へ出て、子どもを殺してしまう。世論は、BAPそれ自体よりも、「犯行が予測できていてもそれを裁くことのできない司法にこそ問題があるという安直な結論で全会一致した」(一九五)。この事件以降、BAPに法的証拠能力、すなわち人工知能が犯罪の意図を推定したら、犯罪をする前でも逮捕できるような法整備が求められる。ドーフマンはこの流れに警鐘を鳴らす。


犯罪や悪の概念が大きく変わるということです。たしかに犯罪行為は減るでしょうが、目的犯を取り締まるということは人々に大きな影響を及ぼします。[…] 人々は危険について想像することすら避けるようになるでしょう。人間の想像力に介入することは、思いもよらない変化を引き起こします。

（一九七一―一九八）

第五章で、アガスティアにテロをしかけるユキという日本人学生は、大学でドーフマンの講義を取る。ドーフマンはアガスティアのリスク判定システムの突っ込んだ話をしてくれる。ユキはドーフマンに自分はどうするべきかと質問したことがあった。ドーフマンはこう答える。「本当の変化は、自分たちの変化に気がつかないまま、人々の考え方やものの見方がそっと変わった時に訪れる。想像力そのものが変質するんだ。一度変わってしまえば、もう二度と元には戻れない。自分たちが元々何だったか、想像することすらできなくなる」（二四三）。

犯罪を行為ではなく意図の段階で抑制すると、危険なものを想像することすらためらわれ、人々の想像力に決定的かつ不可逆的な変化がおとずれる。ユキは仲間のララとアガスティア内部のスタジアムに煙幕発生装置を設置し、アガスティアのリスク算出システムに負荷をかける「情報的テロリズム」を計画する。BAPはユキとララの行動にリスクを察知するが、ABMはユキとララに犯罪をさせた上で逮捕する判断をする。その決定に納得いかないスティーヴンソンは刑事の職をなげうってユキとララを逃そうとする。

第六章では、冒頭で触れた「永遠の静寂」ユートロニカを提唱した学者ピーター、その父ロバート、その息子ティム、三世代の男が登場する。ロバートは牧師で、どうして神が人間に自由（意志）を授けたのか思い悩む。

人々は絶望的に選択が苦手だ。大事なところでいつも誤ってしまう。きっと、神は人間に、正しい選択をする才能を授けなかったのだ。神が授けたのは自由だ。どんな決断を下したとしても、そしてそれがいかに厳しい選択だったとしても、五年後や十年後に、自分の選択が誤りではなかったと確信できるように今を過ごす自由だ。（三一四）

自分が選んだことを自分で客観視する。自分を客観視して初めて、人は自分が自分で選んだことを理解できる。「自由とは不自由という堅固な牢獄からの脱獄者である。もし牢獄がなければ、自由は何の肩書きも持たない」（二二四）とは、第五章でユキの曾祖父の言葉として紹介される。自由とは間違える自由だ。間違える、というのはじつは間違っていなくてもよい。「間違ったかもしれない」と自分の選択を客観的に見直せる状態であればよい。第一章のジョンが気にし続け、ジェシカが気にしなくなる、自分を客観的に見る＝「余計なことを考える」ことだ。第四章、第五章でドーフマンが彼なりのやり方で守ろうとした、人間の想像力のことだ。

人間が集団生活を営む上で利害調整のソフトウェアとして進化させてきたのが想像力だとしばしば指摘される[3]。であるなら人間がテクノロジーを発達させれば、想像力＝ソフトウェアがさらなる進化をすると十分に考えられる。労働からの解放はプライバシーの消滅となり、自分を客観視するメタな視線と今の自分ではない別の自分を想像する力は、ともに不要なものとして人間と人間社会から放逐される。想像力の喪失を、労働からの解放に必要なコストとみなすのか、それとも想像力それ自体をユートピアにとっての潜在的リスク＝コストと考えるのか。

ドーフマンは監視の届かないトイレで大便をするとき、四コマ漫画を描く習慣がある。「この創作行為を、ハンナ・アレントに倣って「仕事」と呼んでいた」（一六二）とあるが、出来上がる四コマは「散々ネタを引っ張った挙げ句に、最後のコマに無闇にペニスを描いたり大便を爆発させたりして、なんとなくうやむやにする」（一六四）じつにしょうもないものだ。

ハンナ・アレントは『人間の条件』で労働、仕事、行為を区別した。労働（labor）は「人間の肉体の生物学的過程に対応する活動である」が、仕事（work）は「人間の存在の非自然的な側面に対応する活動であり、「人間を取り巻く自然環境すべてから明確に区別された「人工的」な物の世界を作り出す」（二四―二五）。仕事で作る人工物は、個々の人間が死んでもこの世界に残り、個人を超越した存在とされる。人間が生存するための生産―消費のサイクルに回収されない、手を用い対象に働きかける「工作人」が作るものが仕事だ。

ドーフマンがアガスティア内で唯一といっていいプライベートな空間＝トイレで、どうしようもない四コマ漫画を描き「仕事」と呼んだことは、彼なりの抵抗だ。アルゴリズムで駆逐されつつある想像力を、アレント的な「労働」から「仕事」を切り分ける切り札にし、彼はトイレで死守する。この切り札は、リゾート内等級の上昇に資するような「高尚な芸術」であってはならない。

ドーフマンの抵抗はうまくいくのだろうか。アレントの労働／仕事／行為の三種の活動区分に対応する条件は、人間が生まれ死ぬ存在、歴史の必要性とかかわる。アレントはSF的な仮定をする。「仮に人間が地球から他の惑星に移住して、人間の条件が根底から変化したとしよう。［…］労働も仕事も行為も、さらには今日われわれが行っているような思考さえも、もはやそこでは意味をもたなくなるだろう」（二八）。アガスティアは「他の惑星」ではないが、地球上に出現した別の世界、異なる「人間の条件」の実験場だ。「労働」から解放されるが、その代わりに想像力は共同体維持のリスクと算定され、「仕事」まで変化する。そうすると、ドーフマンがトイレでする「仕事」が、そもそも「仕事」にならない可能性がある。トイレのみ監視されないのはデイヴ・エガーズ『ザ・サークル』と同じで、プライバシーを侵害しないためだとしても、いったい何がプライバシーなのか。アガスティアでは、プライバシーの社会的意味づけも変わっていくはずだ。『ザ・サークル』の世界では、本来的に「仕事」に分類されていたものが「労働」へ組み替えられていく。アレント的「工作人」にもっとも近い存在であるインテリア職人のマーサーは、監視テクノロジーを拒絶したために、追跡され事故死した。アガスティアは労働／仕事の境界を再定義しようとしている。「労働」に対応する人間の「生物学的過程」「生命過程」（アレント）の出口の一つであるトイレが「仕事」場なのは、ほとんどの「仕事」場が「労働」現場となりつつある事態を暗示している。ドーフマンの抵抗むなしくアガスティアに死角はない。想像力は放逐され、「仕事」は「労働」に吸収される。

5 無所有主義とアナキズム――アーシュラ・K・ル・グィン『所有せざる人々』

二重惑星、ウラスとアナレス。ウラスに栄えた文明から、無政府主義・非所有社会を提唱するオドーとその信奉者（オドー主義者）たちがアナレスへと集団移住して約二世紀。そもそもはウラスの資源採掘惑星であったアナレスで、オドー主義者たちは独自の文明・文化を築いた。表向き両者は交わることなく、アナレスはウラスからの分離主義を貫いている。そんなアナレスから一人の時間物理学者が、新しい仮説を形にするためにウラスの地に降り立つところから物語は始まる。

人類文明はウラスから始まりアナレスへと広がったわけで、ウラスのほうが科学的に成熟している。情報が統制されているアナレスで、それでも革新的な理論を発展させた学者シェヴェックが、関係者たちの思惑のなかで、ウラスに到着する。奇数章はシェヴェックが異邦人としてウラスで経験するカルチャー・ショックと、自分の理論への取り組みが語られるが、偶数章ではウラスへたどり着いたシェヴェックの幼少期から、アナレスを旅立つまでが懐古的に語られる。オドー主義、オドー主義社会、オドー主義社会で育ち・働くのはどういう意味かを読者は理解する。

『所有せざる人々』カバー

二重惑星ウラスとアナレスは双子のように位置づけられるが、世の中のあらゆることがそうであるように、一方がよく他方が悪いと簡単に分類できない。いくつもの場面で二項対立的な図式が持ち出されるものの、ウラスを批判するシェヴェックもアナレスに問題がないわけではないことはわかっている。

この章では、これまで「人々が労働から解放された世界はユートピアか」を考えてきた。労働からの解放はときに人間性の本質を喪失させる。では、労働ゼロではなく、必要最低限の労働をみなで分かち合う「公平な労働」が実践された世界は、ユートピアになりえるだろうか。苦しい労働があることで、むろん人々は身体的・精神的な苦難を味わう。しかし、それも含めて幸せをもたらす可能性はないのか。私たちはどれくらい働けばよいのか。ユートピア島のように一日六時間だろうか。法定労働時間の八時間だろうか。時間が決まったとして、どんな労働をすればよいのか。ル・グィンをテクストに考えてみたい。

◉5-1　オドー主義の非中央集権性

中央集権的な政府を否定するオドー主義は、ＰＤＣという組織が食べ物や物資の分配・配給を担当する。仕事はローテーションで割り振られ、ウラスであれば知的階級に属するシェヴェックは、アナレスの地では肉体労働を割り当てられることもある。

アナレスでは自然環境に制約され、人々がぎりぎり生存できるだけの分け前しかない。余剰がなく蓄積もできない。人口は二千万人いるが、惑星単位の人口としては少ない。オドーはウラスに生まれ、主義者として百万人の仲間とともにアナレスへ渡った。

> オドーの計画はウラスの豊かな土壌を根底において立てられたものであった。不毛の地アナレスでは、各共同体は広範囲に分散して資源を捜し求めなくてはならなかったし、彼らの観念にある生活水準をいかに低下させようと、自給自足できる共同体はまれであった。[…] 彼らは都市化、工業化以前の部族主義に退行する意志はなかったのである。彼らは自分たちのアナーキズムが、非常に高度な文明の所産であることを知っていた。（一二七―一二八）

オドーの反中央集権主義は、アナレスの厳しい自然環境という具体的制約で、文明的に支えられたアナキズムを志向した。「不毛の地」でのヒト・モノというかぎられた資源を、不断の監視の対象とはいえ中央集権的な組織が必要に応じて分配する。「やむを得ざる中央集権が彼らにとって恒久的な脅威」（一二八）

として認識されている。

仕事には楽な仕事と大変な仕事がある。また、自分には向いている仕事と向いていない仕事がある。自分（主観）と仕事（客観）の組み合わせによって、平等であるはずの労働の大変さは不均衡に分布せざるを得ない。ウラスでシェヴェックは、非中央集権的労働分配の仕組みを問われ、こう答える。

アナレスでの暮らしはここのように豊かじゃない、小規模な共同体にはたいした娯楽はない上に、片づけなくてはならない仕事は山ほどある。[…]金がないところでは、真の動機はたぶんもっとはっきりしているだろう。人々は好きで物事をするんだ。それを巧みにやってのけることがまたいいんだな。[…]労働の目的は労働だ。[…]それに社会の良心も。つまり隣人による評価だな。アナレスにおいては、それ以外に報酬はない。それ以外の法律もない。自分自身が得る喜びと、仲間からの尊敬。それだけだ。（一九六）

テクノロジーの限界により、アナレスにおいていわゆる3K労働（きつい、きたない、きけん）はウラスよりも多い。「危険な仕事」「だれもやりたくない仕事」はみなで分け合い、ローテーションを組むためいつまでも上達できないが、「それ以外の方法はない」とシェヴェックはいう。

とはいえ、公平に分配される労働が自分にとって不平等に思えるとき、仕事を拒否する・逃げる者も当然、でてくる。アナレスでは、仕事から逃げるものは「ヌクニブ」と呼ばれ、ヌクニブは周囲から嫌がられ、からかわれたり、いじめられたり、乱暴されたりする。「小規模な共同体では、みんなして食事の登録簿からそいつの名前を消してしまうこともありえます」（一九七）とシェヴェックは言う。非中央集権的共同体であるから、警察や司法というシステムはなく、共同体成員による村八分（マイルドな暴力）で秩序を維持している。

「人は好きでものごとをやる」「労働の目的は労働」「自分自身が得る喜びと、仲間からの尊敬」とシェヴェックは言う。どうにも、自分に言い聞かせているようにも思える。「それ以外に方法はない」のであるから、仕方がないといえば仕方がないが。(4)

◉5−2　関係性の所有（＝所有的関係）

オドー主義の非中央集権制の次に考えたいのが、オドー主義の非所有＝共有の（不）可能性だ。

ウラスで時間理論を研究するも行き詰まるシェヴェックは、招待されたパーティーで酷く酔っ払い、他の客の前で一席ぶつ。

あなたがたウラス人は充分に持っておられる。空気は充分、雨も充分、草も、海も、食物も、音楽も、建物も、工場も、機械も、本も、衣類も、歴史もだ。あなたがたは豊かで、恵まれた暮らしをしておられる。われわれは貧しく、窮乏している。あなたがたは持てる者、われわれは持たざる者だ。ここではあらゆるものが美しい。顔を除いては。アナレスでは美しいものはなにもありません。なにもないが顔だけは別です。顔というのは男たち女たちのことです。われわれはなにも持っていないが仲間がいます。[…] なにも所有(ポゼス)していないからこそ自由なのです。ところがあなたがた所有者(ポゼッサー)

は捉われている。みんな牢獄につながれている。山ほどの所有物に取り囲まれながら、一人一人が孤独なのです。（二九七）

彼のスピーチは本書タイトル『所有せざる人々』につながる。物質的に豊かで「持てる者」たるウラス人たちは、しかし同時に「捉われている possessed」。対して「美しいものはなにもない」アナレスの人々は「自由」で捉われていない（dis-possessed）。アナレス人には「仲間がいます」、一方、ウラス人は「一人一人が孤独なのです」。物質的なものに捉われない、真に人間的な関係が築けているとシェヴェックは考えている。

アナレスでは物質的なモノのみならず、人と人との関係も所有の対象とされ、関係性の所有も警戒しなければならない。

関係性の所有でもっとも原初的なものは母―子関係であろう。母からしてみれば「私の子」であり、子どもからしてみれば「私の母」であるが、アナレスでは親子（母―子）の関係性を表現する語彙から所有概念は慎重に排除される。

プラヴ語では、所有代名詞の単数形は主として強意に用いられる。慣用語法では所有代名詞は用いない。幼児の場合、「わたしのおかあさん」ということもあるが、すぐに、「母親」というようになる。「わたしの手が痛む」というかわりに、「手がわたしを痛める」といった具合だ。（八一）

家族は、ウラス的あるいは地球的な核家族ではない。夫婦はつねに一緒に暮らすわけでも、子どもが大人になるまで養育に父母が責任をもつわけでもない。もっともシェヴェックは地球的な家族観をもっているようだが。

親子（母—子）関係が垂直なものである一方、パートナー・配偶者との関係は水平的なものだ。アナレス人も再生産をしなければならないし、入植時百万人だった人口は二千万人まで増えているから、オドー主義と調和した配偶者との関係性が築けているといえる。

アナレスでは、性的関係を結ぶパートナーは、双方の同意さえあれば自由に選べる。ウラスからは「性的に開放的な（＝フリーセックスの）国」と思われている。パーティーで泥酔したシェヴェックは、ウラス人女性に性的関係を求めるが「そういうつもりではない」と拒絶される。ウラス人とアナレス人のセックスを含めた恋愛行動の慣習のズレが際立つ出来事である。

アナレスでは恋愛対象を所有するのは良くないとされる。しかし「相手を所有する」とはいったいどういう状況なのか。相手を所有せず安定した長期的な関係を築くのは不可能なのか。長くひとりの相手と付き合うことは望ましいとはされていない。しかし、配偶者と一対一の関係をもつこともできる。

配偶者関係（パートナーシップ）を結び、これを維持していこうとする者は、行きあたりばったりのセックスに満足する者にはわからない問題に遭遇する。彼らは、一対一の結合がまたとない温床となって助長するところの、嫉妬、所有欲、その他恋慕から生じる諸々の病いに直面しなくてはならないばかりか、社会組織という外的な圧力にも相対しなくてはならないのである。配偶者関係を結ぶ二人は、いつ何時、

労働配分の必要から引き裂かれるかもしれないということを知りつつ結ばれることになる。(三一八―三一九)

パートナーとの長期的に安定した一対一の(排他的な)関係は、オドー主義・PDCによる「平等な」労働の分配と、相性がわるい。「労働分配の必要から引き裂かれる」かもしれない不安。転勤・単身赴任という就業慣行が見られる日本では「労働分配の必要から引き裂かれる」不安を想像するのは容易だ。ともあれ「嫉妬」「所有欲」だけでなく「労働分配(=転勤)」の不安も、オドー主義社会のアナレスから消えていない。アナレス人も、私たち同様の人間だと思わずにはいられない。

ここから考えられるのは、パートナーへの愛情、親子の愛情が、オドー主義の提唱する非所有と対立する可能性だ。制度=イデオロギー的にどう解消するかはオドー主義社会の設計の根幹だ。とはいえ一夫一婦制や核家族も、時代限定的なものであるので、人類史を振り返ってみれば「家族」の形はもう少し多様かもしれない。それでも、自分が産んだ子どもへ抱く愛情を社会的に切断するのは許容されるのか。[5] 社会的に許容されるとして、個人的に実践できるのか。おそらく、社会的な許容は個人による理解・実践に先立つ。というのも、アナレスという貧しい惑星で生活していくためには、個人が本能的に抱く垂直/水平的な関係性への所有欲はイデオロギーにより抑圧されなければならないからだ。酔ったシェヴェックが言ったように、関係性への抑圧が成功した結果、真なる「仲間」が得られるという発想はありえるだろう。もっとも、真なる「仲間」が、直感的に欲望される関係性を断念したために代替物として導入された可能性は否定できない。

このように親子（垂直）であれ配偶者（水平）であれ関係性を所有したいという本能的な欲望はアナレス人にもあり、オドー主義のイデオロギーによる抑圧が観察されるが、このイデオロギー装置はアナレスの物質的状況と密接に連動している。

◉5-3 創造性を所有できるか

シェヴェックがアナレスで研究生活を始めたとき、ウラスからアナレスに入ってくる情報が遮断されていると気がつくが、それと同時に、情報がまったく入ってこないわけではないこと、ウラスから入ってきた情報を取捨選択できる立場の者がいることも知る。シェヴェックは、「切り離された二つの世界の間を往き来しているのは石油や水銀ばかりでなく、また彼が読んだああいう本ばかりでもなく、手紙もまた運ばれていたのだということを知った」（一四四）。

ウラスから入ってくる情報はウラスの言葉（ア＝イオ語）で書かれている。最新の情報にアクセスするためにシェヴェックはア＝イオ語の習得を目指し、やがてはウラスの地に降り立つことにもなる。ア＝イオ語の学習を始めると、また別の違和感を覚える。

最初にして今なおもっとも承服しがたいのは、彼がア＝イオ語を学ぶとして、そこから得た知識を他人に洩らしてはならないということだった。[…]己れが得た知識を他人と分け合わないからといって、厳密な意味では誰を害しているのでもないことは明瞭である。その一方、彼がア＝イオ語を知っているということを彼らが知り、彼らもまたそれを学ぶことができるのだと知ることにどんなさしさわりがあるというのだ？（一四五）

ウラスからアナレスへの情報は二重に制限されている。そもそも、物理的に往来が少ない。少ないながらも届けられた情報は、ア＝イオ語という言語の壁によって守られている。ア＝イオ語の習得は、秘密の儀式めいた扱いになっている。もし、ア＝イオ語がオープンソースとして語彙・文法が誰にでも公開されていたら、また事情は異なっていただろう。

なぜアナレスでは情報の制限が、それも二重の制限が行われているのか。オドー主義的な解答は、所有主義者に毒されないためとなるだろう。「不当利得者（プロフィティーア）」とはアナレスの人々が、相手をののしるときに使う言葉だ。それほど所有（概念）は忌避されている。ウラスから所有主義を持ち込まないために、情報制限をしているとひとまずは言えそうだ。しかし、実態はどうなのか。

人が集まるところに権力闘争あり。アナレスでも情報の通り道に権力勾配、権力闘争が発生する。アナレスの権威ある学者のサヴルは、ウラスから送られてくる本を翻訳し自分の理論とすることで、アナレスの権威となった。情報を管理するには、流通する情報以上の情報（i+1）を管理者は知っていなければならない。管理者は「これはよい、これはだめ」と言い、「よい」とされたものだけが流通する（i）。「これはだめ」とされた部分とあわせてi+1となる。ディストピア社会の情報統制は本書の1章・2章で論じたのでここでは繰り返さないが、サヴルの権力の源泉にウラスからの情報がある。情報＝知＝権力の等式が成立する。シェヴェックが、知識＝権力の源泉たるア＝イオ語にアクセスを許されても、あくまで彼個人の研究のためだけに認められ、「そこから得た知識は他人に漏らしてはならない」、知識の所有、守秘義務が求められる。非所有主義を標榜するオドー主義のダブルスタンダードが露呈する瞬間だ。あらゆるものは共有しなければならない、ただし自分たちの権力基盤となる舶来の最先端の知識は除く。シェヴェックが「すっきりしない」のはもっともだ。

非所有＝共有主義のアナレスでもプライバシー概念はある。それが、いかにウラスや私たち地球人のものと異なっていても、プライバシーはプライバシーとしてアナレスでも尊重されている。「セックスに関するプライバシーはいくらでもあったし、また社会的にも認められていたが、それ以上のプライバシーは非実利的と見なされる。それは過度のプライバシーであり、無駄なのであった」（一四六）。寮生活を基本とする子ども時代に、個室を与えられるのは懲罰であり、成人して以降はセックスのときぐらいしか個室を使わない。プライバシーは、ほぼセックスに限定される。にもかかわらず、シェヴェックは専門学校（研究機関）にきて個室があてがわれる。

個室に入れられたことに対してシェヴェックがまず抱いた反感の半分は不服であり、半分は恥辱であった。なんのためにこんなところへ押しこむ？——理由はすぐに判明した。ここは、彼のような仕事をする者にはふさわしい場所だったのだ。（一四七）

シェヴェックは、プライバシーが自身のアイディアの深化に有用であり、プライバシーが「セックスにとって望ましいことであるのとほぼ同様に、物理にとっても望ましいことなのだ」（一四七）と思い至る。

納得まではできないにしても。

ウラスにやってきたシェヴェックは現地の大学で講義をもつ。物珍しさで集まった学生もいたが、「驚くべき人数の学生が彼の数学と哲学の両方についてくることができた」(一六七)。ウラスの研究水準はアナレスより高い。しかし、学生たちの学びの姿勢は受動的で、シェヴェックの講義も実利的な応用を目的に聞きに来ているように彼の目に映る。アナレスでは学生も社会維持のために労働とは無縁ではなかったが、ウラスでは学生は学生であり、研究者は研究者であることが許される。ウラスの人々がこの自由を存分に活かしていると、シェヴェックには思えない。「彼らがさまざまな拘束から解放されているということと、独創力を発揮する自由を持っていないということとは表裏一体の関係にあるとシェヴェックは見たのである」(一六七)。では、ウラスとは異なり「さまざまな拘束」のあるアナレスで「独創力を発揮する自由」はあるのだろうか。物質的豊かさがイノベーションに結びつかないなら、貧しければよいのか。

アナレスにはイノベーションがない。「ない」というか、慎重に排除されている。アナレスでは異端思想(創造性もふくむ)は治療や隔離の対象とされている。これはオドー主義を貫徹するために必要な措置なのだ。となると、オドー主義にはイノベーション(クリエイティビティ)の抑圧を内包している可能性がある。オドー主義に、というと言い過ぎなのであれば、オドー主義社会に、といってもよい。

アナレスの環境は過酷で蓄積するほどの豊かさはない。シェヴェックも飢饉を経験し、研究どころではなくなった経験がある。所有し権力の源泉となる富は存在しえない自然環境だが、もしイノベーションが起こるならばどうか、と問うことは可能だし意味がある。原俊彦『サピエンス減少』によれば、「人口増加率の上昇は連続的なものではなく、社会的生産の方式が狩猟採集から農耕へ、農耕から産業生産へと移行するごとに、成長限界（K）が飛躍的に上昇したことによる」（五四）。地球人類はイノベーション／テクノロジーにより自然からの収奪率を上げ、現状で推定される人口の限界値を超えてきた。不自然な制限がないなら、アナレスでイノベーションがおこらない理由はあるだろうか。生産量をあげるには、労働力すなわち人口を増やすだけではなく、生産性をあげられれば現有の労働力でも生産量は増える。アナレスは自然環境がボトルネックとなり労働人口を増やせないように思えるが、しかし、本当にそうなのか。

ここまで、アナレスでの労働の分配、関係性の所有、知識の制限についてみてきた。いずれも過酷な自然環境が社会設計の前提とされたが、原因と結果が転倒していないか。アナレスの非中央集権的・非所有主義社会を維持するために、長期的・安定的な関係を築きにくくし、情報流入を抑制しイノベーションを阻害していないか。理想国家建設のために、必要なもの（ニーズ）以上の欲望を禁止するソクラテスの姿が思い浮かぶ（プラトン『国家』）。しかし、シェヴェックは「それ以上」を求めた。豊かさと貧しさ、過剰と抑制が対照的に配置されるウラスとアナレスを往復するシェヴェック自身のなかに、ユートピアが垣間見える。

シェヴェックは、自分だけではなく妻や娘すら「叛逆者」と後ろ指をさされてもウラスを目指した。「わたしはわたしの同胞に亡命から脱してほしいのだ」（一八〇―一八一）とシェヴェックは、ウラスにあるスー国からの使者に言う。ウラスには複数の国家があり、国家間でときに武力をともなう政治的な駆け引きが行われる。シェヴェックの時間理論は、ウラスの諸国家の関係性を変容させる。シェヴェックが探究心から研究に励んだところで、彼と彼の理論の政治利用は防げない。「わたしがアナレスからここへ来たのは、ここなら研究ができる、その研究を出版できると考えたからです。ここでは、思想が国家の所有物であるとは知りませんでした。わたしは国家のために仕事をしているのではありません」（三八〇）。

しかし、シェヴェック自身、アナレスの「同胞に亡命から脱してほしい」という政治的理念をもっている。創造性を抑圧する不自由（アナレス）でもなく、創造性に結びつかない自由（ウラス）でもなく、創造性を促進する自由と不自由の境界にシェヴェックは立つ。シェヴェックは二つの世界の境界に立ち、それぞれのユートピア性とディストピア性を自分自身で編み直す。シェヴェックのユートピアは科学理論に結晶化する。一般時間理論は、シェヴェックがアナレスに留まっていても、もし仮にウラスで生まれ育っていても、完成しなかった。

彼はただ、サイオ・パエに会うために、己れの敵に会うためだけにウラスへ来たということか？同胞や友人からは得られないものを、敵から得られるかもしれないと考え、その敵を求めてやってきたのか？　アナレス人からは得られないもの――異国の学問、異邦の知識――情報を……？（三五九）

パエはテラ人（地球人）エインセテイン「相対性理論」を翻訳して渡したウラス人の学者だ。単に情報だけであれば、ひょっとしたらサヴルの検閲をやり過ごしてアナレスでもいずれ手に入ったかもしれない。他者、「己の敵」との対話が、新しい知識を新理論へとつなげた。シェヴェックはウラスで、ア＝イオ国の人だけでなく、スー国人、さらにはテラ人、ハイン人と対話を重ねていく。

◉5–4 知識の偏在は解消できるか

『所有せざる人々』が刊行されたのは一九七四年、今からほぼ半世紀前だ。物語のテーマは変わらずとも、受け取り手である私たちは確実に変化した。インターネット以前／以後で区切れる。シェヴェックの時間理論は、インターネット以前であればユートピア的に見えたが、インターネット以後の私たちにもユートピア的ヴィジョンを見せてくれるだろうか。

シェヴェックの一般時間理論は、アンシブルという超光速情報伝達装置を可能にする。エンジニアはアンシブルを設計していたが、実現可能な理論がなかった。パズルの最後のピースをシェヴェックがはめたのだ。こうして完成したアンシブルは、ル・グィンのハイニッシュ・ユニバースという宇宙世界で、知を共有財産とする人類連合エクーメンを支える主要テクノロジーとなる。ジェンダーSFの傑作である『闇の左手』やその他の短編にもアンシブルは登場する。惑星間文明は築いていないが、地球を覆う即時的情報ネットワーク＝インターネット以後の世界に生きる私たちは、アンシブルをインターネットのメタファーとしてとらえる。

インターネットによる全地球規模の情報ネットワーク網が完成した私たちの世界で情報は遍在／偏在する。情報は基本的にはフリーで流通するが（遍在）、その情報を収集／加工することで価値が生み出される（偏在）。データ収集・分析を一手につかさどるGAFAをはじめとした巨大プラットフォーム企業は、本来的には個人の所有とされる個人情報を徹底的に、しかし自発的に提供させ、独自のアルゴリズムによって価値を生産する。ここには、シェヴェックが希望した「知識の共有（commons）」はない。むしろ人々が提供する膨大なデータの集積体は、オススメという広告活動へ変換する企業独自のアルゴリズム＝知的財産（intellectual property）の資源とされる。

シェヴェックは、自分の理論は個人と人類のものであるが、特定の国家のものではないという。では、もしアンシブルが大衆化し情報の流通に民間企業が参入してきたとき、情報の所有者として民間企業が手を挙げないだろうか。アンシブルというインフラを維持するコストを負担する誰かがいたときに、「通信料」として情報の一部を「ピンハネ」される危険性はないだろうか。流通する情報が指数関数的に膨れ上がったときに、どの情報が自分に最適か人は判断できるだろうか。インターネット以後の世界に生きる私から見ると、シェヴェックのユートピア的時間理論は、儚いものに映る。

6 労働解放ディストピア　結論

現代社会では、大半の人々は労働者である。学校では労働者としての規律訓練と知識・技能の習得が、教育の目標の一つとして提示される。労働から切り離された社会は想像しにくいし、学校も社会の一部である以上、生徒・学生にとって労働とは何であるか考えるのは重要だ。人は学校を修了すると、たいていの場合、労働者として働き出す。アナレスのシェヴェックのように学生をしながら働く人も多くいるが。

私たちの人生において労働は大きな意味を持つ。労働が好きであれ嫌いであれ、必要なものと認識されるのは変わらないし、労働者としてのアイデンティティは「私」のアイデンティティの多くを占めるだろう。「働いたら負け」というネットミームは有名で、働かなくて済むなら働かずに生きていきたいと思うこともなくはないが、現代社会において良くも悪くも労働は人間と社会の関わりで中心的な役割を果たしている事実がある以上、単に経済的必要性にとどまらない「何か」を労働は私たちに与えている。[6]

「人が労働から解放された社会」は幾度となく夢見られてきた。テクノロジーを媒介として人間と科学の社会的関係を描くSFという文学サブジャンルにおいても例外ではない。むしろSFは積極的に労働なき社会を理想郷＝ユートピアとして想像＝創造してきた。この章ではSFが描く労働なきユートピアがどのようなものか、労働をなくすと同時に人間にとって別の大事なものをなくしていないか探っていった。

チャペック『ロボット　RUR』では労働と再生産が、ウェルズ『タイムマシン』では労働と生存がわかちがたく結びつき、人間から生産を免除すると必然的に再生産や生存まで喪失する。アニメ映画『ウォーリー』では、労働と人間の手足が、小川哲『ユートロニカのこちら側』では労働と想像力が結びつき、ただ労働（生産）だけを人間から取り出すことの困難を見た。では、人々を労働から解放するのではなく、労働を「公平に分配」してはどうか。ル・グィンは『所有せざる人々』で非所有・非中央集権の共同体アナレスを描いた。超光速情報伝達装置の基礎となる時間理論は、自由と知識の偏りがうねりとなってシェヴェックの背中を押すことで生み出される。「公平な労働分配」はイノベーションの阻害を前提とするが、その阻害自体がイノベーションへの動機となる。「公平な労働」社会も実際には到達できないという意味でユートピアと呼べるだろう。

二一世紀の労働解放ディストピアでは《①》特区のような限られた閉鎖空間から、国家、惑星と規模はさまざまだ。支配者が強いるよりも、市民が自発的に労働の免除を求め実現する。ただし当初の予想とは異なる結果、「何か」の喪失に至る。《②》階級はいずれ消滅する。労働は人間の生存のみならず、文化・

文明と深くかかわっているため、労働解放が人間の思考をも変化させ、さらに身体も変化させる（手、足、想像力）。《③》生産—消費の生産はアウトソーシングされる。人間は消費のみ担当するが、消費が義務的な作業・労働になる。あるいは自分が誰かの生産物となり消費される。生産—消費のループの外にあるアレント的「仕事」概念も、「人間の条件」変更により影響を被る。《④》働かない人間はコミュニケーションに時間を割く。コミュニケーションも労働化され、自発的なやりとりが資源として搾取される。《⑤》居住環境の豊かさ／貧しさがそもそも労働解放の条件となる。貧しければ労働を分かち合い、異種を家畜化さえする。労働を代替するロボットも資源とエネルギー、設計図で製造されなければならない。

おわりに●支配と抵抗の脱構築

1 プラトンのユートピア

プラトン『国家』で正義について聞かれたソクラテスは、より大きな正義にあてはまればより小さな正義にもいえる「大は小を兼ねる」前提で、個人の正義を説明するために共同体の正義を語り始める。そもそも、ソクラテスが問われたのは、個人が正義を貫くとき、他者からそれを正義と評価されなくても、貫けるものかという疑問であった。個人の正義と共同体の正義が対立するとき、両者は別物として正義を個別化（小文字化）するか、両者の対立すら乗り越えんと正義を普遍化（大文字化）するか。ソクラテスは後者を選んだ。

『国家』で語られる理想国家＝ユートピアは、モアのユートピアの起源の一つであるだけに抑制的なものだ。ソクラテスは国家が巨大化すると守護者が必要になり、守護者を育てるには、正義や徳を正しく伝える物語を用意しなければならないという。古代ギリシャの詩人たちが槍玉にあがり、彼らがいかに神の正義や徳を歪めて、物語的に誇張して人々に伝えているか批判される。ソクラテスは「正しい物語」がユートピアには必須で、そのために検閲や詩人の追放はためらわない。

国家が守護者を必要とするのは、他国と戦争をするからだ。攻められたときの備え、専守防衛だけではない。他国に攻めることもある。なぜなら土地が必要だからだ。何のための土地かといえば、肉となる家畜を育てるための土地だ。必要なもので充足するなら広大な土地は必要としないが、食文化として畜産をもつなら他国と戦争をしてまでも、土地を必要とする。家畜を育てるか否かが、共同体の規模を決める要素となる(1)。

抑制的なプラトンのユートピア論の評判は芳しくない。物質的欲望は禁欲し、血湧き肉躍るエンターテインメント的物語は検閲される。カール・ポパー『開かれた社会とその敵』はプラトン批判の大著である。ジョナサン・ゴットシャル『ストーリーが世界を滅ぼす』は、ポパーがプラトンにいささか厳しすぎないかとフォローしつつ、プラトンが本当に物語と詩人を追放したがったのか、プラトンの両義性に言及する。プラトンの哲学が、今もなお参照されるのは、哲学的議論に耐えられる「小さな物語」「コミカルな挿話」「プラトン自身が創作した壮大な神話の傑作」が含まれているからだ。詩人追放を求めるプラトンが、何よりも詩人だ。プラトンのユートピア論と並んで有名なイデア論は、洞窟の壁に写る影の物語だ。

ゴットシャルがいうには、物語は人間が進化論的に獲得した技術・道具だ。その目的は、人をなびかせること。《私たち》には共感を《あいつら》とは競争を促す。人間の脳は特定のパターンの物語に強く反応するようにできている。古今東西の民話・昔話から、神話・宗教、古典・文学、エンタメ、ハリウッド映画、それにアメリカ大統領のSNSまで、人々に強く訴求する物語にはシンプルな型がある。まず問題・トラブルがあり、背景に原因となる悪(人)がいて、最後には解決し道徳を得る。基本はこの線。あとは無数のバリエーションだ。道徳的でないとされる物語にも道徳はあり、ただその道徳が「一般的な道徳」とは違うだけだ。プラトンの洞窟物語も「世界の真実」を語る。悪人はいないが、私たちが世界をありのままに見れない原因を教えてくれる。

プラトンとゴットシャルの物語論をつなぐと、これまで見てきたディストピアの論点を二つに圧縮できる。《私たち―あいつら》に分割する物語と、透明化を目指す不透明なアルゴリズムだ。「監視ディストピア」はデータが多ければ多いほど、世界の真実、私の本当の姿に近づけると信じる。世界と私をつなぐのは透明なアルゴリズムだ。「人口調整ディストピア」が《私たち―あいつら》を分ける分割線を《私たち》共同体内部に引かなければならないとき、共同体が共同体として成立する根源的暴力が露呈する。根源的暴力を法やアーキテクチャ、アルゴリズムでコーティングしても、暴力性は透明化されない。「災害ディストピア」は、プラトン的なニーズ（「われわれの〈必要〉」）を満たすことすらおぼつかない災害後の社会で《私たち―あいつら》の再設定に迫られる。「労働解放ディストピア」は《私たち》から非人間的な《あいつら》に労働を委託・外注し、代替させるが、その過程で《私たち》と《あいつら》の区分はグズグズと崩れていく。

楽観主義抜きで希望を語ること。テリー・イーグルトンは『希望とは何か』で、楽観主義を説明の根拠になり得ないトートロジーだと退ける。「未来は明るいから明るい」という楽観主義的な態度表明は、希望を語っているようで語っていない。希望は、過去や今ここに出現する。ユートピアとディストピアがまったくの別物ではなく、ユートピアを縦糸としディストピアを横糸とし、編み上げたタペストリー（テクスト＝織物）が社会だ。どんなディストピアでも慎重に糸を解いていけば、ユートピアへの希望が見出せるし、どんなユートピアにもディストピアへの希望（絶望？）が織り込まれている。テクストは透明にできない。古代ギリシャでプラトンが洞窟の比喩＝物語を語って以来、私たちとイデアの間にはつねに／すでにテクストが入り込む。芸術が真実それ自体を描けるのは、真実に向かう道程においてだけだ。歴史を見ればわかるがその道は多岐に分かれ、私たちが正しいものを選んで歩いているかもわからない。《私たち―あいつら》の境界線を引きなおすこと。ディストピアをほどきユートピアへの希望の糸を見つけること。本書の終わりに、いくつかの作品を取り上げて、その可能性を探ってみたい。

2 《私たち》から《あいつら》をパージする

二〇一三年に第一作が公開された映画『パージ』は、その後、四つの映画とテレビシリーズが続く。アメリカで、一年に一回、夜七時から朝七時までの一二時間のあいだ、行われた犯罪はすべて免責されるパージが制定される。期間を決めた無制限の暴力を法律で容認するアクロバティックなディストピア社会だ。シリーズが続いていくと、パージの制定目的がエスタブリッシュメント（金持ち、政治家）による人口調整だと示され、政府の指示を受けた暗殺部隊まで登場する。五作目となる『フォーエバー・パージ』では、パージが一二時間では終わらず、アメリカは内戦状態になる。国家は軍を動員しパージを続ける武装した暴徒を制圧しようとするが、反撃され軍事基地から撤退する。パージに参加しない市民は、パージ参加者から敵として狩られる。パージ参加者は「アメリカを純化する」と言い、移民をターゲットにしていく。内乱状態のアメリカからの難民受け入れをメキシコが表明するも、アメリカ―メキシコの国境には巨大な壁がそびえ立ち、避難民の流れは抑制される。外からの侵入を防ぐ壁は、内から外への避難も防ぐ。メキシコ人移民の主人公は、勤務先牧場の白人経営者と共にメキシコを目指す。途中、ネイティブ・アメリカンの協力も得る。パージ参加者を迎撃するためにボウガンを手にしたネイティブ・アメリカンは、心配する主人公に「五百年ずっと戦っている」と返す。「純粋なアメリカ人」などいないのだ。

一年に一二時間だけ認められた例外状態が永続化した例外国家アメリカで、ネイティブ・アメリカン、白人牧場主、メキシコ人労働者が連帯する。物語は国境の壁とは対照的に《私たち―あいつら》の壁を崩したように見える。ディストピアにユートピアの希望が見えたのか。事態は、しかし複雑である。パージ参加者は「貧乏な白人」なのだ。白人牧場主は「金持ち白人」で、パージが公式に終了したあと、メキシコ人労働者ではなく、白人労働者に襲撃される。ゴットシャルが言う「人をなびかせる」物語の効用は健在である。「ネイティブ・アメリカン―白人牧場主―メキシコ人労働者」の《私たち》の連帯は、共通の敵、「貧しい白人労働者」の存在で可能になる。パージ制度の背後にエスタブリッシュメントがいるようだが、共和党支持者が仮想敵とする東部エリートが共和党的／銃暴力を容認するパージを設計したのであれば、事態はねじれている。もっとも、四作目『パージ：大統領令』は宗教右派とエスタブリッシュメントの陰謀論的結託が見られたので、政治家とくくってしまえば、共和党も民主党も同じかもしれない。

3　仮想現実のユートピア／ディストピア

仮想現実（VR）空間にユートピアを建設できるだろうか。

新型感染症（ポックス）と相次ぐテロ行為により「参集規制法」が制定されたアメリカを舞台にしたサラ・ピンスカー『新しい時代への歌』は、コロナ禍以前の二〇一九年に書かれた。

「アフター」と呼ばれるパンデミック／テロ以後の世界に生きる人々は、ＶＲヘッドセット（フーディ）を装着し、学校や就労先にアバターでオンライン参加する。家族以外の人々とほぼ接することなく生活できる世界が到来し、それが当たり前のローズマリーが一人目の主人公。彼女はオンライン空間上に作られたライブ空間でライブ演奏＝配信をする会社、ステージホロライブ（ＳＨＬ）に転職する。もう一人の主人公は、ポックスとテロの最中に「最後のライブ」をした伝説のミュージシャン、ルース。彼女は「伝説」と紹介され、曲が売れて入った印税で自前の「地下ライブ会場」を用意し、ほそぼそと人前での音楽活動を続けていた。そんな彼女とローズマリーは出会う。

ローズマリーはリモートでしか他者と関係が持てない今の暮らしにうんざりし、ＳＨＬへの転職をする。しかし、ミュージシャンをスカウトしようと潜り込んだ地下・違法ライブハウスで人の多さにパニックになる。「新しい生活様式」の刷り込みは深くニューノーマルの「ニュー」は取れて久しい。

ＳＨＬは「知の管理者」（第１章３節ブラッドベリ『華氏４５１度』参照）だ。ＳＨＬは音楽の配信を独占するために、競合となる地下ライブハウスを「参集規制法」違反で密告し潰す。プラットフォーマーとしてのＳＨＬの非道さ（狡猾さ）は、現実空間からミュージシャンを発掘しオンライン空間に閉じ込めた後は、その現実空間を破壊することにある。そして、オンライン空間でのミュージシャンは、配信都合が優先され一挙手一投足、管理される。ルースは絶望するし、ローズマリーはＳＨＬの汚いやり方には反発するが、ＳＨＬにとどまる。ＳＨＬ内部でできることはないか模索する道を選ぶ。

国家による参集規制に対し「人は集まるのが自然なことではないか?」と不安に思うのが人情だ。民間企業のテクノロジーと幸福な合体をした国家は「テクノロジーでこの「自然」は代替できるから、大丈夫だ」と喧伝する。「代替できる」というが「代替せざるを得ない」状況を自分たちで積極的に作り出しているから、根本にある構造はマッチポンプだ。

オンライン空間は、なんでも作り込める空間である。であれば「自然」も作り込めるのか。オンライン空間に長くいたローズマリーは、SHLのオフィスに出勤し、現実の社員と会ったときに、次のように感じる。

受付にいた自分と同じ年頃の男性に笑顔で迎えられ、ローズマリーはひと目で特性が見てとれないことに衝撃を受けた。オンラインでなら、アバターの人種は一目瞭然で、わかりづらい場合でも確かめられる。品質管理部門の抜き打ち検査員でないかぎり、たとえ一分でもアバターを本人と異なる人種にすれば横領と見なされる。ローズマリーは受付の男性の人種をまるで見分けられなかった。男性という判断ですら間違っているかもしれない。どうしてそんなことが気になるのか、気にすべきことなのかもわからなかった。

作り込めるオンライン空間だから、わからないことは不親切で不作法なのだ。精巧に作り込めれば「テクノロジーによって「自然」は代替できる」と信じることもたやすい。どんなに進んだテクノロジーでも「わかりづらい身体」を作れない事実は自然に忘却されるか、意図的に隠蔽される。テクノロジーが自然を代替せざるをえない「不自然な」状況を作り出し、恐怖をフックに安全をエサに、テクノロジーこそが自然であるというイデオロギーを作り出すことに成功している。

テクノロジカルな包囲網からこぼれ落ちる「わかりづらい」「はっきりしない」身体が参集するライブ会場は、アナログ的にでこぼこでデジタルに均されない。物理的な現実空間に身を寄せ合う人々は「互いにどのような人物なのか」はっきりと示さないし、示せない。SNS上のハッシュタグで並列表記される個人のアイデンティティの「わかりやすさ」とは反対の「わかりづらい」身体は、ウイルスとテロの温床でもある。ルースは「音楽もウイルスだけど、ワクチンでもあり治療薬でもある」と言い、彼女に触発されローズマリーはSHLを出し抜き、ルースのライブ会場に観客を集めることに成功する。ただしローズマリーも楽観的ではない。達成感はあるが、おそらくプラットフォーマーを完全に出し抜くことはできない。ウイルスからワクチンを開発したように、ウイルスを除去する社会的フィルタリングの網目を調節し「ワクチンでもあり治療薬でもある」音楽が生まれる環境を用意することが、ローズマリーのできることではないか。

いかようにでも作り込める空間から「わかりづらい」身体を消失させてはならない。ウィリアム・ギブスンの電脳空間でも『マトリックス』のマトリックス世界でも、精神を身体から解き放つアルゴリズム経由での身体の透明化は、その目論みとは裏腹に問題／重要／物質（matter）でありつづけた。「わかりづらい」身体を織り込んだユートピア／ディストピアのビジョンをVRに構築できるものなのか。

ジョン・スコルジー『ロックイン』はヘイデンという病のためにBMI／ロボット技術が進んだ社会

が舞台だ。ヘイデン症候群とは新型感染症と、その後に生じる後遺症のこと。病気の初期段階ではインフルエンザのような症状を見せるが、第二段階（髄膜炎、脳・脊髄の炎症）、第三段階（合併症）と進行する。世界で四億人が命を落とす。第一段階で命を落とす人がほとんどだが、第三段階で「通常は随意神経系が完全に麻痺し、その結果、患者は隔離状態、すなわち〝ロックイン〟に陥る」（九）。ロックインに陥ったヘイデンの社会参加のために、ニューラルネットワークを駆使した個人輸送機（スリープ）や、非物質世界アゴラが急ピッチで開発・普及する。ロックインでも脳神経にインプラントを接続し、遠隔ロボット＝個人輸送機を操作し「外出」できる。物質世界だけではなく、いわゆる仮想現実であるアゴラもヘイデンたちに用意される。仮想現実ではなく非物質現実と言うのは「ヘイデンにとって非物質世界は物質世界と同じように現実なのだ」（一五〇）。

スコルジーのユートピア的テクストには、ディストピアが一本一本の縦糸として織り込まれている。パンデミック後のロックイン。スリープ（リモート）とアゴラ（VR）はユートピア的テクノロジーだが、「わかりづらい」身体は「動かせない」身体としてごろりとベッドに横たわる。精神と分離した身体は新しいデータ植民地主義の搾取対象として発見される。狙われたのは居留地に住むネイティブ・アメリカンたちだ。取り上げる土地がないならば、身体を強奪すればよい。労働が解放されたユートピアで、人間がその一部（身体や想像力）を失った／奪われたのと同じだ。テクノロジカルな搾取の対象は新しく発見されたのだが、歴史を顧みるならば「再発見」ともいえる。

4　ハッピークラシーの生前統治

　この世に生を享けた以上、幸福の最大化を目指すのは良いことであり、それが人生の目標である。第5章4節で紹介したハッピークラシーのイデオロギーは、生まれてから死ぬまで私たちの幸福の最大化を求める。しかし恐ろしいことに、李琴峰『生を祝う』は産まれる前から私たちの幸福の最大化を求める。そして幸福は宿命論的であり、もし幸福が見込めないなら、胎児は産まれることを拒否できる。胎児に産まれる／産まれないの自己決定をさせる社会は、意思を尊重するユートピアなのだろうか。

　性の自己決定のみならず「生の自己決定」すら当然とされた社会。誕生前の胎児と意思疎通できるテクノロジーが誕生し、一から一〇で算出された「生存難易度」を胎児に提示。その胎児から「生まれたい」と出生の意思を確認（コンファーム）できれば、晴れて出産・誕生となる。同意（アグリー）ではなく、拒否（リジェクト）の場合、生まれたくない意思を示しているにもかかわらず親が胎児を出産したら、成人前に本人の告発があれば両親は「出生強制罪」に問われる。一度、リジェクトが確認されると情報は出産に関わる病院に共有され、親は堕胎（キャンセル）せざるを得なくなる。これが合意出産制度だ。胎児の同意がなく、親のわがままで子どもを産みたいと願う気持ちは「産意」と呼ばれ、殺意同様に社会的に非難される。

　合意出産制度のもとで産また子どもたちは、自分たちの出生意思を確認できる書類をもち、「自ら誕生を選びとったのだ」と生に対して肯定的な感情をもつとされる。また、出生意思を確認できた／できない世代のギャップがあり、合意出産制度のもとでも、「出生強制」で生まれた子どもたちは、コンファームを経て生まれた子どもたちと隔たりがある。出生に同意したのかしていないのかで、自殺や安楽死の割合も異なる。もちろん出生に同意した場合のほうが、死を選ぶ割合は少ないとされる。

彩華と佳織の同性カップルの胎児がコンファームでリジェクトを示す。子どもを妊娠している彩華は子どもの意思とはいえ中絶に同意できない。自分を納得させようと、インターネットで調べたい情報を調べる彩華。「優生思想に基づく国家による国民の選別」「生存難易度の計測の真の目的は国民の価値観や政治観を把握するため」（六九）などの陰謀論は、合意出産制度についてまわる。「胎児の意思」は提示される数字へのイエス／ノーのリアクションに縮減され、コンファームを経た胎児が大きくなっても「幼児期健忘」のため自分がアグリーかリジェクトしたか覚えていない／思い出せない以上、胎児の意思は事後的に確認できず、永遠の謎だ。だから「合意出生公正証書」が作成される。

ただし、この証書は証書でしかなく、胎児の意思と結びつけるのは社会的文脈、単なる約束事でしかない。合意出生制度の下で産まれた子どもたちは証書を自己決定した「証」として辛いときの心の支えにする。本人が「大きな生きづらさ」に直面したときに証書を確認する。出生強制の場合、このとき、子どもによって発覚しやすい。自分の出自に疑問を抱いた子どもが戸籍謄本を確認し「出生の秘密」を知る、映画やドラマで見かけるおなじみのシーンと似ている。自分は人生に向いていないと感じ強いストレスと自己否定感に苦しむなかで、証書を見ようとする。

彩華は、姉の友人・金に言う。

「本当に大事なのは自分の意思で決めることそれ自体じゃなくて、それが自分の意思だと信じ込むことなのかもしれません。重要なのは真実じゃなくて、そう、信念なんです。ある結果が自分の選択によるものだと信じるだけで、人間はその結果を受け入れやすくなる。そしてそれは生きる勇気にもなってくれる。極論を言えば、〈コンファーム〉なんてしなくても、全ての新生児に政府が一律『合意出生公正証書』を発行すれば、同じ効果が得られるんじゃないでしょうか」（一七二）

金は信憑性を高めるために、一定の割合でリジェクトを発生させているのかと問い返す。彩華は、ランダムだろうとちゃんと検査していようと結果的にはたいした違いはないのではと気づく。

合意出生制度が目指すのは、産まれることを選んだ子どもが「自己肯定感」を抱いて人生を前向きに歩むことだ。『生を祝う』のハッピークラシー社会なら、生まれた後なので数値化はされていないが、生まれる前に数値化された各種項目と同じく「自己肯定感」も数値化されうる。「生存難易度計測報告書」の親権者の項目に「精神的安定性」がある。ここに胎児の「自己肯定感」を付け加えても不自然ではない。人生の「生きづらさ」に直面したときにそれを乗り越える自己肯定感を、究極的にはブラックボックスである公正証書で補給する。証書の信憑性にリジェクトが一定の割合で必要とされるのであれば、リジェクトーキャンセルされた胎児たちは、ハッピークラシー社会の市民＝サイチズンの幸福のために社会的に犠牲にされたといえる。産まれる前に配られる「イキガミ」だ。胎児の意思を確認する制度だが、胎児の意思がブラックボックスに放り込まれる以上、声なき胎児をハッピークラシー社会の生贄にしている。胎児の声を聞いているようで、聞いていない。

「私は自分の子どもの出生に、呪いじゃなくて、祝いを捧げたい」と彩華は言うが、「祝い」は「呪い」

を前提にする。ハッピークラシーが幸せを求める以上、今の自分がどこかに抱えている不幸せを発見しなければならないように、生の肯定をし続ける以上、この世界のどこかに生の否定を発見しなければならない。

5 希望と絶望のタペストリー

希望を語るなら、テクノロジーが導く明るい未来ではなく、私たちが立つ過去／現在をまず見ることだ。未来が過去／現在の単なる繰り返しとは思わないが、自然が文明によって絶えず「再発見」されてきたように、未来も「再発見」される。再発見された未来は、現実と対応しないこともあり、事態はややこしい。ハリウッド映画で、問題の背後にいる悪人が「一人の科学者」に収まってしまう現状は、実際の科学とは大きく離れている。マッドなサイエンティストが一人で世界を破壊する兵器を作り上げる――世の中の問題は一人の悪人や一つの悪に圧縮され、悪の排除により秩序は回復する。ゴットシャルによれば、脳を薬物並みに効率よく刺激するこんな物語が世界を滅ぼす。かといってストーリーや、それに本能的に反応する私たちの脳を「本当の黒幕」と提示したところで、ストーリーの根本構造を作り変えられるわけではない。

さて、今こうして私は評論を書いている。評論がいったい何なのか考えながら書いている。わかりやすい評論を書くと、多くの人に読んでもらえると思う。だからわかりやすく書こうとする。技術的にわかりやすく書く練習はするが、果たして自分の言いたいことは「わかりやすい物語」かと自問する。

他の人が書いた評論を読み「面白い」と思うことはもちろんある。では、評論の面白さとは何なのか。作品に対して自分が感じる言語化できないモヤモヤをうまく言語化してくれたときに面白さを感じる。しかし、これは「よくできた評論物語」に回収されただけではないのか。それとは別の、ある種のわかりやすさから逸脱した、「何かよくわからないが、すごい」という評論の面白さもある。これも評論の面白さだ。評論は、ネタバレとか謎解きとか考察ではなく創作だと思っているが、では私はいったい何を創作しているのか。

ユートピアとディストピアについて考え書くことは《私たち―あいつら》の物語を検証し不透明な言葉で表現することだ。この評論は、わかりやすい結論、楽観主義的な勧善懲悪にはたどり着かない。ディストピア的現実に、悪の組織もマッドなサイエンティストもいなかった。

トマス・モアのユートピアは島だ。真円ではないが、中心があり外縁がある。ハッピークラシー社会で人々が目指して無限の運動をする中心を、ユートピア島に象徴的に見出せる。

しかし、円をユートピアの象徴とみなす欲望を自覚し禁欲するべきではないか。ユートピアは島＝円のメタファーで語るべきではないのだ。ユートピアとディストピアは縦糸と横糸であり、それ自体が不透明な物語＝テクストである。ユートピア願望は支配の欲望につながる。ディストピアへの抵抗は理解と共感の希望となる。糸をたどり、解き、ふたたび編み込む作業は、支配と抵抗の脱構築だ。

私の評論も巨大なタペストリーの一本の糸であって欲しい。イーグルトンに倣うならこれは私の、楽観主義抜きの希望だ。

註

●はじめに

(1) ロイター通信、二〇二三年七月三〇日
(2) 東浩紀『訂正可能性の哲学』一五五頁
(3) ハンス・ロスリング、オーラ・ロスリング『FACTFULNESS』、スティーブン・ピンカー『暴力の人類史』
(4) 『集英社 世界文学大辞典 5事項』五四一頁
(5) グレゴリー・クレイズ『ユートピアの歴史』解説。坂上貴之、宮坂敬造、巽孝之、坂本光編著『ユートピアの期限』
(6) グレゴリー・クレイズ『ディストピアの自然史』

●第1章

(1) 川端康雄「日本における『一九八四年』の初期受容」秦邦生編『ジョージ・オーウェル『一九八四年』を読む』所収
(2) カッコ内数字は引用先ページ番号を示す。以下同じ。
(3) 田野大輔『愛と欲望のナチズム』によると、この態度はナチズムとは異なる方向だ。
(4) 「八五%の蜂起」の可能性はあるだろうか。二〇一一年のオキュパイ運動（「ウォール街を占拠せよ」）が搾取されている「九九%」の連帯を訴えるものの、体制は揺らがなかったことから、割合以上に重要なのはイデオロギーの支配力なのかもしれない。スミスがプロールに願う可能性は、あくまで希望の域をでない。
(5) […] は引用者による省略を示す。以下同じ。
(6) 東浩紀『訂正可能性の哲学』第7章「ビッグデータと「私」の問題」
(7) 訳者・大森望も指摘し、作中にもはっきり言及があるとおり、九年戦争は伊藤計劃『ハーモニー』の大災禍の発想元だ。
(8) スティーブン・ピンカー『暴力の人類史』、とりわけフリン効果についての議論を参考にしている。
(9) 『すばらしい新世界』のムスタファ同様に、統治システムからアノマリー（異常）とされた個体を、アップデートの素材としてシステムに組み込むのは、管理国家の設計者が好む手法だ。アニメ『PSYCO-PASS』第一シーズンで、犯罪を予測するシビュラシステムの包囲網から抜け落ちる「免罪体質者」は、脳を取り出してシビュラシステムの一部にされる。『PSYCO-PASS』は統治者がアルゴリズムであるが、構造は同じだ。

（10）kindle版から引用のためページ番号は省略。以下同様。

（11）マイケル・ハリス『オンライン・バカ』の原題はThe *End of Absence*（空白の終わり）だ。ブラッドベリに照らすとabsenceは「静かにものを考える時間」である。

（12）飯田一史『「若者の読書離れ」というウソ』によれば、教育政策やテクノロジーの発展、娯楽の多様化が進んでも、今も昔も一定数の人が本を読んでいる。巻貝とラウンジ壁により読書習慣が失われたのではなく、巻貝とラウンジ壁がなくてもそもそも読書しない人は読書しないだろう。

（13）稲田豊史『映画を早送りで観る人たち』、レジー『ファスト教養』は二〇二二年に話題になった本だ。キーワードは「ファスト」。両著作を読むとわかるが、ファスト文化に親しむものは、雑にコンテンツを扱いたいわけではない。雑に扱うならば、そもそも映画や本に触れなければよい。スマホをハブにして膨大な消費コンテンツが人々の眼前に広がったとき、私たちは最初こそ喜んだかもしれないが、すぐに途方に暮れる。無数の選択肢から何を選べばよいのか。選択ミスも成長の糧であると肯定的に捉えられる時代もあった。が、それは昔のこと。奔流のように文化コンテンツは湧き出し、ファストに通過する。溺れないために最善の選択肢を選び続ける。そして映画やら教養やらをファストに消費することが、コミュニケーションの作法になる。フェーバーが「時速百マイル」の車と受動的コンテンツを類比させるのは正しい。どちらも「速い」。

（14）北村紗衣『お砂糖とスパイスと爆発的な何か』第五章「女は自由な社会の邪魔者なの？　ディストピアSFの性差別」。古典三部作とザミャーチン『われら』についてこう指摘している。「名作として読み継がれているディストピア小説の大部分は、どんなに痛烈な社会諷刺を行っていても、社会に内在する性差別を無批判に温存しています。ディストピア小説における女性の多くは、社会に疑問を抱く主人公の視点から見ると、体制順応的か、悪い意味で感情的で、奥行きがありません。」（二一九）

◉第2章

（1）梶谷懐・高口康太『幸福な監視国家・中国』では「こういった統治テクノロジーが進んだことによって［…］特に大都市を中心に「お行儀のいい社会」に」（六八）なりつつあると述べる。

（2）マーク・クーケルバーク『自己啓発の罠』はSNSを

に駆り立てる様子を分析する。

通じてＡＩ（アルゴリズム）が人を自己啓発の無限運動に駆り立てる様子を分析する。

（3）スラヴォイ・ジジェクが言う、まともな候補者がいない選挙で不本意な選択をしなければならない瞬間に民主主義が成立する逆説的な事態と似ている。「賢い消費者になろう」というスローガンのもと幼少期の頃から消費者教育を受けてきても、私たちに「同意する」以外の選択は原理的に開かれていない。

（4）引用文では省略したが翻訳では原語もカッコ付で記されている。それぞれ再–身体化（re-embodying）、非身体化（disembodied）、生身の個人（embodied persons）である。

（5）ダナ・ハラウェイ「サイボーグ宣言」『猿と女とサイボーグ　新装版』所収

（6）池田譲『タコの知性』。人間の脳をタコの体に移したらできあがったタコ人間はどれほど賢いだろうか。

（7）デイヴィッド・ライアン『パンデミック監視社会』はコロナ禍で急速に進んだテクノロジーによる監視社会の様相を分析している。スマホにインストールする接触確認アプリや「ステイホーム」を可能にするリモートワーク（労働だけではなく教育も含まれる）、ワクチンパスポートなど、さまざまな感染対策でプラットフォーム企業と監視資本主義が融合し、公衆衛生・感染予防を旗印に人々の身体をますます監視・管理するようになったのは周知のとおりだ。テクノロジーによる課題解決主義＝テクノソリューショニズムが問題含みの発想だという指摘はもっともで、コロナ禍以前からの社会的不均衡がコロナ禍以降も継続し、かつ疫病とデジタル監視が、恩恵と不利益を平等ではなく不均衡に社会に配分しているのもそのとおりだ。ただ本書でも一貫してライアンは「情報の狩場としての身体」像をもち、テクノロジーはアップデートされながらも、人間観は変化していないように思える。

（8）鳥海不二夫『強いＡＩ・弱いＡＩ』

（9）“Facebook Knows Instagram Is Toxic for Teen Girls, Company Documents Show: Its own in-depth research shows a significant teen mental-health issue that Facebook plays down in public”

https://www.wsj.com/articles/facebook-knows-instagram-is-toxic-for-teen-girls-company-documents-show-11631620739

『ウォールストリート・ジャーナル』の記事で指摘されているインスタグラムの有害さとは「自己イメージを歪めること」だ。一〇代女子が、次から次へとフィードに流れてくる「理想的な体型」の女性の姿を目にすることで、自分の容姿への自信を失い、過度なダイエットや摂食障害、精神疾患になることがある。また、フェイスブックは社内で研究レポートをまとめているが、その評価が自社に対して甘いと批判されている。SNSの使用状況は、外部のカウンセラーや学者の調査ではデータ収集に限界があり、フェイスブックの内部調査を頼りにする他ないが、利益相反が起こる。社内調査で、インスタグラムが一〇代女子のメンタルヘルスに有害だという結果が仮にでたとして、フェイスブックが「プラットフォーマーの社会的責任」を果たすべくインスタグラムをどうこうするだろうか。そもそもインスタグラムはフェイスブック(メタ社)が一〇代の若者を取り込むために買収したサービスである。スマホの侵襲性は表層=自己イメージに留まるとしても、自己イメージはアイデンティティに大きく関わるので十分に侵襲的ともいえる。また民間企業しかビッグデータによる自社サービスの有害さを検証できないとき、資本主義社会においてその有害さは証明されないのではないか。ユーザーの使用状況がわからないので、インスタグラムの有害さを示すのはタバコの有害さを示すより難しい。

(10)“Amazon scraps secret AI recruiting tool that showed bias against women”
https://www.reuters.com/article/us-amazon-com-jobs-automation-insight-idUSKCN1MK08G
戸谷洋志『スマートな悪』ではこの問題を「最適化の倫理的課題」として紹介している。「この事例には、AIによるロジスティクスの最適化が抱える問題の一端が示されている。現実世界のデータがサイバー空間で処理され、それによって現実世界が最適化されるとき、現実世界に存在する不正義は解消されるのではなく、むしろ拡大・再生産されることにもなりうる。」(五二)

(11)ダニエル・カーネマン『ファスト&スロー』

(12)Stanley Fish, “Transparency is a Mother of Fake News”
https://www.nytimes.com/2018/05/07/opinion/transparency-fake-news.html

(13)荻上チキ『すべての新聞は偏っている』

(14)制度への不信が積もり、身近にあまりにも情報が溢れているとき、制度=権威を無根拠に否定することで自己のリテラシーを勝手に上げて、返す刀で広大なネットの海から拾い上げたひとつのデータを「真実」と掲げる行動は、それなりに合理的に思える。真実とまではいかなくとも客観にたどり着くために、制度化=権威化された長く険しい道を歩んでいくモチベーションは、たいていの人にはない。「それってあなたの感想ですよね」という「論破」で有名なひろゆきが念頭に浮かぶ。「それってあなたの感想ですよね」は裏を返せば「これは私が提示する事実です」となるが、感想に対置される「事実」は制度的な保証はなく、膨大なデータの海から「私個人」が恣意的に集めたものでしかない可能性がつねにある。伊藤昌亮「〈特別公開〉ひろゆき論——なぜ支持されるのか、なぜ支持されるべきではないのか」参照。

(15) 戸谷洋志『SNSの哲学』。SNSの投稿はつねに未来に送り出されるので現在の行動を抑制し、現在の行動は過去から送り出されたSNSの投稿に審査される。非物質のデジタル世界のSNSに現在は存在しない。

(16) 井上明人『ゲーミフィケーション』

(17) 藤田直哉『ゲームが教える世界の論点』。世界と自分を一直線で結びいくつかの簡単なパラメーターに縮減する態度は、陰謀論のゲーム性と通じる。

(18) 谷川嘉浩『スマホ時代の哲学』

(19) 稲田豊史『映画を早送りで観る人たち』。「もうひとつが、SNSによって同世代と自分とを容易に比較できてしまうことだ。先に指摘したSNSの常時接続は、会ったこともない自分と同世代の活躍を可視化させた。そのことは相当量のストレスも運んでくる。〝まだ何も成し遂げていない自分〟を否応なしに焦らせてしまうからだ」(一七一)。竹田ダニエル『世界と私の A to Z』

(20) 平野啓一郎『私とは何か』より。「分人とは、対人関係ごとの様々な自分のことである。[…] 分人は、相手との反復的なコミュニケーションを通じて、自分の中に形成されてゆく、パターンとしての人格である。[…] 一人の人間は、複数の分人のネットワークであり、そこには「本当の自分」という中心はない。[…] 私という人間は、対人関係ごとのいくつかの分人によって構成されている。そしてその人らしさ(個性)というものは、その**複数の分人の構成比率**によって決定される」(七—八、強調原文)。

鈴木健『なめらかな社会とその敵』に一票を分割して投票する「伝播委任投票システム」が分人民主主義の投票制度として提案されている。鈴木の著作は二〇一三年に出版されているが、元となった学会発表は二〇〇九年にされている。平野啓一郎『ドーン』は二〇〇九年七月に書き下ろされている。平野と鈴木の間で相互に参照があったかは確認できていない。鈴木はジル・ドゥルーズの一九九〇年の「管理社会について」という論考を分人民主主義の発想元と言及している。平野がドゥルーズを参照している可能性は十分にある。いずれにせよ、鈴木と平野のどちらが先かという議論より、二〇〇九年に分人についての文学作品と学会発表があった点を確認しておきたい。

(21) 平野啓一郎『私とは何か』より「人間には、色々な顔がある。――本書でも、何度か繰り返してきたフレーズである。しかし、実のところ、**色々な人格はあっても、逆説的だが、顔だけは一つしかない**」(五三)。「**あらゆる人格を最後に統合しているのが、たった一つしかない顔**である。逆に言えば、顔さえ隠せるなら、私たちは複数の人格を、バラバラなまま生きられるのかもしれない」(五四)。強調はいずれも原文。

(22) 平野啓一郎『私とは何か』より「**個人 individual は、他者との関係においては分割可能 dividual である**。逆説的に聞えるかもしれないが、それが、論理学より発展した、この単語の意味である。そして、**分人 dividual は、他者との関係においては、むしろ分割不可能 individual である**」(一六四)。強調はいずれも原文。

(23) 与那覇潤『過剰可視化社会』

(24) 村上靖彦『客観性の落とし穴』

◉第3章

(1)(二〇二三年)【ポリタス TV 1/31】①ここ一〇年さまざまな若手・ネット論客により注目を集めてきた自己責任言説 ②起用するメディアの問題とアテンションエコノミー

https://www.youtube.com/live/O2RKQhb6ofE

ジャーナリスト・津田大介と評論家・辻田真佐憲が、成田悠輔、古市憲寿、落合陽一、たかまつなな、長谷川豊、ひろゆき、DaiGoらの「炎上」発言を紹介している。

(2) 八代尚宏『シルバー民主主義』で「高齢者が少数であった時代に形成された社会制度や慣行を、高齢化社会に対応して改革する動きは、遅々として進んでいない。これは政治家が当面の選挙に勝つために、増える一方の高齢者の既得権を守ろうとする「シルバー民主主義」が大きな影響力をもっているためである」(i)とシルバー民主主義は定義される。八代は税制、年金・医療保険を含む社会保障制度、雇用慣行などさまざまな局面で高齢者に配慮した構造になっていると指摘する。具体的な改革提言をしているが、肝心の立法府=国会の議員を選ぶ選挙もまた、高齢者の意見が反映されやすい。①世代別選挙区、②ドメイン投票方式、③余命比例投票など「投票率の高い高齢者の政治力を何らかの形で抑制する」方法が提案されている。とはいえ「誰がネコの首に鈴をつけるか」問題は解決されない。

（3）「令和4年版高齢社会白書（概要版）」
https://www8.cao.go.jp/kourei/whitepaper/w-2022/html/gaiyou/s1_1.html

（4）新井素子『チグリスとユーフラテス』は、植民惑星の食糧自給状況の悪化のために、配給する食糧を制限しなければならなくなる。一九七二年から一九七四年の「定年退食」とほぼ同時期に連載された楳図かずお『漂流教室』も公害と環境破壊で人類が滅びる。

（5）原俊彦『サピエンス現象』が教えるところでは、今後、人類は地球規模の人口減少に直面する。人口減少の理由は、突き詰めれば、人間が豊かになったからだ。また、今日的な問題として、地域的な人口爆発や公害より、さらに広域・グローバルな地球温暖化・気候変動があげられる。気候変動は公害問題であり、かつ人口動態的な長期的スパンの問題だ。気候変動に対しては、公害問題同様に法的・テクノロジー的解決方法をやるのは必須だが、やったとしてもそれですべて解決するわけではない。詳しくは本書の第5章で論じる。

（6）日本語で「感情」と「勘定」をおなじ「かんじょう」と読むのは興味深い。

（7）「七十歳死亡法案」に「例外は皇族だけである」と明記されているが、『百年法』の世界ではそもそも天皇制は廃止されているので、皇族を例外化するややこしい手続きは必要ない。

（8）笠井潔は『例外状態の道化師』でこう述べている。「民主主義国家では対処できない第一の例外状態の到来は、憲法に制約されない点で絶対主義国家の一時的な再来でもある第二の例外状態に帰結する。第一の例外状態から第二の例外状態への移行を画するのは、カール・シュミットによれば主権者の「決断」だ」（八七）。「第一の例外状態」は、「対外戦争や内乱やクーデター、あるいは疫病の大流行や飢餓や大規模災害などのために通常の法秩序が機能麻痺して」到来する。

（9）星マリナ「漫画「イキガミ」について」
https://hoshishimichi.com/ikigami/
国家繁栄「維持」法と生活「維持」省というネーミングも類似している。

（10）宇野常寛『ゼロ年代の想像力』

（11）笠井潔は『例外社会』で国家が暴力をどこに・どのように占有するのか歴史・思想史をたどったが、その議論と接続すると、『バトル・ロワイアル』をシュミット的な主権者の決断に、『イキガミ』を例外状態を確率的に構造化したガルブレイス「ゆたかな社会」に位置づけられる。両作品は若者を中心に、二つの社会を対照的に描いているが、根底では「国家による暴力の占有」をどう認識・表象するのかを問題にする双子のような位置づけだ。

◉第4章

（1）塚原東吾「『復活の日』とSFの終わりの始まり　科学史から見た小松左京」『現代思想　二〇二一年一〇月臨時増刊号　総特集◎小松左京』所収

（2）ギスリ・パルソン『図説　人新世』

（3）「大気中二酸化炭素濃度の経年変化」（国土交通省・気象庁のウェブサイト）
https://www.data.jma.go.jp/ghg/kanshi/ghgp/co2_trend.html

（4）原俊彦『サピエンス減少』

（5）志葉玲『13歳からの環境問題』。ギスリ・パルソン『図説　人新世』より「環境をめぐる文献（本書を含む）には、「私たちは地球を根本から変えた」とか「私たちの痕跡はあらゆるところに見られる（だろう）」という記述がたびたび登場するが、「私たち」とはだれを指すのだろう?」（一二八）

（6）斎藤幸平『人新世の「資本論」』

（7）荒木優太は『サークル有害論』で、田辺元の「種の論理」を使い、小集団（サークル）が毒されるメカニズムと、解毒する処方箋を示している。小集団とは個人・家族以上、全体未満で、さまざまな小集団がありえる。田辺は個（個人）・種（小集団）・類（全体）の三項を取り出し、種によって個が否定的に媒介され、自分がいかに種によって制限されていたか理解して初めて、自由な選択ができると考える。個人と全体を直に結ぶのではなく、種という中間項を想定することが特徴だ。ただし、荒木が「サークルの毒」と呼び、注意を促すように、個は種に吸収され輪郭を失うことがある。田辺は国家こそ種だと言い、戦時中に教え子を特攻兵として戦地に送っていた。

荒木は現代版「種の論理」としてアイデンティティ・ポリティクスを背景とするクオータ制をあげる。クオータ制では多様性が前提だが、その反面、個人の多義性・可変性は捨象される。自分の属性のひとつを取り出し、単一なアイデンティティを持つものとして、集団内でのイスを割り当てられる。「終わりなきマイクロアグレッション」と荒木が呼ぶのは、切り出す自己の属性を変えれば座るイスも変えなければならない事態だ。個人を種という単一で固定的な属性で束にすると、この問題は必然的に生じる。

　田辺の「種の論理」で面白いと思ったのは、種と類という語を選んだことだ。人という漢字は種と結べは「人種」、類と結べは「人類」となる。気候正義は「人類」にとっての正義だが、小集団（「人種」）に分かれると、普遍性を失う。

(8)『朝日新聞』二〇二三年七月四日（夕刊）、矢田文

(9) 巽孝之『現代ＳＦのレトリック』「詩のロジックは、ゆえに文字どおり読むことを誘いながら、同時に字義的な読みも慣用的な読みもそれこそ無に帰してしまうような危機を内包しており、ＳＦのロジックは、したがって「文字どおり読むこと」なる言い回しじたいが「物理的に読むこと」の慣用表現であることを暴露し、そのレベルにおいて字義性／隠喩性の差異を一気に爆破してしまう」（六、強調原文）。ＳＦの定義に「人間の手を離れて自走するテクノロジー」があげられるが、トリフィドは「自走」を「物理的に読むこと」を読者に促す。

(10) ハラリが『ホモ・デウス』で「現代の契約」と呼ぶ、力を得たことと引き換えに意味を失ってきた事態である。

(11)「われわれは、歴史や文学や国際法の断片、バイロンやトマス・ペイン、マキャベリ、はたまたキリストの断片の寄せ集めなんだ」と『華氏４５１度』の本人間（グレンジャー）は言う。プラトン『共和国』、ジョナサン・スウィフト『ガリバー旅行記』、チャールズ・ダーウィン、ショーペンハウエル、アインシュタイン、アルベルト・シュヴァイツァー博士、アリストファネス、マハトマ・ガンジー、ブッダ、孔子、トマス・ラヴ・ピーコック、トマス・ジェファーソン、リンカーン、マタイ、マルコ、ルカ、ヨハネの本人間がいるようだが、このなかで科学者に分類されるのはダーウィン、アインシュタイン、シュバイツァーか。エンジニアリングやテクノロジーへの言及はない。行き過ぎたテクノロジーが『華氏４５１度』の文明社会を崩壊させている。

(12) ダナ・ハラウェイ「状況におかれた知」『猿と女とサイボーグ』所収。ハラウェイが慎重に検討するのは普遍的な全体化志向でも、ポストモダン的ラディカルな構築主義でもなく、個別具体的な視点で客観を経験的に作る方法論だ。「我々が求める部分性は、自己完結的な部分性で

はなく、状況に置かれた知が可能とするさまざまな結びつきや意外なはじまりのための部分性である。より広い眺め（ヴィジョン）を見いだす唯一の方策は、どこか特定の場所に位置することである。」（三七七）

（13）片桐雅隆が言うブライドッティのノマド理論を念頭においている。片桐雅隆『人間・AI・動物　ポストヒューマンの社会学』参照。

（14）更科修『絶滅の人類史』より。「直立二足歩行を始めた人類は、自由になった手で、骨を武器として使い始めた。そして、武器を使うことによって、脳が大きくなった。ダートは、そう考えたのだ。[…] 人間は短期間のうちに武器を発達させたために、攻撃を抑制する仕組みを進化させる時間がなかった。そのために人間は、戦争のような異常な殺戮を行うのである。ローレンツはそう、主要したのである。このような、人類の歴史をいわゆる「血塗られた歴史」とする考えは、現在では誤りとされる。[…]「2001年宇宙の旅」という映画があるが、その冒頭シーンは、まさにこの考えによって作られている。猿人が骨を振り上げて叩きつける場面は、とても印象的だ。でも、それは映画の中の話であって、事実ではないのである。」

（15）Steve Rose, "A deadly ideology: how the 'great replacement theory' went mainstream" (The Guardian)
https://www.theguardian.com/world/2022/jun/08/a-deadly-ideology-how-the-great-replacement-theory-went-mainstream
The Great Replacement Theory「大置換理論」とは、白人住民が非白人移民によって置き換わるという人種的恐怖を、人種差別色を薄くし、理論っぽく見えるように名づけたもの。アメリカに限っても十九世紀ころから、頻繁に言われている。仮想敵とする人種は中国、日本、ユダヤ、ヨーロッパ、南米ヒスパニックなど時代ごとに変わる。世界史的に見て、住民と最も置き換わったのはヨーロッパ白人種である点はまったく考慮に入れられない。二〇一一年、同名の著作をフランス人作家のルノー・カミュが発表した。白人至上主義的、極右的な陰謀論の一種で、アメリカ国内のホームグロウンテロリストが犯行声明で言及することもある。

（16）災害ディストピアにおいて環境省がときに実力部隊を組織し自省の権限を強めるのは斉藤詠一『環境省武装機動隊EDRA』と共通している。

（17）柄谷行人『日本近代文学の起源』

（18）大江健三郎『朝日新聞』一九七三年八月六日（朝刊）。『現代思想　総特集　二〇二一年一〇月臨時増刊号　◎小松左京』も参考にした。
(19) 鎌田浩毅「地球科学者が読みとく『日本沈没』「大地変動の時代」の日本列島をイメージするために」『現代思想　総特集　二〇二一年一〇月臨時増刊号　◎小松左京』所収
(20) 小松左京『日本沈没　上』三二五頁。原作では「直観」となっている。ドラマ版の字幕では「直感」と表記されている。
(21) 伊藤憲二「地球的災害の知の物語　『日本沈没』における科学と社会」『現代思想　総特集　二〇二一年一〇月臨時増刊号　◎小松左京』。「本稿は『日本沈没』における災害にかかわる知識の着想、検証、流通、政治への受容の記述を分析することによって、そこで想定されたパターンと叙述の様式を浮き彫りにすることを目指す。そのパターンとはパターナリズムとテクノクラシー信仰の結合からなるもので、災害に関する知識生産や、その知識の災害対策への適用において、大衆に知識を与えないまま高度な知識を持った男性エリートに任せておくことで最善の結果が得られるという叙述形式である。」(二四四)
(22) 小松左京にとって気候変動は地球温暖化ではなく地球寒冷化であることは興味深い。詳しくは芳賀浩一「エコクリティシズムで読む小松左京の気候変動小説」(『現代思想　総特集　二〇二一年一〇月臨時増刊号　◎小松左京』)。
(23) 望月優大『ふたつの日本』
(24) 『朝日新聞』二〇二一年年一一月一六日、是川夕
(25) 「バルチック艦隊対馬沖通過！　――昔の人間なら、愕然とするところだったが、その時の国内は、それどころではなかった。」『日本沈没　下』二四五頁
(26) 長山靖生は成田龍一との対談で、小松左京の小説『日本沈没』について述べている。「ないものを敢えて書くというのは「これがなければ負ける、そしてそんなものは存在しない」というのを伝えているようなものである。その意味で『日本沈没』は、現実に日本が沈没することはないとしても、そうした危機に対処しうるシステムがなければいずれ滅びるぞ、という物語として大人になってからは読みましたね。」長山が具体的に指しているのは、滅私奉公できるリーダーシップをもった首相と政府だ。小松左京の理想論でもあろう。翻って『希望のひと』は、理想とすら思っていないベタな現実として移民先で歓待される日本人を描いている。『現代思想　総特集　二〇二一年一〇月臨時増刊号　◎小松左京』三三頁

（27）「ジェンダーSF研究会公式ウェブサイト」
https://gender-sf.org/sog/

（28）「2006年度　第6回 Sense of Gender 賞講評」
https://gender-sf.org/sog/2006/EbiharaYutaka.html

（29）「『現代用語の基礎知識』選　ユーキャン新語・流行語大賞　第二六回二〇〇九年授賞語」
https://www.jiyu.co.jp/singo/index.php?eid=00026
「コラムニストの深澤真紀が2006年に命名。協調性が高く、家庭的で優しいが、恋愛やセックスには積極的でない、主に40歳前後までの若い世代の男性を指す。自動車の購入など顕示的消費にも興味を示さず、バブル崩壊後の経済停滞が、その精神構造に影響を与えたという指摘もある。」

◉第5章

（1）メラニー・ジョイ『私たちはなぜ犬を愛し、豚を食べ、牛を身にまとうのか』

（2）『ロビンソン・クルーソー』には非文明人の習俗としてカニバリズムが描写される。『ロビンソン・クルーソー』とその後に雨後の竹の子のように出現した同系統の物語が、当時のイギリスでユートピアの一種として想像されたものである、とグレゴリー・クレイズ『ユートピアの歴史』は指摘している。

（3）ベンジャミン・クリッツァー『21世紀の道徳』

（4）ウィリアム・モリス『ユートピアだより』の二二世紀の社会主義ユートピアでも労働は報酬から切り離されている。「ここでは労働の報酬がないのにどうやって人びとを働かせるのですか。とりわけ、骨の折れる仕事をどうやってさせるのでしょう」「労働の報酬は生きることそのものではありませんか。[…] 報酬ならたっぷりとあります […] 創造という報酬が。昔の人なら、神が得たもう賃金とでも言ったでしょう。」（一七二－一七三）

（5）親が子どもに抱く愛情は、本能的・生得的なものと推定される。共同体を設計するとき、親子の結びつきを人為的に切断することで生じる心理的負荷と、血縁に縛られない人員配置が生む利益を比べると、前者が後者を上回り共同体の維持が困難になるため、親子関係を切断する共同体運営は主流になっていないのではないか。実験的な社会主義共同体には、家庭を所有概念の源泉とみなし夫婦・親子関係の解体、子どもの共同養育を志向したものもあった。また、生産性と効率を重視する資本主義国家でも、ハクスリー『すばらしい新世界』が生まれうる。

（6）ベンジャミン・クリッツァー『21世紀の道徳』

◉おわりに

（1）「牧畜や農耕に十分なだけの土地を確保しようとするならば、隣国の人々の土地の一部を切り取って自分のものとしなければならない。そして、隣国の人々のほうでもまた、われわれの土地の一部を切り取ろうとするだろう――もし彼らもやはり、どうしても必要なだけの限度をこえて、財貨を無際限に獲得することに夢中になるとするならばね［…］そうなると、つぎに来るのは戦争ということになるだろうね、グラウコン」『国家　上』一五九

参考文献・資料

アガンベン、ジョルジョ『ホモ・サケル　主権権力と剝き出しの生』一九九八年、高桑和巳訳、以文社、二〇〇三年
東浩紀『訂正可能性の哲学』ゲンロン、二〇二三年
アトウッド、マーガレット『侍女の物語』一九八五年、斎藤英治訳、ハヤカワepi文庫、二〇〇一年
新井素子『チグリスとユーフラテス』集英社、一九九九年
荒木優太『サークル有害論　なぜ小集団は毒されるのか』集英社新書、二〇二三年
アレント、ハンナ『人間の条件』一九五八年、牧野雅彦訳、講談社学術文庫、二〇二三年
アンダーソン、マイケル（監督）『1984』一九五六年
庵野秀明（監督）『トップをねらえ!』一九八八年ー一九八九年
飯田一史『「若者の読書離れ」というウソ　中高生はどのくらい、どんな本を読んでいるのか』平凡社新書、二〇二三年
イーグルトン、テリー『希望とは何か　オプティミズムぬきで語る』二〇一五年、大橋洋一訳、岩波書店、二〇二〇年
池田譲『タコの知性　その感覚と思考』朝日新書、二〇二一年
伊藤計劃『ハーモニー』ハヤカワ文庫JA、二〇一四年
伊藤昌亮『炎上社会を考える　自粛警察からキャンセルカルチャーまで』中公新書ラクレ、二〇二一年
――「ひろゆき論　なぜ支持されるのか、なぜ支持されるべきではないのか」『世界』岩波書店、二〇二三年三月号
稲田豊史『映画を早送りで観る人たち　ファスト映画・ネタバレ――コンテンツ消費の現在形』光文社新書、二〇二二年
井上明人『ゲーミフィケーション　〈ゲーム〉がビジネスを変える』NHK出版、二〇一二年
入江悠（監督）『AI崩壊』二〇二〇年
ウィンダム、ジョン『トリフィド時代　食人植物の恐怖』一九五一年、中村融訳、創元SF文庫、二〇一八年
上村忠男『アガンベン《ホモ・サケル》の思想』講談社選書メチエ、二〇二〇年
ウェルズ、H・G『タイムマシン』一八九五年、池央耿訳、光文社古典新訳文庫、二〇一二年

ウォシャウスキー姉妹（監督）『マトリックス』一九九九年
宇野常寛『ゼロ年代の想像力』ハヤカワ文庫ＪＡ、二〇一一年
――『母性のディストピア　Ｉ接触篇』早川文庫ＪＡ、二〇一九年、
楳図かずお『漂流教室』小学館文庫、一九九八年
エガーズ、デイヴ『ザ・サークル』二〇一三年、吉田恭子訳、早川書房、二〇一四年
『ＳＦマガジン　特集ディストピアＳＦ　２０１７年２月号』早川書房、二〇一七年
オーウェル、ジョージ『一九八四年［新訳版］』一九四九年、高橋和久訳、ハヤカワepi文庫、二〇〇九年
大友克洋『ＡＫＩＲＡ』講談社、一九八二年―一九九〇年
小川哲『ユートロニカのこちら側』ハヤカワＳＦシリーズＪコレクション、二〇一五年
荻上チキ『すべての新聞は「偏って」いる　ホンネと数字のメディア論』扶桑社、二〇一七年
垣谷美雨『七十歳死亡法案、可決』幻冬舎、二〇一二年
笠井潔『例外社会　神的暴力と階級／文化／群衆』朝日新聞出版、二〇〇九年
――『例外状態の道化師　ポスト３・11文化論』南雲堂、二〇二〇年
梶谷懐、高口康太『幸福な監視国家・中国』ＮＨＫ出版新書、二〇一九年
片桐雅隆『人間・ＡＩ・動物　ポストヒューマンの社会学』丸善出版、二〇二二年
カーツワイル、レイ『ポスト・ヒューマン誕生　コンピュータが人類の知性を超えるとき』二〇〇五年、井上健監訳、小野木明恵、野中香方子、福田実訳、日本放送出版協会、二〇〇七年
カーネマン、ダニエル『ファスト＆スロー　あなたの意思はどのように決まるか？』二〇一一年、村井章子訳、ハヤカワ文庫ＮＦ、二〇一四年
カバナス、エドガー／イルーズ、エヴァ『ハッピークラシー「幸せ」願望に支配される日常』二〇一九年、高里ひろ訳、みすず書房、二〇二二年
柄谷行人『日本近代文学の起源』講談社文芸文庫、一九八八年
カルーソー、Ｄ・Ｊ（監督）『イーグル・アイ』二〇〇八年
――（監督）『ディスタービア』二〇〇七年
北村紗衣『お砂糖とスパイスと爆発的な何か　不真面目な批評家によるフェミニスト批評入門』書肆侃侃房、

二〇一九年
キャメロン、ジェームズ（監督）『ターミネーター』
一九八四年
キューブリック、スンタンリー（監督）『2001年宇宙の旅』
一九六八年
クーケルバーク、マーク『自己啓発の罠　AIに心を支配されないために』二〇二二年、田畑暁生訳、青土社、二〇二二年
クリッツァー、ベンジャミン『21世紀の道徳　学問、功利主義、ジェンダー、幸福を考える』晶文社、二〇二一年
クレイズ、グレゴリー『ユートピアの歴史』二〇一一年、巽孝之監訳、小畑拓也訳、東洋書林、二〇一三年
――『ディストピアの自然史』*Dystopia: A Natural History.* 二〇一六年、未訳、オックスフォード大学出版
久保明教『機械カニバリズム　人間なきあとの人類学へ』講談社選書メチエ、二〇一八年
限界研編『東日本大震災後文学論』南雲堂、二〇一七年
――編『ビジュアル・コミュニケーション　動画時代の文化批評』南雲堂、二〇一五年
『現代思想　2021年10月臨時増刊号　総特集◎小松左京――生誕九〇年／没後一〇年』青土社、二〇二一年
ゴウト、エベラルド（監督）『フォーエバー・パージ』
二〇二一年
鴻巣友季子『文学は予言する』新潮選書、二〇二二年
ゴットシャル、ジョナサン『ストーリーが世界を滅ぼす　物語があなたの脳を操作する』二〇二一年、月谷真紀訳、東洋経済新報社、二〇二二年
小松左京『日本沈没』一九七三年、小学館文庫、二〇〇六年
斉藤詠一『環境省武装機動隊ＥＤＲＡ』実業之日本社、二〇二三年
斎藤幸平『人新世の「資本論」』集英社新書、二〇二〇年
坂上貴之、宮坂敬造、巽孝之、坂本光編著『ユートピアの期限』慶應義塾大学出版会、二〇〇二年
更科功『絶滅の人類史　なぜ「私たち」が生き延びたのか』ＮＨＫ出版新書、二〇一八年
ジェイムソン、フレドリック『未来の考古学　第一部　ユートピアという名の欲望』二〇〇五年、秦邦生訳、作品社、二〇一一年
シェリー、メアリー『フランケンシュタイン』一八一八年、芹澤恵訳、新潮文庫、二〇一五年
ジジェク、スラヴォイ『真昼の盗人のように　ポストヒューマニティ時代の権力』二〇一八年、中山徹訳、青土社、

二〇一九年
シュミット、カール『政治的なものの概念』一九三二年、権左武志訳、岩波文庫、二〇二二年
ジョイ、メラニー『私たちはなぜ犬を愛し、豚を食べ、牛を身にまとうのか　カーニズムとは何か』二〇〇九年、玉木麻子訳、青土社、二〇二二年
志葉玲『13歳からの環境問題　「気候正義」の声を上げ始めた若者たち』かもがわ出版、二〇二〇年
秦邦生編『ジョージ・オーウェル『一九八四年』を読む　ディストピアからポスト・トゥルースまで』水声社、二〇二一年
スコット、トニー（監督）『エネミー・オブ・アメリカ』一九九八年
スコルジー、ジョン『ロックイン　統合捜査』二〇一四年、内田昌之訳、新☆ハヤカワ・SF・シリーズ、二〇一六年
鈴木健『なめらかな社会とその敵　PICSY・分人民主主義・構成的社会契約論』勁草書房、二〇一三年
スタントン、アンドリュー（監督）『ウォーリー』二〇〇八年
スピルバーグ、スティーヴン（監督）『マイノリティ・リポート』二〇〇二年
ソルニット、レベッカ『災害ユートピア　なぜそのとき特別な共同体が立ち上がるのか』二〇〇九年、高月園子訳、亜紀書房、二〇一〇年
ダイヤモンド、ジャレド『銃・病原菌・鉄　一万三〇〇〇年にわたる人類史の謎』一九九七年、倉骨彰訳、草思社、二〇〇〇年
瀧本智行（監督）『イキガミ』二〇〇八年
竹田ダニエル『世界と私の A to Z』講談社、二〇二二年
橘玲『（日本人）』幻冬舎、二〇一二年
巽孝之『現代SFのレトリック』岩波書店、一九九二年
谷川嘉浩『スマホ時代の哲学　失われた孤独をめぐる冒険』ディスカヴァー・トゥエンティワン、二〇二二年
田野大輔『愛と欲望のナチズム』講談社選書メチエ、二〇一二年
チャップリン、チャールズ（監督）『モダン・タイムス』一九三六年
チャペック、カレル『ロボット　RUR』一九二〇年、阿部賢一訳、中公文庫、二〇二〇年
デフォー、ダニエル『ロビンソン・クルーソー』一七一九年、平井正穂訳、岩波書店、二〇一二年

デモナコ、ジェームズ（監督）『パージ』二〇一三年
――（監督）『パージ：大統領令』二〇一六年
戸谷洋志『SNSの哲学　リアルとオンラインのあいだ』創元社、二〇二三年
――『スマートな悪　技術と暴力について』講談社、二〇二二年
鳥海不二夫『強いAI・弱いAI　研究者に聞く人工知能の実像』丸善出版、二〇一七年
日本SF作家クラブ編『ポストコロナのSF』ハヤカワ文庫JA、二〇二一年
ハクスリー、オルダス『すばらしい新世界［新訳版］』一九三二年、大森望訳、ハヤカワepi文庫、二〇一七年
橋本裕志（脚本）『日本沈没―希望のひと―』二〇二一年
バチガルピ、パオロ『神の水』二〇一五年、中原尚哉訳、新☆ハヤカワ・SF・シリーズ、二〇一五年
――『ねじまき少女』二〇〇九年、田中一江、金子浩訳、ハヤカワ文庫SF、二〇一一年
早川千絵（監督）『PLAN75』二〇二二年
林譲治『不可視の網』光文社文庫、二〇二二年
ハラウェイ、ダナ『猿と女とサイボーグ　自然の再発明　新装版』一九九一年、高橋さきの訳、青土社、二〇一七年
原恵一（監督）『クレヨンしんちゃん　嵐を呼ぶ　モーレツ！オトナ帝国の逆襲』二〇〇一年
原俊彦『サピエンス減少　縮減する未来の課題を探る』岩波新書、二〇二三年
ハラリ、ユヴァル・ノア『ホモ・デウス　テクノロジーとサピエンスの未来』二〇一五年、柴田裕之訳、河出文庫、二〇二二年
ハリス、マイケル『オンライン・バカ　常時接続の世界がわたしたちにしていること』二〇一四年、松浦俊輔訳、青土社、二〇一五年
パルソン、ギスリ『図説　人新世　環境破壊と気候変動の人類史』二〇二〇年、長谷川眞理子監修、梅田智世訳、東京書籍、二〇二一年
樋口真嗣（監督）『日本沈没』二〇〇六年
ヒッチコック、アルフレッド（監督）『裏窓』一九五四年
平野啓一郎『ドーン』講談社、二〇〇九年
――『私とは何か「個人」から「分人」へ』講談社現代新書、二〇一二年
ピンカー、スティーブン『暴力の人類史』二〇一一年、幾島

幸子、塩原通緒訳、青土社、二〇一五年
ピンスカー、サラ『新しい時代への歌』二〇一九年、村山美雪訳、竹書房文庫（kindle版）、二〇二一年
深作欣二（監督）『バトル・ロワイアル』二〇〇〇年
藤子・F・不二雄「定年退食」『藤子・F・不二雄［異色短編集］2 気楽に殺ろうよ』小学館文庫、一九九五年
藤田直哉『ゲームが教える世界の論点』集英社新書、二〇二三年
ブラッドベリ、レイ『華氏451度［新訳版］』一九五三年、伊藤典夫訳、ハヤカワ文庫SF（kindle版）、二〇一四年
プラトン『国家』藤沢令夫訳、岩波文庫、一九七九年
星新一「生活維持省」『ボッコちゃん』新潮文庫、一九七一年
ポパー、カール『開かれた社会とその敵』一九四五年、小河原誠訳、岩波文庫、二〇二三年
前田哲（監督）『老後の資金がありません！』二〇二一年
牧野雅彦『精読 アレント『人間の条件』』講談社選書メチエ、二〇二三年
村上靖彦『客観性の落とし穴』ちくまプリマー新書、二〇二三年
モア、トマス『ユートピア』一五一六年、平井正穂訳、岩波文庫、一九五七年
望月優大『ふたつの日本「移民国家」の建前と現実』講談社現代新書、二〇一九年
本広克行（総監督）『PSYCHO-PASS』（第一シーズン）二〇一四年
モリス、ウィリアム『ユートピアだより』一八九〇年、川端康雄訳、岩波文庫、二〇一三年
森谷司郎（監督）『日本沈没』一九七三年
八代尚宏『シルバー民主主義 高齢者優遇をどう克服するか』中公新書、二〇一六年
山田宗樹『百年法』角川文庫、二〇一五年
湯浅政明（監督）『日本沈没2020』二〇二〇年
与那覇潤『過剰可視化社会「見えすぎる」時代をどう生きるか』PHP新書、二〇二二年
ライアン、デイヴィッド『監視社会』二〇〇一年、河村一郎訳、青土社、二〇〇二年
――『パンデミック監視社会』二〇二一年、松本剛史訳、ちくま新書、二〇二二年
リーヴス、マット（監督）『猿の惑星：新世紀』二〇一四年
――（監督）『猿の惑星：聖戦記』二〇一七年

李琴峰『生を祝う』朝日新聞出版、二〇二一年
リフキン、アダム（監督）『LOOK』二〇〇七年
ル・グィン、アーシュラ・K『所有せざる人々』一九七四年、佐藤高子訳、ハヤカワ文庫SF、一九八六年
――『闇の左手』一九六九年、小尾芙佐訳、ハヤカワ文庫SF、二〇〇六年
ロスリング、ハンス／ロスリング、オーラ／ロンランド、アンナ・ロスリング『FACTFULNESS 10の思い込みを乗り越え、データを基に世界を正しく見る習慣』二〇一八年、上杉周作、関美和訳、日経BP社、二〇一九年
レジー『ファスト教養 10分で答えが欲しい人たち』集英社新書、二〇二二年
レッシグ、ローレンス『CODE VERSION 2.0』二〇〇六年、山形浩生訳、翔泳社、二〇〇七年
ワイアット、ルパート（監督）『猿の惑星：創世記』二〇一一年

あとがき

本書は、私がこれまでに自分のnote（ウェブサービス）に書き留めてきた評論・書評を元に大幅に書き直したものである。

私がＳＦ評論で書きたいテーマは三つある。ポストヒューマン、ディストピア、言語だ。うちポストヒューマンは『ポストヒューマン宣言』に結実した。本書はテーマの二つ目、ディストピアを扱っている。

ディストピアについて書き始めたが、時間的&分量的に本書に収まらなかったディストピア類型がある。身体／生殖／ジェンダー／セクシュアリティを主題としたジェンダーＳＦのディストピアだ。リサーチはしたものの、このテーマだけでゆうに一冊の本となることに気がつき、本書では扱えないと判断した。『ポストヒューマン宣言』で「フェミニスト・ユートピアは（どこに）あるのか」と題した章を書いたが、これを発展させたジェンダーＳＦ論を（いつか・どこかで）一冊にまとめたい。

また、ディストピアでのメディアの役割やプロパガンダもブラッドベリ『華氏４５１度』を中心に論じたが、より広く言語ＳＦとして議論できそうな感触を得た。ディストピアはＳＦに遍在していて、本書を書き終えたからといって私のディストピアSFの旅が終わったわけではない。旅はこれからはじまるのだ。本書で掘り下げた論点は、今後、私の別の本でも引き続き検討したい。

現代のディストピアというと監視カメラやビッグデータといったキーワードが浮かぶ。監視技術とアルゴリズムは「監視ディストピア」として詳細に論じた。しかし、ディストピアはこれだけではない。人口減少や気候変動により緩やかに文明が衰退していき、インフラや必要物資（ニーズ）が不十分になると、社会はディストピア化するだろう。あるいは、古くからの人類の夢である「労働解放」は、ユートピアをもたらすどころかディストピアを呼び込むかもしれない。「災害ディストピア」も「労働解放ディストピア」も、人類とテクノロジーとの関係が重要な役割を果たす。SFこそが描けるディストピアだ。巽孝之先生から『ポストヒューマン宣言』帯文に「人新世以後のヴィジョン！」という言葉を頂いて以来、「人新世のSF」についてよく考えるようになった。また、昨今の気候変動・異常気象を目の当たりにし、「私は子どもたちにどんな世界を残すのだろう」とふと不安に襲われることもある。夏の暑い日はあまりに危険で子どもを公園に連れていけないのだ。私が子どもの頃と比べ、地球は変わった。では、どう変わったのだろう。地球の変化に、人類はどう変わるのだろう。SFは想像力の射程に地球と人類を収められる。

人類の未来は明るいだろうか。ユートピアの縦糸とディストピアの横糸で編まれたSFのテクスト（織物／作品）を読み解きながら、私は人類の未来を考えていた。昔は、人類の未来に興味なんてなかったのだが。心境の変化は、私もそれなりに年をとり「人生後半戦」に入ったからかもしれない。私は「人類の終わり」に立ち会えないし、立ち会いたくもないが、これからの人類がどうなるのか想像することはできる。本書が、ディストピアの向こうにうっすらと透けて見える人類の未来を写し取れたものになっていればよいと願っている。

＊　＊　＊

本書を書くにあたり、多くの人の支えがありました。最後になりますが、感謝の気持ちを伝えたいと思います。

原稿を読み洞察に富んだ意見をくれた批評家の齋藤俊夫氏。齋藤氏の主催する読書会でル・グィン『所有せざる人々』が取り上げられたときに私も参加しましたが、読書会での活発な議論に私も大いに影響を受けました。持つべきものはＳＦ仲間です。一冊目に続き二冊目の本書も、出版を快諾してくれた小鳥遊書房の編集者・高梨治氏。高梨氏のフットワークの軽さに脱帽します。

そして家族に。私がどうしてここまでＳＦに没頭するのかよくわからないものの、どうやらＳＦが好きらしいぞと理解し、見守ってくれていることに感謝します。

二〇二三年一〇月　素晴らしい秋晴れの日に

海老原豊

索引

おもな人名、作品を五十音順に記した。
作品は作家ごとにまとめてある。

◉ア行

◉カ行

◉サ行

◉タ行

◉ハ行

◉マ行

◉ヤ行

◉ラ行

◉ワ行

【著者】

海老原 豊

（えびはら　ゆたか）

1982年生まれ。
慶應義塾大学大学院文学研究科英米文学専攻修士課程修了。
SF評論家。
「グレッグ・イーガンとスパイラルダンスを：「適切な愛」「祈りの海」
「しあわせの理由」に読む境界解体の快楽」で第2回日本SF評論賞優秀賞を受賞。
著書に、『ポストヒューマン宣言：SFの中の新しい人間』（小鳥遊書房）。
共編著『3・11の未来：日本・SF・創造力』（作品社）、
共著『ポストヒューマニティーズ：伊藤計劃以後のSF』（南雲堂）ほか。

ディストピアSF論(ろん)

人新世(じんしんせい)のユートピアを求(もと)めて

2024年7月9日　第1刷発行

【著者】
海老原 豊

発行者：高梨 治
発行所：株式会社**小鳥遊(たかなし)書房**
〒102-0071　東京都千代田区富士見1-7-6-5F
電話 03 (6265) 4910（代表）／FAX　03 (6265) 4902
https://www.tkns-shobou.co.jp
info@tkns-shobou.co.jp

装幀　宮原雄太（ミヤハラデザイン）
印刷　モリモト印刷株式会社
製本　株式会社村上製本所

ISBN978-4-86780-050-8　C0090